Libertango

FRÉDÉRIQUE DEGHELT

Libertango

ROMAN

À Jim,

*à tous ces enfants différents
qui ne savent pas encore
ce que contient le chapeau.*

*L'existence procède de la lutte,
je ne le sais que trop.*

Alexandre Jollien

*Où va-t-on quand on veut du jour au lendemain
échapper à l'ordinaire, trouver l'incomparable,
la fabuleuse merveille ?*

Thomas Mann

*Tu t'approches de toi-même,
il faut comprendre cette vérité, que toi tu es
la vérité et qu'il n'y en a pas une autre.*

Sergiu Celibidache

Il y eut les premiers sons désaccordés, tâton-
nants, qui semblaient pleurer en attendant que
commencent véritablement les choses. Il y eut
ce moment calme, quand je me suis avancé
dans la salle, les applaudissements de l'assemblée, comme une ultime faveur accordée avant
que je ne fasse mes preuves. Avec une main
un peu moite, je saluai mon dernier allié, le
plus proche, avant de laisser place à ce silence
recueilli qui précède l'envol. Je les regardai
tous, puisque je tournais le dos aux autres,
et le sourire que je leur offris n'avait rien de
bref ou de crispé. Ce sourire était ma dernière
chance de les embarquer et je le désirais plus
que tout au monde. Nous devions désormais
nous faire confiance parce que nous n'avions
pas le choix et, surtout, parce que ce serait la
dernière fois. Je dirigeai mon regard vers les
premiers à intervenir et ils caquetèrent le début
de leur discours. Puis, accrochés à leurs cordes,
montant et descendant dans la mâture, graves
et plus jeunes se mirent à ramper vers moi.
C'est dans la pluie de ce qui suivit que je saisis

mon énergie. D'une main ferme, je m'appuyai sur ce qui venait d'être envoyé et s'effaçait déjà pour faire place à un déploiement élégant. Je me sentais posé sur le bord de chaque envolée, si bien que, lançant avec force les canons, je pus sentir le frémissement de la salle et sa surprise quand retentirent les coups assénés, parfaitement accompagnés par la douceur des milliers de voix virevoltantes pour répondre à la main qui les encourageait. Je souris et pris la taille de la plus jolie des mariées pour la faire tournoyer sans jamais succomber. Je suggérai que quelque chose d'infime pouvait se passer et les ombres des vents contraires murmurèrent que tout était encore possible. Tous étaient tenus par les coups réguliers qui marquaient le temps disparu, chacun se précipitant sans jamais lâcher cet enveloppement magique qui tissait sa toile autour de la possibilité d'une force. Nous n'étions plus à l'abri, mais livrés aux flots tumultueux de nos désirs les plus fous ; l'idée même d'une résistance vint, dans un sursaut de coquetterie, mais les vagues acharnées de la montée des eaux emportèrent tout. Enfin, le rythme ralentit pour laisser le temps au public de saluer le romantisme de ce baiser enfin cueilli.

12 mars 2015

Depuis ma naissance, le monde s'est accéléré. Je suis né en 1935 dans un univers lent, à peine remis d'une guerre d'enterrés vivants qui a enflammé l'Europe. Je suis né juste quand l'Espagne est devenue le terrain de jeu d'une autre guerre, une sorte de brouillon d'un mal plus grand encore. On ne demande pas leur avis aux enfants auxquels, ironie du sort, on donne la vie avant de les laisser, impassibles, assister au spectacle de la mort. Je suis né avec ma propre guerre à mener contre les hommes et leur fâcheuse tendance à ne pas vouloir d'un être différent. J'ai dû aussi me battre contre moi-même, parce que le refus d'un clan retourne contre soi la colère et il faut alors trouver le moyen de ne pas être ce que les autres voient, ce qu'on ressent au creux de son corps, la débâcle. Il faut aller chercher loin et profond des raisons de renaître à une autre forme de vie. Puis je suis né enfin, à la plus pure proposition de l'univers : celle de l'amour de la musique. Elle ne m'a pas seulement sauvé, elle m'a constitué, tiré d'un état larvaire, bref elle a fait de moi un être humain capable de regarder quelqu'un dans les yeux et ce ne fut pas rien.

Je n'ai jamais aimé me souvenir. Je n'ai jamais voulu m'embarrasser du passé. Durant toute ma vie, au plus loin que je remonte, il me fallait déposer le sac de ma mémoire pour continuer d'avancer. Pour mettre un pied devant l'autre, je ne pouvais pas non plus regarder trop loin. On me l'avait suffisamment dit et très tôt : rien ne m'attendait. On ne peut fiévreusement fixer l'horizon quand on n'a pas l'espoir d'y repérer une flamboyance ou ne serait-ce qu'une mince joie. Je me suis donc concentré sur la peti-tesse du présent, à chaque instant sa douleur cuisante ou sa joie minuscule. Vingt ans ont passé ainsi à ne jamais revenir sur mes pas, à n'en espérer qu'un de plus, afin de ne pas trop devancer la peine. Le reste fut si surprenant que j'ai du mal à croire que cet ennui mortifère, cette inconscience de soi ne furent pour rien dans ce que je devins ensuite... Quant à imagi-ner que je l'étais déjà, je laisse à chacun le soin de transposer dans sa propre vie les possibles hasards, les chemins complexes qui mènent du désespoir de soi à l'amour des autres.

Chère Eva,

Tu sais combien ton avis m'est précieux. J'ai été contacté par une journaliste biographe. Elle veut raconter ma vie. Comme tu le sais, j'ai toujours fui ce genre de proposition en arguant que la musique, les concerts, les différentes et nombreuses interviews que j'ai données constituent une bien meilleure vision, au moment même où ils ont été faits, de ce que je sais et de ce que je fus. Bien que j'en aie tout à fait l'âge, et ne prends pas ça pour de la coquetterie, même pour me taquiner, je crains qu'un tel exercice ne me plonge dans une sensation de tiroir, de nécrologie anticipée, d'exploration quasi posthume et j'avoue que, oui, ça m'angoisse un peu. Pour l'instant, ai-je répondu, je n'ai pas de temps pour me retrouver. Avec les événements que nous avons vécus, j'ai de bonnes raisons de refuser cette biographie qui pourrait être un piège. Mais cette proposition me tourmente. Cette jeune femme est douce et je vois bien qu'elle ne m'a pas cru. Elle n'est pas insistante ou déplacée. Elle est habitée par la certitude de trouver un accès juste et lumineux à ma mémoire, comme à ce qu'elle pourrait encore m'apprendre. J'avoue que je ne voulais pas l'envisager, mais j'y ai pensé tout de même, et je sais qu'elle n'a pas tort. Après tout ce qui est arrivé, peut-être est-ce le moment de se pencher véritablement, drôle de mot qui trahit si bien la peur de tomber en soi.

Elle voudrait faire un livre et même un film, ou tout au moins quelques vidéos qui l'accompagneraient. Je pense au beau documentaire qu'a fait le fils de mon maître et ami Sergiu Celibidache, lui qui était si réticent aux enregistrements. Évidemment, si tu étais cinéaste, cela résoudrait mon problème. Je te dirais non immédiatement ! Tu vois, j'arrive même à en plaisanter, tout n'est donc pas perdu. Dis-moi ce que tu en penses. Et si tu crois que je devrais le faire, dis-moi sous quelle forme. Tu es sans doute la personne qui me connaît le mieux aujourd'hui et j'imagine que c'est toi qui t'occuperas de tout quand j'aurai disparu. Alors autant que tu sois d'accord et que peut-être, si ça ne t'ennuie pas trop, tu rencontres cette jeune femme pour me dire ton sentiment sur cette affaire. J'ai écouté ton dernier enregistrement, celui que tu as fait pour l'émission de France Inter. Je suis toujours aussi ébloui et fier. Ton père qui t'aime.

15 mars 2015

En vieillissant, j'étais si préoccupé par l'espace qui existait entre les autres et moi que je ne pensais jamais à celui qui existait entre l'instant présent et celui de ma disparition. Cette distance peut être très courte sans qu'on en soit informé, mais il est curieux et presque honteux de se retrouver à l'âge d'un vieillard sans avoir jamais envisagé que la vie s'arrêtera. Quel adulte normal se comporte ainsi ? Quand j'en parle à Eva, elle me dit que c'est pour chaque humain la même chose. Elle me rappelle l'histoire de cette femme atteinte d'un très grave cancer et qui, rencontrant un moine bouddhiste, lui dit : « Je vais mourir. – Moi aussi, madame », lui répond le moine. Et ainsi, il lui permet de commencer un chemin auquel elle aspirait sans doute, auquel son corps l'a contraint. Et elle ne meurt pas, bien sûr. Elle guérit. Je ne vais pas guérir, moi. On ne guérit pas d'être vieux. On guérit encore moins de se sentir trop vieux, trop seul, trop triste. Tout est à faire, décidément ! Quel boulot ce matin ! Se récupérer chaque jour est le plus difficile. Piocher, minute par minute, les particules d'un bonheur désormais impossible, et les regarder autrement. Ce qui est important n'est pas ce qu'on vit, mais la manière dont on regarde ce qu'on vit. Alors je me concentre. Là, tout de suite, j'attends l'arrivée de Léa Shlimberg. C'est une journaliste d'une quarantaine d'années. Sur les rares photos qu'on peut voir sur Internet, elle a l'air plutôt jolie, très brune, aux cheveux mi-longs ; elle a des yeux noirs et surtout, ce qui m'importe, un regard franc. Au téléphone, sa voix était à la fois douce et ferme. Elle m'a expliqué son projet dans les grandes lignes. Des enregistrements réguliers pendant presque un an, et de temps en temps avec une caméra. Elle est persuasive, mais patiente. Elle connaît bien le monde de la musique classique, mais je ne sais pas si elle entend la musique. Peut-être vais-je commencer avec cette proposition : voulez-vous un café Mozart ou un café Bruckner ? Elle voudra un thé Debussy ou une vodka Bud Powell ? Et voilà, à mon tour de stigmatiser les genres de musique... De l'alcool forcément pour le jazz ! Que suis-je, moi, aujourd'hui ? Un saint-émilion Billie Holiday ou une verveine Satie ?

De ce premier rendez-vous, elle attend un oui, et j'espère avoir des raisons de lui dire non. J'anticipe une sorte de face-à-face où chacun essayera de gagner l'autre à ses arguments. C'est étrange, cette envie soudaine de coucher mes pensées sur un papier... Voilà des années que ça ne m'était pas arrivé. Une feuille volante. Elle s'envolera sûrement.

Luis Nilta-Bergo / Première interview filmée

« Comment voulez-vous faire ? Va-t-on s'installer directement dans mon bureau, ou bien dans le jardin puisqu'il fait beau ? Préférez-vous que j'arrive dans la pièce ? Je vous avertis, je ne le ferai pas très rapidement. »

Léa est réticente. Elle n'a guère envie de montrer Luis claudiquant vers une chaise avant de répondre à ces questions. Pour quoi faire ? Pour imiter ces professionnels d'aujourd'hui ? Selon eux, c'est ainsi qu'on raconte avec des images, en montrant dès le départ *le personnage*. Vous voyez ce type qui arrive en boitant, eh bien vous allez voir ce qu'il fait avec ses bras ! Et même ses bras, si vous les observez bien, vous verrez qu'il y a un côté qui ne marche pas. Le gauche. Oui, regardez ! C'est un hémiplégique. Et ensuite il va vous dire comment il a réussi à devenir un chef. Un chef formidable que la plupart des gens ont déjà vu en spectacle, avant cette séquence minable pour accrocher le téléspectateur. Non. Léa n'a pas l'intention de faire ça. Pour une fois, elle ne va pas faire du reportage à la mode du temps traversé. Elle filme pour avoir une empreinte. Elle ne sait pas encore si ce film lui-même ne sera pas en séquences racontées, ou bien joint au livre, comme le bonus en images de ce qui se dira. Elle ne sait pas non plus si elle se servira de ce que lui raconte Luis pour alimenter son propre récit, ou si elle laissera ces entretiens intégralement dans les pages. Peut-être comme un cahier central ou alors en fin de chacun de ses chapitres à elle, pour laisser à Luis le dernier mot. Pour que ce soient ses mots qu'on inscrive là dans cet hommage. Elle ne sait qu'une chose : c'est à elle de faire ce travail éditorial. Cette rencontre avec ce chef d'orchestre est son idée et elle ne laissera personne lui dicter la manière dont ce projet va se réaliser, pas même celui qui s'est montré intéressé pour le publier. Pour une fois dans sa vie d'enquêtrice, elle va décider de tout. Sauf bien entendu de ce que Luis va vouloir ou refuser. Mais ça, ce n'est pas la même chose. C'est, en quelque sorte, inclus dans le contrat moral qu'ils ont passé quand il lui a dit oui, du bout des lèvres. Elle n'est même pas sûre qu'il ne va pas se désister, que soudain le projet ne va pas lui paraître trop fatigant, trop lourd, trop encombrant. Elle n'est pas une débutante. Elle sait à quel point remuer le passé peut être une épreuve. Certains lui ont déjà dit au cours de sa carrière : « Ces questions que vous m'avez posées aujourd'hui, je ne me les étais jamais posées. » Et elle sentait bien qu'ils regrettaient d'avoir signé sa demande d'autorisation. Elle fait toujours signer le papier avant.

Mais là encore, c'est différent. Luis est un grand homme, un grand musicien. Il est à la fin de sa vie. Il n'a rien à attendre d'elle. Il peut tout arrêter. Même quand tout sera fini. Il pourra dire non. C'est le risque. Elle a décidé de le prendre. Et puis, il y a cette raison plus intime que sans doute elle n'osera jamais lui avouer.

« Nous verrons plus tard pour les images. Je préfère me concentrer sur la conversation que nous allons avoir aujourd'hui. Et si ça ne vous dérange pas, je préférerais que nous nous installions dans votre bureau, mais naturellement, c'est à vous d'en décider. Je souhaite que vous vous sentiez le plus à l'aise possible. »

Le bureau du maestro s'ouvre sur le jardin. Il déploie les volets qui demeuraient clos, comme pour garder la fraîcheur de la pièce. Les trissements des premières hirondelles revenues se font entendre. Luis le remarque et lève la tête. Les fleurs du printemps et l'herbe verdoyante semblent s'inviter à la porte-fenêtre, contrastant de leurs couleurs multiples les tons d'automne de la pièce lambrissée dont les murs sont tapissés de livres. Bois et cuir, une odeur d'ambre et d'épices, c'est une pièce d'homme. Si ce n'était le piano quart de queue qui trône dans un coin de la pièce, rien ne laisserait penser que c'est le bureau d'un musicien. Un bouddha, quelques sculptures africaines, les objets évoquent le voyage tout comme les livres. Le regard amusé de Luis suit celui de la journaliste qui examine le décor et se demande ce qui relie le maestro à cet instrument dont il ne joue pas et qui n'était pas celui de sa femme.

Elle lui fait un signe vague qui voudrait dire qu'il peut choisir une place qui lui convienne. Elle ne s'est jamais sentie très à l'aise dans ces moments où, prenant possession d'une pièce, c'est elle qui invite des personnalités dans leur propre bureau. Invariablement une petite gêne s'installe, sauf quand elle a affaire à un individu égotique qui, quoi qu'il arrive, se sent le droit de décider de ce qui va être ou non dans son film. Elle est soulagée de l'attitude de Luis, qui manifestement n'appartient pas à cette catégorie. Ce n'est pas le premier chef d'orchestre qu'elle filme. À l'époque où elle a rencontré son premier maestro, elle était plus jeune et elle avait été surprise de constater qu'une fois l'orchestre disparu, il restait quand même le chef.

Luis prend place sur un fauteuil en cuir et lui sourit gentiment : « Déplacez ce que vous voulez, si vous avez besoin de plus d'espace. J'ai l'habitude. » Elle pose sa caméra sur un pied qu'elle déploie rapidement tout en continuant à lui parler : « C'est très bien comme ça. De toute façon, cette première séance constitue notre galop d'essai. Il sera toujours temps de choisir un autre lieu ou une autre place. Et nous le ferons sûrement... »

Elle aime ces moments où quelque chose doit se passer avant qu'elle ne pose ses questions. Ce quelque chose n'est jamais le même. C'est très mystérieux. Chacun se tient sur le bord d'une intimité, différente pour l'intervieweur et l'interviewé. C'est à la fois palpable et indicible, comme une sorte de négociation silencieuse entre ce qu'elle va demander et ce qu'il va lui laisser percevoir. On n'en est pas encore à ce qui va se dire, mais ce qui va se jouer durant les minutes qui suivent est déjà là. C'est leur premier entretien et elle a décidé que celui-ci serait filmé. C'est plus difficile. Elle en est consciente. Elle aurait pu mener avec lui une première conversation sympathique et informelle pour le rassurer ou même l'endormir un peu. Elle l'aurait laissé se raconter à la manière d'une femme qui attend quelques anecdotes d'un homme charismatique, mais ce n'est pas ce qu'elle veut de lui. Elle ne peut rien lui laisser croire. Ce qu'elle cherche, c'est une forme de vérité. Il ne semble pas tendu. Il s'est assis et, de son fauteuil, il la regarde faire ses réglages, négocier lumière et cadrage, sans aucune impatience. Son immobilité imprime à l'ambiance une sorte de paix agréable.

« Par quoi voulez-vous qu'on commence ? » Elle l'a dit fermement, comme pour obtenir une réponse précise. En posant la première question, elle se met en danger. Depuis toujours, elle a appris que le danger vient des questions et non des réponses. Depuis toujours donc, elle accepte que celui qui pose les questions en dise beaucoup plus sur lui et sur sa curiosité. Et cette fois encore, elle sent que sa question va être le début d'un gouffre. La révélation de ce qu'elle veut savoir d'abord est un terrain sur lequel la partie va se disputer. Alors elle se décide à jouer le tout pour le tout et précise sa question :

« Je voudrais que tout se passe dans la sincérité. Je voudrais savoir quel a été le rôle du handicap dans votre vie de chef d'orchestre ou l'inverse. Je ne veux pas les séparer. Vous êtes un maestro, mais vous représentez sans doute quelque chose de fort pour ceux qui sont handicapés, une sorte d'exemple… »

Il la regarde avec un demi-sourire, comme s'il avait désiré amener cette question avant qu'elle ne la pose. Un long silence suit. Puis il commence à parler comme si sa question n'avait jamais existé.

« Je ne me rappelle pas ma vie avant d'avoir entendu de la musique. C'est ce genre de choses qu'on attend d'un chef d'orchestre, n'est-ce pas ? Mais est-ce la vérité en ce qui me concerne ? Je ne sortais pas d'une famille de musiciens. C'est très important parce que je ne me souviens pas de ma vie avant l'âge de huit ou neuf ans, la première fois que j'ai entendu consciemment de la musique à la radio. » Il s'est arrêté et Léa retient son souffle. C'est dans ce genre de moment qu'elle s'interdit de parler. Pour laisser le silence raconter ce qui va surgir.

« Il n'y avait aucune possibilité pour mon père de m'accepter. Je ne pouvais tout simplement pas être son fils. Il ne pouvait pas imaginer avoir produit ça. Ce fils dégénéré… Et pourtant mon père ne se prenait pas pour quelqu'un de beau ou de particulièrement intelligent. Je devais donc admettre que même pour l'homme humble qu'il était, je n'étais pas un fils possible. Il aurait préféré que ma mère puisse avouer une infidélité. Au besoin, les jours de beuverie, il lui inventait une aventure avec le voisin, ce qui devait le rassurer sur sa paternité.

— Vous viviez à quel endroit ? »

Léa sait qu'il vient de fixer une règle de liberté. Elle l'a laissé démarrer comme il l'entendait et elle s'est glissée dans ses confidences avec une question de relance. Son regard a l'air de flotter un peu au-dessus de la ligne d'horizon que forme le couvercle du piano. Elle ne l'avait pas remarqué en entrant, mais un petit bandonéon est posé sur l'instrument.

Je marche sans regarder où je vais. Les mots de mon père sont des pierres sur mon cœur. La dissonance de son jugement me foudroie et me broie l'estomac. Oui, je suis inutile. Oui, ma vie ne sert à rien. Je suis sa honte, la plaie ouverte de ma mère, le boulet de mes sœurs. Je n'ai jamais rien apporté à cette famille si ce n'est la peur, le travail en plus, avec l'obligation de s'occuper de moi. Je ne suis qu'un sale handicapé. Je psalmodie ses reproches et la violence qui sortait de ses yeux continue à m'effrayer. Je revois ses poings serrés, comme s'il se retenait de me frapper. La ville transmet à mes tympans un hurlement assourdissant qui, malgré son flot sonore, ne peut couvrir les coups tonitruants de chaque mot de mon paternel, martelé à mon cerveau. Un flot de larmes jaillit et m'aveugle ; j'essuie mes joues mouillées d'un geste rageur. Je boite plus que d'habitude. Pourquoi je pleure puisque je n'ai jamais pleuré depuis tant d'années ? Je ne sais pas combien de temps je marche, il me semble que le trottoir est en pente. J'ai mal au dos, aux chevilles, aux cuisses. J'ai mal partout. Mon corps est à la mesure de l'affront subi, un champ de ruines. J'aperçois la Seine, je cherche un escalier pour rejoindre les quais. Oui, pour une fois que j'allais ramener un peu d'argent à la maison, je n'ai pas tenu, je me suis fait jeter, je n'ai pas été capable de travailler et de payer mon tribut. Je suis coupable. L'eau scintille sous un soleil flamboyant. Je me laisse tomber sur le bord de la rive.

À quel moment ai-je réellement entendu un chant, le filet mélancolique et vibrant qu'il produisait ? Au début, j'ai cru que mon âme me distillait de la musique qui ressemblait à mon chagrin. Ça n'aurait pas été la première fois. Je transpirais de peine et de désespoir et cette mélodie était un mirage produit par mon imagination. Devant moi, il n'y avait que des pêcheurs tenant leurs lignes et surveillant la surface de l'eau, et puis un couple assis côte à côte sur des chaises longues. Pourtant, j'entendais bien des notes et je me rapprochais de cette musique, comme par instinct ; j'allais vers elle comme si elle pouvait m'apaiser, et soudain, j'ai vu un musicien. Debout, un pied posé sur une bitte d'amarrage, tenant entre ses mains une sorte d'accordéon, mais plus petit, et noir. Son chant vibrait à l'unisson de mon cœur dévasté, alors je me suis assis et je l'ai écouté. Longtemps. J'ai laissé couler mes larmes. Je me fichais bien qu'il puisse me voir pleurer. Il devait savoir puisqu'il jouait cette musique qui contenait tous mes chagrins. Je n'entendais plus la vérité ou l'offense, je n'étais plus une gangrène ou un pauvre type inutile. J'étais cette musique, ce chant de tristesse qui rythmait la débâcle de mon existence et distillait dans mes vaisseaux son vibrato. La cadence s'est accélérée et j'ai entendu l'inspiration, le murmure d'une plénitude, l'appel vibrant d'un avenir. Or je n'avais jamais pensé à l'avenir.

Je l'ai écouté pleinement, ce joueur de bandonéon, alors que j'ignorais encore le nom de son instrument qui exprimait exactement mon désarroi. Il s'est arrêté et il a demandé avec un accent que je connaissais bien : « Ça te plaît ? » Et je lui ai répondu en espagnol : « C'est exactement ça », parce que je ne savais pas l'exprimer autrement. Il a souri.

— C'est du tango. Chez moi, en Argentine, on dit que le tango est une pensée triste qui se danse.

— Moi, je suis plutôt le résultat d'une pensée triste qui ne se dansera jamais !

— Oh là. Tu me sembles avoir le moral dans les chaussettes, comme on dit en français ! Toute pensée triste peut devenir un chant qui nous accompagne, nous console, nous apaise, non ?

J'ai voulu dévier la conversation que je sentais s'engager dans une impasse. Celle de mon accablement.

— Es-tu un musicien connu ?

— Dans quelques bals ou salles de concert à Buenos Aires, oui, mais pas ici. J'ai obtenu une bourse pour étudier la musique classique à Paris. Je veux devenir un vrai compositeur et diriger de grands orchestres. Je suis arrivé l'année dernière avec ma femme. J'ai même laissé mes enfants en Argentine. Et tu vois, je ne voulais plus jouer de tango...

Comme je me taisais et l'écoutais avec intérêt, il a continué.

— Je voulais vouer ma vie à la musique classique, mais Nadia Boulanger, cette professeur avec laquelle j'étudiais, me disait : « Ce que tu composes n'a pas d'intérêt, ça existe déjà. » Je devenais fou. Je travaillais comme une brute, j'y passais des nuits entières et ça n'allait jamais. Ça ressemblait toujours à Stravinski ou à un autre compositeur. Un jour elle m'a demandé ce que je faisais en Argentine. Je ne lui avais même pas dit que je faisais du tango. Elle ne savait pas que je jouais du bandonéon. Je lui ai interprété une de mes compositions. Et elle a dit : « Voilà ce que tu es. C'est avec ça que tu dois maintenant composer. » Je t'embête avec mes histoires ?

Je l'ai assuré du contraire. Je trouvais ça passionnant. On aurait dit qu'il prenait du plaisir à me montrer qu'il avait traversé des moments difficiles. Et puis c'était la première fois, je crois, que quelqu'un me parlait comme si mon handicap n'avait aucune importance pour lui. Ou peut-être pouvait-il me raconter ses faiblesses à cause des miennes, de ma peine, ou de son bandonéon qui avait consolé mes larmes, va savoir... J'avais l'impression d'être un ami qu'il avait perdu de vue, une bonne connaissance à laquelle il confiait les dernières nouvelles depuis son arrivée à Paris. Je voulais savoir. Pourquoi n'avait-il pas dit qu'il jouait du tango ?

— J'avais peur. Pour moi, être un *tanguero*, ce n'était pas noble comme un compositeur de musique classique, c'était une musique qui venait de la rue. Et même si j'avais eu un peu de succès chez moi, j'avais eu surtout des problèmes quand j'essayais des choses nouvelles. Il y avait des milliers de milongas à Buenos Aires. Je voulais être brillant et faire de la grande musique. Le tango était devenu mon cauchemar, mon handicap à moi. (Et c'est ainsi qu'il fit allusion à ce qu'il pouvait percevoir de moi.) Et tu vois, Nadia m'a fait comprendre que ce que je croyais être mon handicap était un atout. La musique sans y être ne sert à rien. C'est une musique vide. Et je n'étais pas dans la musique que je désirais faire. Elle m'a appris à regarder ce que j'avais à l'intérieur de moi. Je suis donc reparti vers ce que je croyais ne plus aimer pour m'en emparer vraiment. C'était une sacrée découverte. Quel âge as-tu ?

— Vingt ans. Je viens de me faire virer.

— Et qu'est-ce que tu veux être ? (Il ne m'avait pas demandé « Qu'est-ce que tu fais dans la vie ? », ne s'était pas enquis de l'endroit d'où l'on m'avait viré.)

— Qu'est-ce que je peux être serait plus juste. Pas un musicien en tout cas. Même si la musique est pour moi la chose la plus importante au monde.

Et je lui ai montré ma main gauche raide aux doigts sans avenir.

— On n'est pas obligé d'avoir de la dextérité pour faire de la musique. Je vais te poser une colle. Qui produit la plus belle musique au monde sans même jouer d'un instrument ?

J'avais beau chercher, je ne voyais pas. En désespoir de cause, j'ai proposé :

— Un poste de radio ?

Il a éclaté de rire.

— Non, je te parle d'un homme, un chef d'orchestre. Cet homme-là n'a qu'à lever un bras et il produit ce qu'il ne jouera jamais. Et n'est-ce pas la plus belle musique au monde, et la plus complète, que celle d'un orchestre ? Même si, la plupart du temps, un chef d'orchestre est un musicien qui a joué d'un instrument, certains l'ont très tôt abandonné.

— Un orchestre, je n'en ai jamais vu en vrai. Pourtant je passe tout mon temps libre à les écouter à la radio... Ce que je préfère ce sont ces émissions où l'on peut entendre les grands orchestres allemands qui jouent Beethoven, Mozart, Rachmaninov. J'aime particulièrement les compositeurs russes. Et Ravel aussi. J'adore Ravel.

Je me suis arrêté parce que son regard s'était posé sur moi avec intensité. Il a demandé si ça me plairait d'assister à l'enregistrement de son disque le lendemain dans un studio de musique. Il a rajouté qu'il pourrait dire que j'étais un petit-cousin espagnol... Je suppose qu'il a dit ça en voyant mon air affolé. Il m'avait vu l'écouter et trouvait sans doute que j'avais pour cela une capacité particulière. « Je m'appelle Luis Nilta-Bergo, lui ai-je dit en lui tendant ma main droite. – Et moi, Astor Piazzolla, a-t-il répondu. »

« Le jour de l'enregistrement, quand je suis arrivé, Astor ne m'a pas vu. Il parlait en espagnol avec un jeune homme, un type en costume qui devait avoir mon âge. Ils échangeaient et je captais seulement quelques mots. Il me semblait qu'ils parlaient du rythme, de l'origine du tango et des rythmes africains. Soudain Astor m'a aperçu et lui a dit en tendant une main : "Je te présente Luis. Il est espagnol, de Burgos, et il vient voir si ça vaut la peine de consacrer sa vie à la musique." Ils ont ri tous les deux et malgré ma timidité et mon embarras, j'ai ri avec eux. Et puis l'enregistrement a commencé. Comme la veille, Astor jouait debout, un pied posé sur un tabouret. Il y avait une harpe, huit violons, deux violoncelles, une contrebasse. Je n'avais jamais vu autant d'instruments si beaux en même temps. Je ne pouvais détacher mon regard de ces musiciens faisant corps avec leurs instruments, l'expression de leurs visages absents. Le garçon qui semblait avoir mon âge s'appelait Lalo Schifrin. Il était argentin lui aussi, et pianiste. Il riait, faisait des blagues mais retrouvait concentration et attention dès qu'il jouait. Il semblait entrer dans cette musique avec tellement de facilité. Un autre joueur de bandonéon s'appelait Marcel. Je ressentais comme la veille une émotion profonde en écoutant le chant du bandonéon, mais c'était encore plus fort quand les violons et les violoncelles s'envolaient avec lui. Je voyais une ville la nuit, un quartier sombre et dangereux, des ruelles où se profilaient des ombres, puis une place illuminée sur laquelle on dansait en riant. Mon esprit inventait des histoires qui se posaient sur la musique, et propulsées par elle, se déroulaient tout autour de moi.

Chacun semblait savoir ce qu'il avait à jouer et tout s'accordait, se séparait et se rejoignait encore. Les heures que j'avais passées l'oreille collée au poste de radio prenaient vie sous mes yeux : c'était donc ça, un orchestre ! Ces êtres qui soudain s'extrayaient de la vie, du temps normal des autres. Ils *jouaient* et dans ma langue maternelle et la leur, on disait *tocar*, toucher. Ils *touchaient* la musique et ça touchait mon cœur, ça faisait dresser ma peau, ça me donnait le frisson, ça faisait purement et simplement disparaître les pires moments. Ils *jouaient*, en français, comme les enfants, comme la plus pure des activités de la vie, comme si rien n'était sérieux. Mais ça l'était véritablement. Quand on est un enfant et qu'on joue, rien n'est plus important. Je ne savais lequel des deux verbes était mon préféré ; les deux me parlaient. Jouer et *tocar* ; être dans l'essentiel de l'âme sans douleur, avec la légèreté qui convient.

Mon regard était si sollicité que j'avais parfois besoin de fermer les paupières pour mieux profiter de la musique sans avoir les yeux qui me brûlent. Sur un moment particulièrement sensible, l'envolée des cordes m'a saisi, je me suis déplacé de quelques centimètres et je l'ai vu. Caché derrière les bandonéonistes, il dirigeait l'orchestre. Il était de dos. C'était le seul dont je ne voyais pas le visage. Monté sur une petite estrade, il avait dans le bras gauche des gestes d'une infinie douceur, tandis que son bras droit levait en rythme une sorte de petit archet qui battait la mesure. Soixante ans après cette vision, je ressens encore au creux de mes tripes le choc que j'ai ressenti. Il se superposait aux paroles d'Astor. Cet homme-là jouait d'un instrument multiple. Il *jouait* de l'orchestre. Depuis le début de l'enregistrement, j'entendais chaque instrument séparément, mais aussi l'ensemble qu'ils formaient. Je percevais sans l'intégrer vraiment ce qui me parvenait. J'étais cet homme-là, debout sur l'estrade qui tournait le dos au monde et lui offrait de la musique. Je comprenais soudain ce que m'avait dit Astor la veille, ce qu'avait voulu lui faire comprendre son professeur. La vie n'a rien à voir avec ce qu'on veut en faire, rien à voir avec ce que les autres veulent qu'on en fasse. La vie est à l'intérieur de soi, tapie comme une évidence, recroquevillée au fond d'un océan de doutes. La vie est à portée de notre émotion, il suffit de s'en saisir.

Curieusement, rien ne me semblait impossible, ni le parcours, ni le temps. Rien de ce qu'il faudrait affronter pour rejoindre cette certitude aussi violente qu'une déflagration ne m'apparaissait. Un jour, je serais là, et ce ne serait pas avec huit violons, ce serait face à cent quarante musiciens dont je conduirais le sort au creux de la musique, en équilibre sur le fil d'une baguette. Et mon bras gauche, suspendu à des notes, redeviendrait vivant pour le temps d'un concert.

Quand la séance d'enregistrement s'est terminée, je suis redescendu sur terre sans pouvoir évaluer combien de temps s'était écoulé. Pour la première fois de ma vie, je me fichais pas mal de rentrer chez moi et de retrouver ces gens qui étaient ma famille et m'avaient cloué au sol beaucoup plus sûrement que mes membres inefficaces. Je savais. Ce que je venais d'entendre allait être à mes côtés, me porter. Je savais que je serais, maintenant et pour toujours, protégé par une armure de sons, qui m'accompagnerait aussi souvent que je le souhaiterais. Je venais de fracasser ma coquille et j'allais découvrir le monde.

Devant mon enthousiasme sans bornes, Lalo et Astor m'ont invité à revenir le lundi. Puis Lalo a glissé qu'il allait écouter Messiaen le lendemain à l'église de la Trinité. Je voyais très bien où était cette église qui n'était pas très loin de chez moi, mais je ne savais pas qui était Messiaen. Je devinais cependant que ce devait être un musicien. Voyant mon regard interrogatif et fiévreux, il a ajouté que je pouvais venir si je le désirais. J'étais flatté et heureux. Lalo m'intimidait par son élégance et me rassurait par son humour, et son immense gentillesse.

Le lendemain, comme il me l'avait proposé, je suis passé chercher Lalo à son hôtel du Grand-Balcon. Je ne lui avais pas dit que j'habitais tout à côté de l'église et qu'il me faudrait faire un drôle de détour. J'étais trop fier. Il y avait là un autre musicien, un saxophoniste, un certain Bobby Jaspar qui jouait dans sa chambre quand je suis arrivé. Lalo ne l'a pas invité à nous accompagner et Bobby lui a demandé s'il viendrait le soir écouter Bud Powell. Sur le chemin, Lalo m'a expliqué que Messiaen était son professeur au Conservatoire et que ses amis musiciens de jazz ne savaient même pas que lui-même suivait ses cours, pas plus que ses professeurs classiques ne l'imaginaient chaque soir en train de jouer du jazz dans les caves de Saint-Germain. Cette situation de double vie le faisait rire parce qu'il avait l'air de se cacher pour jouer une autre musique, comme si c'était honteux. Mais il était également consterné du peu d'ouverture que les musiciens pouvaient avoir sur les cultures musicales différentes. Il me raconta qu'un jour en Argentine, il avait joué avec un pianiste autrichien, Friedrich Gulda qui mélangeait le jazz et le classique et que ce dernier l'avait regardé très bizarrement à la fin du morceau. Il s'était passé quelque chose pendant qu'il improvisait avec lui et Lalo avait compris qu'il ne fallait pas choisir. Que la musique était une et que nous seuls faisions bêtement des cases, des niveaux, des séparations, des échelles de valeur. Et ce regard l'avait libéré, tout comme ce que j'avais entendu la veille m'avait ouvert des portes. La musique était avant tout une émotion et ce qu'elle faisait des êtres humains nous échappait complètement. Et je me disais que c'était fou comme on pouvait en un seul regard, un seul son se libérer des autres et de la dictature de leurs avis. Il fallait composer avec tout ça et suivre sa propre voie. Lalo m'a dit : "Écoute, moi je veux être un musicien de jazz, Messiaen n'aime pas le jazz, et mes copains musiciens de jazz ne m'accompagneront jamais à un concert classique. – Pourtant, ai-je rétorqué, Bud Powell adore les pianistes classiques. Je l'ai entendu dans une émission, il a même joué Chopin. – Ah, tu connais Bud Powell, tu l'as déjà vu ?" Non, je n'avais jamais été au concert d'aucun de ces musiciens de jazz dont j'écoutais les morceaux à la radio. Je ne savais même pas qu'on pouvait les entendre dans des clubs à Paris. Je connaissais beaucoup de leurs morceaux et, moi aussi, j'étais avide de tous les genres de musique. Mais j'étais un puceau de la vie, quelqu'un à qui on avait répété qu'il n'avait pas le droit de sortir, de se montrer, d'être avec les autres qui seraient forcément hostiles au monstre que j'étais. Lalo m'expliqua alors que ses parents étaient inquiets quand il avait obtenu sa bourse pour aller à Paris. L'environnement dans lequel baignaient les musiciens de jazz était inquiétant pour eux. La drogue, l'alcool, la vie des jazzmen dans les bars de nuit n'étaient pas un univers très positif pour des parents. Il pensait sans doute me rassurer en me donnant l'exemple de la frilosité normale des parents envers ce genre de musique. Nous n'avions que deux ans de différence, mais contrairement à moi, il avait baigné dans un environnement musical. Il ne pouvait imaginer le milieu dans lequel j'avais grandi, cette bulle qu'on avait créée autour de moi, soi-disant pour me protéger mais qui en réalité m'avait empêché de vivre, de comprendre le monde ou de le questionner. Il me demanda mon âge et me conseilla d'aller au Conservatoire. Je ne voyais pas bien comment je pourrai passer ce concours ni en quoi il consistait, mais quand je lui posai timidement la question, il m'informa que certains, comme Xenakis par exemple, un autre musicien sans doute, étaient même admis dans les classes sans avoir passé le concours. Je n'avais pas grand-chose à proposer, je ne pratiquais aucun instrument ; j'entendais la musique de l'intérieur, je comprenais sa structure et en voyant les partitions des musiciens, j'avais vite identifié comment elles fonctionnaient. J'aurais pu les chanter sans problème. Mais à l'époque, j'ignorais totalement que ce n'était pas courant et que peu de gens avaient cette faculté, même quand ils étaient musiciens. Et quand aujourd'hui, je réalise mon ignorance d'alors, je me dis que c'était une immense chance d'être aussi innocent !

Dans l'église de la Trinité, ce fut encore plus fou que ce que j'aurais pu imaginer. Ce Messiaen qui était organiste paraissait habité par une sorte de génie intérieur. Il me suffisait de fermer les yeux pour voir des images, ressentir que nous étions dans un certain paysage, entendre des oiseaux, voyager dans des pays où je n'étais jamais allé, sinon dans mes rêves. Jamais je n'avais entendu une telle musique. Se succédaient des notes étoilées, des marches dans le désert, la sensation d'être épuisé, puis l'aurore, la force des petits matins, les jours écorchés d'ennui, une baignade dans une rivière, un bol de chocolat chaud, la mort d'un animal qu'on aime. Toute la vie, prodigieuse et misérable d'un humain était là, que l'église faisait résonner en l'amplifiant à l'infini. Je réfrénais mon envie de hurler de joie. Mes découvertes depuis deux jours étaient phénoménales et j'enviais grandement mon nouvel ami d'avoir la chance de recevoir l'enseignement de ce grand musicien. Comme sa générosité était totale à mon égard, il me garda avec lui toute la journée, que nous passâmes à parler des musiciens de jazz que nous aimions, et des compositeurs de musique classique dont les intonations flirtaient avec ses improvisations. Je ne repassai même pas chez moi pour avertir de mon absence. Nous terminâmes la journée dans les caves. Le Club Saint-Germain était bourré à craquer, Bud Powell jouait *I'll Remember April* et moi je me souviendrais long-temps d'avoir pris ce soir-là ma première cuite, découvrant que je n'étais pas plus handicapé quand j'étais ivre mort, et que les autres sem-blaient soudain moins doués que moi pour mar-cher. La vie était simple, il suffisait donc que les autres se bourrent la gueule pour que nous nous retrouvions à égalité. C'est évidemment un raisonnement qu'on tient quand, justement, on en tient une bonne !

Et la musique dans tout ça ? Ma foi, passé le court moment où j'avais eu l'impression d'avoir sauté dans mon poste de radio, j'avais décou-vert une bande de musiciens qui riaient tout en jouant. J'étais entré dans un monde où l'on était joyeux, insouciant, dans le pur swing de la vie. C'était pour moi un univers totalement inconnu, si loin du mien que j'avais peur de me réveiller. Au bout de quelques heures, l'effet vaporeux et enfumé des lieux m'avait paru totalement irréel. Je continuais à rythmer le tempo avec un enthousiasme à son comble. Je crois bien que j'ai même joué un peu de batterie. Jamais je n'avais été aussi heureux, aussi pleinement dans ma peau et ivre d'y être bien. Les quelques propos échangés avec les musiciens m'avaient appris deux choses. Être noir était un bien plus grand handicap que ma pauvre infirmité motrice, et pas mal d'entre eux n'avaient jamais foutu les pieds dans une école de musique ou même le nez dans une partition.

Le lendemain matin, quand je rentrai chez moi, une sérénade d'un tout autre style m'attendait. Mais j'allais avoir vingt et un ans dans deux jours et j'étais fermement résolu à prendre mes cliques et mes claques et à sauter à pieds joints dans une nouvelle vie. Ce qui était lourd et difficile, je considérais que je l'avais déjà vécu dans mon enfance, et j'allais y mettre un terme. Mon père hurla : "Bon débarras, espèce d'ingrat", et suivit tout un chapelet de noms d'oiseaux, ma mère pleura, mes sœurs eurent l'air de croire que c'était une blague et que je reviendrais dans l'heure.

La totalité de mes économies se montait à quatre-vingts francs. Je pensais avoir largement de quoi tenir. À peine avais-je entrevu que les humains pouvaient être accueillants, et voilà que je prenais le risque que ce ne soit pas vrai. Lalo était parti en tournée avec des musiciens. J'avais revu Astor qui m'avait fait rencontrer Nadia Boulanger. Elle m'avait posé une question essentielle : "Pourriez-vous vivre sans la musique ?" J'avais répondu : "Non, bien sûr que non." Surprise de tant de détermination, alors que je n'étais pas encore un musicien, elle avait demandé : "Et si vous viviez pour elle, que voudriez-vous ?" Et j'avais répondu que je voulais être tout ce que la musique voulait que je sois. Elle m'avait alors invité à venir écouter ses cours et m'avait proposé de me faire rencontrer le directeur du Conservatoire. Puis elle avait regardé Astor avec un sourire qu'il lui avait rendu sans que je comprenne bien à quoi il faisait référence.

Voyez-vous, tout ça aujourd'hui peut paraître étrange et finalement assez banal mais ces deux hommes qui, sans doute, n'ont pas mesuré à l'époque à quel point ils allaient changer ma vie, ont mis le feu à la poudre de mon existence. Ils m'ont accueilli comme le musicien que je n'étais pas encore, avec pour seul indice ma façon de les écouter, mon amour de la musique, et ce n'est pas rien. Il est probable que même quand on a la chance de tomber dans une famille bienveillante, ce miracle peut ne pas avoir lieu et personne ne vous crédite de rien. Deux ou trois jours dans une vie de quatre-vingts ans, ce n'est pas beaucoup, mais il se trouve que ces jours-là ont inversé le cours des choses.

Je ne peux pas vous raconter ma vie sans aborder la douleur physique. Ce serait un peu comme si un petit rat de l'opéra devenu danseur étoile faisait abstraction des souffrances endurées pour arriver à ce niveau qui est celui d'une sorte de combattant de la torture. Lors de mes premiers concerts, la tension était telle que j'en sortais littéralement mort, au bord de l'évanouissement. Je ne sentais rien pendant le concert lui-même, mais au moment de saluer, insidieusement, tandis que j'étais penché en avant pour recevoir humblement l'appréciation du public, une décharge électrique rebranchait mon corps à son déchirement. Il m'arrivait alors d'être obligé de m'appuyer sur un pupitre ou de m'agripper à quelque chose ou quelqu'un pour me redresser. C'était difficile car la totalité de mon être était nouée. Il m'est arrivé de gémir pendant les applaudissements car tous les muscles les plus sollicités, et qu'en principe on ne doit pas sentir, me donnaient la sensation de sortir d'une anesthésie locale voire générale. Je n'ai jamais voulu prendre les médicaments que me prescrivaient les médecins. Je me contentais de faire de grandes balades parisiennes qui me menaient à la limite de l'insupportable, histoire de m'entraîner. J'étais au comble du paradoxe, un grand sportif, un handicapé olympique, qui parcourait la ville pour affronter les heures marathoniennes d'un concert. Mais je ne me servais pas de ces excursions dans le seul but d'un entraînement physique. Je me gorgeais de sensations urbaines où que je sois dans le monde.

À New York, où j'ai dirigé *Rhapsody in Blue*, que j'avais à dessein choisi par pure envie de me sentir new-yorkais, car j'allais y vivre quelques années, je fus accueilli comme tel. Et c'est sans doute grâce à ces marches dans la ville, qui m'ont habité tout le temps du concert, que j'ai réussi à apprivoiser une part de ma souffrance. Pour la première fois depuis longtemps, je n'ai pas eu un seul élancement en saluant. J'avais vécu la ferveur des musiciens de l'orchestre à mon égard, le rythme si particulier de Gershwin, ces glissades des cuivres, la rue et son effervescence, les quartiers noirs, l'activité financière de la ville, sa langueur parfois, son endormissement sous la neige, son humour dans la chaleur de l'été, sa folie douce, les après-midi langoureuses de Central Park, ses nuits illuminées et mafieuses.

En fait, je n'ai jamais souffert en dirigeant, sauf peut-être quand j'ai découvert certains compositeurs contemporains qui avaient mis en notes les camps de concentration. Et va savoir pourquoi, je n'ai jamais pu donner le *Requiem* de Fauré sans vomir avant le concert. Je résistais, parce que je l'aimais tant qu'il m'était impossible d'abandonner. À l'instar de ce que disait la musique, ou la vie de certains compositeurs que j'appréciais, j'ai décidé de me moquer de ma torture afin d'éviter qu'elle ne me tue. Et si je suis parfois devenu grinçant en la nommant, elle ne m'a presque jamais fait pleurer. Elle fut à mon égard plus douce que bien des humains qui n'avaient pas l'air de vouloir me faire souffrir. Comme dans les couples, ce sont toujours les plus proches qui ont l'effet le plus dévastateur. Nos plus vieux compagnons, nos meilleurs amis, nos grands amours sont également nos plus intimes tortionnaires, nos bourreaux les plus exquis, nos meurtriers d'âmes les plus experts. On est parfaitement détruit par ceux que l'on aime parce qu'on pense qu'il n'est pas nécessaire de se protéger d'eux. Mais qui est le plus à même de vous frapper que celui qui connaît vos points de faiblesse et votre seuil de résistance ? Pour cette raison, la douleur physique, si elle fut une épreuve tout au long de ma vie, n'a jamais égalé la violence de l'humiliation que certains ont désiré me faire subir. J'ai rencontré parmi les musiciens, dont on pourrait penser que la pratique d'un instrument adoucit les mœurs, les rend aptes à une empathie peu commune, des spécimens particulièrement doués pour le harcèlement. Je n'avais aucun mal à penser qu'à leurs heures perdues, ils étaient des schoïnopentaxophiles convaincus. Je vous vois froncer les sourcils, notez-le, vous irez voir plus tard ce qu'il veut dire ce mot barbare.

Pour éradiquer la souffrance, il faut avoir un allié puissant, quelqu'un qui aime et console, inocule énergie et vitalité. Il faut être plaint, au minimum entendu, exister dans un regard.

L'absurdité des harcèlements inutiles est un mal qui ne se répare pas facilement. La bêtise abyssale de l'esprit commun pense que ce qui ne nous tue pas nous rend plus fort, que les coups durs de l'existence forgent les caractères les plus aguerris. Mais à cela, j'opposerai une simple petite histoire : mon souvenir le plus ancien est une crise de larmes. Je me sentais mal. Je me souviens que j'avais mal au ventre, envie de vomir, un mal-être général. Ma tête était plus lourde que mon corps. J'étais dans mon lit à barreaux et l'heure voulait que je dorme. Mon père en avait décidé ainsi. Ma mère serait sûrement venue me chercher, je devais le sentir, et mes pleurs étaient là pour la guider, pour lui dire que son instinct ne la trompait pas. J'avais besoin de son aide, mais elle n'est pas venue. Mon père a ouvert la porte, hurlant sur mon berceau comme si ses cris pouvaient me convaincre que je n'avais plus mal. Puis il m'a balancé une claque et, sonné, je me suis assis. Je ne savais pas ce que voulait dire mourir ou désirer mourir. Mais je sais que ce jour-là, j'ai fait du silence mon alternative à toute tentative d'appel pour mendier une aide quelconque qui ne viendrait pas. Mon père a dit à ma mère : "Tu as vu, il a compris. Il a compris !" Il l'a dit deux fois et je l'ai entendu. Je n'avais pas compris, j'avais juste perdu l'espoir.

Ce qu'il en reste aujourd'hui s'est assez logiquement dilué dans la douleur d'un monde qui, jusqu'à ce que je la prenne en pleine figure, m'était lointaine, pour ne pas dire inconnue. Je n'ai plus jamais eu mal, je n'ai plus été capable de prendre au sérieux les saloperies inutiles, les désagréments corporels, ce qui dévaste ou renverse notre petite personne, quand j'ai eu sous les yeux la barbarie de certains pays où nous sommes allés jouer. Il est curieux de constater qu'on donne des noms aux cyclones, mais ce que font certains hommes à d'autres n'a pas de nom. La cruauté des guerres, la vraie misère, les affres du désespoir à peine entrevues sur les écrans par ceux qui vivent ailleurs m'ont frappé de plein fouet. Et si je n'avais pas trouvé dans les larmes de ces inconnus, dans leurs regards, dans leurs étreintes, leurs serrements de mains et leurs remerciements, la ferveur sincère et la joie pure, je n'aurais jamais pu continuer à parcourir ce monde souffrant avec l'orchestre. Je n'ai plus jamais employé le mot *jouer* non plus, comme si le mot même ne pouvait plus être prononcé. Un musicien, un orchestre ne peut pas *jouer* dans ces endroits-là, il offre de la musique, il passe sur la rive des âmes oubliées.

Mais revenons à la période qui a précédé ces voyages à la lisière de la souffrance. Quand j'ai commencé, je ne voulais pas diriger un orchestre, je voulais créer un séisme. D'une certaine manière je l'ai su tout de suite, dès que j'ai désiré être sur cette estrade. Parce que je crois qu'on ne rencontre l'autre qu'à travers ses manques, à travers son incapacité à présenter un être humain viable. On ne peut véritablement toucher l'autre qu'en lui offrant la partie de soi la plus faible. C'est pour cette raison que la recherche du pouvoir est un puissant moteur de survie pour tout être qui veut dominer sans partage. Il est hors de question de donner à voir le gouffre de ses incompétences humaines. Je ne parle pas là de professionnalisme, mais de la part la plus vile que chacun abrite. La musique oblige à cette vérité et comme dans toute situation, le revers de la médaille abrite ces chefs qui veulent glorieusement nous écraser de leur puissance, nous impressionner, mais jamais mettre à disposition de notre cœur celui d'un orchestre qui est d'une pièce dans son expression et divisé entre tous ses membres. Bien sûr, je peux le dire facilement ; avec les années, j'ai maintenant des mots pour vous le raconter. Autrefois je n'avais ni mots, ni notes, ni même idée de ce qui pouvait bien m'attendre derrière cette sensation brute. Je n'avais aucune référence en aucune matière. J'entendais. Ce qui me parvenait de la musique était un appel. Quelque chose de chaotique s'était allumé dans mes vaisseaux et tout au fond de l'abîme où je me trouvais, je percevais des ondes qui me soulevaient le cœur et l'estomac. C'était d'une opulence sonore insoutenable. C'était à la fois la musique qui entrait dans mes oreilles et quelque chose d'autre, euphorique qui la répandait à l'intérieur de mes artères. Tout ce qu'allait devenir ma vie était palpable, mais pour l'instant, le tohu-bohu de mes intuitions n'était qu'un frémissement charnel que j'étais incapable de comprendre ou d'exprimer. Grâce à la musique, j'allais pouvoir transmettre cette oscillation mortelle que j'abritais et je savais qu'elle rejoindrait quelque chose qui nous était commun, parce que la jubilation et le désespoir d'un humain sont là, comme serrés au creux d'une main. J'en étais persuadé, l'amour et la rédemption de tout être passaient par ce colossal algorithme de sons synthétisant l'univers des émotions qui nous régissent tous. Si l'on m'avait interrogé à l'époque, j'aurais été incapable d'articuler une phrase et surtout pas celle qui pouvait à elle seule résumer le choc éprouvé : "Je venais de me rencontrer." Implicitement, tout être qui se rencontre peut aider les autres à en faire autant. Le regarder s'épanouir est une voie possible. Il en existe d'autres. Ce qu'il donne, ce qu'il est, ce qu'il produit, car un être qui se réalise a toujours une production intense, vibratoire, qui froisse ou déplie les ailes de ses contemporains ; tout dépend du degré d'aspiration ou d'aigreur. On ne mesure pas toujours la mince frontière qui existe entre l'accomplissement et l'empê-chement. "Qu'est-ce que tu veux ? Qu'est-ce que tu prévois ? Est-ce que tu sens ? Est-ce que tu peux arrêter de penser ? Que vas-tu deve-nir ?" À toutes ces questions, je ne pouvais que répondre : "Je ne sais pas." Je ne savais même pas ce que je pouvais penser de ma propre situa-tion. Je ne percevais qu'une réalité au milieu du chaos de ma vie : je me débattais. Ma colère me rendait vivant. Elle déployait mon impuis-sance comme le dernier paravent qui existât entre le monde et moi. Le monde ne voulait pas de moi, mais je ne voulais pas qu'il m'englou-tisse... Pas tout de suite. Pas sans lui opposer ma révolte et mon dégoût. Naturellement la musique échappait à ce jugement. Elle s'infil-trait en moi, elle me caressait de l'intérieur et tout doucement me murmurait une vérité incroyable. La musique était le monde aussi ; peut-être une façon d'être au monde sans souffrir du reste. Et surtout, elle me faisait comprendre que ce rejet de la différence, cette façon qu'avaient les autres de me trouver non conforme, inoculait à mon âme un poison intérieur bien plus néfaste. Je finissais par me voir avec leurs yeux. Et j'étais plus sévère encore. Donc plus blâmable. Je me sentais difforme, inapte. Et de temps en temps, vaincu par le chant mélodieux de l'apaisement, je laissais la musique m'apprivoiser, même si je ne savais pas encore que c'était le chemin. Je n'avais pas encore capté l'essentiel. Cette façon d'entendre la musique était la mienne, naturelle. J'avais donc quelque chose de fort et d'inatteignable. J'avais une écoute, une oreille, un monde musical intérieur, comme un rêve. Et ce fil me reliait au reste de l'univers des humains, sans que je le sache. Le premier à m'en parler avait été Astor, frappé par la façon dont je l'avais écouté sur les bords de la Seine. Mais ensuite Lalo Schifrin, le pianiste de son disque, joua également un rôle dans la façon dont j'allais prendre conscience qu'il existait peut-être là un espoir. Je n'exprimais pas encore le désir de faire de la musique mon métier, même si j'avais eu cette fulgurante intuition en voyant leur chef d'orchestre. C'était plutôt l'impulsion de saisir au vol la seule liane qui me permette de traverser ma forêt hostile avec une certaine légèreté. Ce qui, dans mon cas, n'était pas peu dire.

Je n'ai pas beaucoup de souvenirs de mon enfance, comme je vous l'ai déjà dit. Aussi curieux que cela puisse paraître, tout un pan de ma vie me paraît avoir été englouti dans une sorte de mémoire chimérique. Je crois, mais rien n'est moins sûr, que mes parents se rendaient compte que mon allure, mon élocution difficile n'empêchaient pas que je comprenne. C'est peut-être la raison pour laquelle ils m'avaient mis à l'école. Il n'existait guère d'autre solution que celle de me mettre avec des enfants de mon âge pour apprendre à lire et compter. Sans doute pensaient-ils que je me lierais avec quelques camarades. Et plus sûrement encore avaient-ils autre chose à faire aux heures fastidieuses où j'étais à l'école. Je ne sais pas s'ils avaient réalisé ce que signifiait cette immersion soudaine dans un monde où l'on se bousculait sans cesse, ou le rapport à l'autre se construisait sur son aptitude à sauver sa peau face au groupe. C'était ma mère, je crois, qui avait insisté pour qu'à l'âge de sept ans je sois dirigé vers l'école primaire qui, à l'époque, n'était pas mixte. La présence des filles aurait-elle adouci mon intégration ? Je l'ignore, mais quand je repasse le film de ma scolarité, il est fait de flashs éparpillés, tous plus violents les uns que les autres. Nous étions en guerre, enfin disons que nous l'avions perdue et nous étions occupés, et le temps scolaire quand il existait, était le reflet du monde de nos parents. L'apaisement venait en classe, quand je voyais ces lettres magiques s'inscrire sur le tableau. J'avais du plaisir à les combiner, à pressentir des mots, à comprendre le sens d'une phrase. Je souffrais évidemment, dès qu'on essayait de me faire lire, parce que les rires étouffés et les railleries de mes camarades devant mon incapacité à articuler me replongeaient dans ce que je vivais déjà à la récréation. Mais je découvrais que ce langage que j'entendais toute la journée et que je ne pouvais pratiquer servait à raconter des histoires. Il y était question d'une Amélie et d'un Pierre dont les aventures me passionnaient. Cela m'agaçait de ne pouvoir découvrir assez vite la suite des chapitres, quand je butais sur dix lettres mises ensemble pour former un mot dont je ne connaissais pas la signification. Je demandais parfois à ma mère qui semblait se réjouir de mon appétence pour l'apprentissage scolaire. Ce qu'elle ne savait pas, c'est que je lisais depuis très longtemps. Dans la rue, sur les paquets de sucre, de pâtes, de chicorée, sur les almanachs même... Un jour, un ami m'a parlé de son rapport à la lecture et je trouvais très beau cette façon de dire combien le fait de lire le sauvait du quotidien. Le sauvait de tout, en fait. Ainsi n'était-il plus au fond de son désarroi personnel et quand il sortait de ses lectures, il voulait faire partie de la vie des gens. Il disait que cette activité, qu'on ne partage pas au moment où elle a lieu, rend meilleur dans la vie sociale. Il apprenait à pardonner en passant par des personnages fictifs. Il pouvait aussi mieux appréhender les salauds du monde réel. Il pouvait se blottir dans la lecture ; rien de tel pour survivre. Pour moi qui ne disposais d'aucun livre à la maison, cette pente n'était pas naturelle. Alors je me suis demandé dans quoi je m'étais toujours blotti pour m'isoler des autres, et je n'ai trouvé que la musique. Chez moi, il n'y avait pas de disques non plus, mais il y avait la radio. C'était elle, mon berceau de musique. Peut-être parce que personne ne pouvait savoir à quel point elle me faisait du bien, et j'avais terriblement peur que mes proches s'emparent de ce qui pouvait me faire du bien. Ce qui me faisait plaisir à moi ne les contentait pas, alors je trouvais plus facile de jouir d'un langage qui avait l'air de m'être destiné, dans le secret le plus absolu.

Mes premiers maîtres d'école furent des maîtresses, qui parfois se doublaient d'une infirmière qui m'aidait volontiers à démonter mon porte-plume, à sortir mes cahiers, pour pallier l'incapacité motrice de ma main gauche. L'autre main traçait, vengeait la fluidité absente de ma bouche. Elle vengeait ma langue. En plus, n'ayant pas eu l'habitude de beaucoup m'exprimer à l'oral, la structure même des phrases m'était inconnue et je devais rattraper des années sans expression. Jusqu'alors mon cerveau sélectionnait le mot pour résumer la phrase, y ajoutant parfois le verbe, sans le conjuguer. Le travail inverse était pour moi plus long, plus compliqué. J'étais éreinté et comme je passais une grande partie de la journée à me battre, ma concentration finissait par disparaître dans les ricanements de mes camarades. Je me heurtais dix fois par semaine à des problèmes avec mon encrier, et mes retours à la maison avec mes vêtements tachés d'encre étaient un calvaire. Avant d'entrer, je cachais derrière mon dos mes mains que j'avais frottées désespérément sous l'eau des fontaines, glacée en hiver, pour essayer d'améliorer une situation vouée à la noirceur. Je tombais de sommeil chaque soir et personne ne comprenait pourquoi. Je ne le sus que bien plus tard. Ce travail exigeait cinq fois plus d'efforts pour moi que pour un élève normal. Sans doute que cette habitude de se tuer à la tâche me donna des armes pour ma vie entière. »

La toute-puissance de la jeunesse, dont mes camarades jouissaient, n'existait pas pour moi. À partir du moment où j'ai pu espérer quelque chose, seul l'avenir, et les nombreuses années qui m'en séparaient, comptaient. Moi, je ne pouvais jouir de rien, tout m'était hors de portée. Ce mouvement qui s'opère de chaque côté de la bouche, pour affaisser le sourire dans une sorte de rictus qui s'enracine et donne au visage cette mine de plus en plus définitive de frustré, moi je le possédais déjà. Ce n'était pas les années qui me l'avaient donné, mais la prise de conscience progressive que tous les chemins se dérobaient à moi un à un. Ceci dans une sorte de contraction douloureuse, la lucidité de me savoir mort dans l'action, exclu des vivants, inutile puisque difforme, inapte à la normalité. J'avais déjà enterré ce qui allait échapper aux autres et je le savais, tout comme je mesurais, grâce à cette extralucidité, la puissance de ces éphémères vainqueurs, leurs prétentions vouées à une relative survie. Je comprenais que je ne vivrais jamais cette déconvenue soudaine qui laisse pantois quand on regarde tout ce qu'on a voulu, ce qu'on a embrassé, ce qu'on a tenu parfois et ce qu'il y a encore à désirer et qu'on ne peut plus mettre dans l'escarcelle des années qui restent. Ma situation à moi ne pouvait que s'améliorer ! Plus ça irait, plus la vieillesse rendrait aux super-héros de mon âge un semblant d'anormalité et de retenue. Un jour ou l'autre, ils rejoindraient mon immobilité, ma maladresse de laissé-pour-compte, et ce jour-là, face à leurs corps rendus à la lenteur et l'incapacité, je serais roi.

Pourquoi ai-je besoin de raconter tout ça dans ce journal que je tiens depuis que Léa m'interroge ? Est-ce que je le lui donnerai quand nous aurons fini ? Est-ce que j'écris là tout ce que je n'ose pas lui dire ? Comment se fait le tri ? Parfois quand elle part et que je viens de lui parler de ma vie pendant deux heures, je sens que je n'ai pas tout dit. Elle pose un peu partout des explosifs sur mon barrage et, après son départ, l'eau ne cesse jamais de couler. Alors je continue, comme si en parallèle de son travail, j'écrivais mes mémoires. Lui parler délie mes souvenirs, écrire apaise le tourment qu'ils provoquent. Décryptant mon passé en revisitant l'indicible présent d'avant, je me réconcilie avec ma honte, mes doutes et mes chagrins.

Luis Nilta-Bergo / Interview filmée le 5 avril

« Est-ce que vos parents se rendaient compte de ce que représentait la musique pour vous ? »

Luis prend son temps. Il fallait bien que cette question arrive, mais il en manque quelques-unes avant celle-là.

« "Je ne savais pas que tu aimais autant la musique", a dit ma mère quand elle est venue dans les loges lors de mon premier concert. Cette phrase idiote a longtemps tourné dans ma tête comme une question. Comment se pouvait-il que l'être qui m'avait engendré puisse dire une chose pareille ? Je ne sais pas si c'était sa méconnaissance ou la bêtise de son aveu qui me consternait le plus. J'avais passé mon enfance l'oreille collée au poste de radio, pleuré, crié quand on l'éteignait ; je me retrouvais orphelin de la suite d'un morceau comme on enlève un dessin animé à un gosse avant la fin de l'histoire. J'avais désiré un harmonica, que l'on me refusa sous prétexte que je ne pourrais pas, selon eux, souffler dedans.

Ils en rirent d'abord, puis me firent pleurer, car j'insistais et ils estimaient que ma demande virait au caprice. Et si je me sentais capable, moi, de dépasser mon handicap pour m'amuser avec ce petit objet musical ? Puis ma mère jeta à la poubelle ce système inventé avec des verres ébréchés que je récupérais et remplissais d'eau pour entendre le son cristallin des notes naturelles. Elle balança les bidons sur lesquels j'inventais des rythmes. Bref, elle avait passé son temps à me gommer, à fermer ses yeux, ses oreilles, et son cœur, à toute impulsion musicale de ma part, et maintenant elle disait ne pas savoir ? Sans doute ne faisait-elle pas le lien entre ce qu'elle venait d'entendre, et surtout de voir, et mon enfance ! Les morceaux que diffusait notre radio ne devaient pas représenter pour elle cette centaine de musiciens qui lui avait fait face pendant plus d'une heure durant mon concert. Car je n'étais pas dupe, elle n'avait pas trouvé ça beau. Impressionnée par le bruit, l'apparence, la puissance, peut-être n'avait-elle même pas fait la relation entre ce qui se passait sur scène et moi, perché sur mon estrade. Peut-être n'étais-je pour elle qu'un pantin désarticulé qui s'agitait sur une caisse de bois en tournant le dos au public. Je ne nourrissais aucun doute sur le fait qu'elle aurait pu crier : "Pousse-toi, Luis, tu empêches ces messieurs dames de jouer. Ils n'ont pas besoin de toi qui fais le clown devant eux, et puis tu nous bouches la vue !"

Je ne ressentais plus de colère, à peine un petit pincement en me disant que la vie distribuait si mal les êtres. Le handicap, finalement, était secondaire, si la chance accordait d'en hériter aux côtés d'une famille digne de ce nom. Il m'avait fallu des années pour le comprendre. Grandir entre des êtres que ma présence insupportait et qui me renvoyaient à leur dégoût était devenu mon unique façon d'être relié à une existence, et ça conditionnait mon rapport au monde. Toute une partie de ma jeunesse était pourrie à la base ; j'avais appris la musique tout en désapprenant la dysharmonie de mon être ici-bas. Ça n'a l'air de rien quand c'est dit aujourd'hui, avec la célébrité, la reconnaissance et tout le reste. On parlait de destin, de génie, de prédestination. *Bullshit !* comme disaient mes amis jazzy américains ! Tout ça n'existait pas ! La réalité était tellement plus simple, commune et triste. Les petites lueurs dont on se saisit pour en faire de la lumière sont des lucioles qui pourraient s'évanouir, faute de travail, de chance, de coïncidences miraculeuses. Échapper à sa famille quand on a passé vingt ans à être asphyxié par sa présence n'a rien d'une réussite. Ce n'est même pas un miracle. C'est tout juste le bon tempo. Et surtout, ça nourrit la suite.

— Non, pas exactement, non. Je ne crois pas qu'ils pouvaient imaginer que quelque chose qui n'avait aucune importance pour eux puisse en avoir une pour moi. Ajoutons à cela que tout intérêt porté à une activité éloignée de leur univers provenait forcément d'un dysfonctionnement de mon cerveau. J'étais handicapé, donc obligatoirement un peu débile. Les voisines étaient toujours épatées que je comprenne quand elles me proposaient un jus d'orange. "Il est intelligent", disaient-elles à ma mère, comme si la forme déstructurée de mon langage, mon articulation étrange, mon déplacement de crabe pouvaient avoir une quelconque influence sur ma capacité de raisonnement. "Il est intelligent, répétaient-elles incrédules et comme pour la consoler, donc ce n'est pas si grave." Elles sont vraiment cons, pensais-je, ce qui ne se voyait ni à leur démarche ni à leur façon de me proposer un jus d'orange ! Et c'était bien dommage ! »

5 avril 2015

J'ai appris très tard que mon père avait combattu Franco. Il ne m'en a jamais parlé. Il ne
m'a jamais donné aucune raison de l'aimer,
ni par son attitude, ni par ce que j'aurais pu
savoir de lui. Je m'imaginais que je mourrais
jeune et que je n'aurais personne pour dire,
comme je l'avais si souvent entendu : « Il est
mort trop tôt ! » Implicitement, je me disais
que personne ne m'aimait assez pour regretter ma mort, et c'était sans doute cela qui me
tourmentait le plus. Ma sœur cadette, un an
de moins que moi, devait être le garçon qui
m'aurait remplacé, mais ça n'avait pas marché.
Mon père ne l'aimait pas beaucoup non plus.
Elle donnait l'impression d'être la seule personne qui pouvait me comprendre. Elle était
douce et patiente. Je finissais toujours dans ses
bras après mes crises de larmes. L'aînée, elle,
me détestait et ne perdait pas une occasion de
dire qu'elle ne pouvait pas amener des amis
à la maison parce qu'être la sœur d'un débile
était tout sauf montrable. Mes parents ne lui

disaient rien. Une fois, ma mère a simplement signalé qu'elle se répétait un peu trop et qu'on savait à quoi s'en tenir en ce qui la concernait.

Je suis donc tout surpris d'être arrivé à cet âge-là. Le *plus tard* n'a jamais fait partie de mes occupations. Sans doute avais-je peur que mon handicap ne s'aggrave. Personne ne m'avait dit non plus qu'il pourrait s'améliorer. Alors je ne me projetais pas. Je crois que ce plus tard n'a réellement existé qu'au moment où j'ai décidé de devenir chef d'orchestre. Tout a changé. Et cette fois, j'avais peur de mourir avant d'y arriver, et je me fichais pas mal qu'il ne se trouve personne pour me regretter. Pourtant j'allais vite l'apprendre, ce que je prenais pour un but n'était qu'un moyen, et la finalité de pouvoir vivre ce bonheur de s'immerger dans la musique se confondait avec mon ignorance de la difficulté du chemin. Tout comme une œuvre trouve sa plénitude dans la première note qui entraîne la deuxième et déjà sa fin, mon entrée dans la musique n'était pas un acte extérieur, mais bien la reconnaissance d'un état intérieur. J'étais entièrement la musique. Tout comme les mots séparent la fleur de la branche, du fruit, de la graine, les notes divisent parfois corps et âme, l'autre et soi, le monde extérieur et le monde intérieur. J'étais la joie et le regret, la tare de ma sœur aînée et la douceur de ma cadette. J'étais cet homme qui ne voulait pas de moi, sa femme qui m'avait mis au monde et la rancœur que je nourrissais à leur égard et qui me détruisait à petit feu. J'engrangeais à cause d'elle des désirs de vengeance. Mais la musique m'affranchissait de tout ça. Elle refermait ses bras, saisissait mon corps imparfait pour le sortir des flammes de l'aigreur. Elle préparait l'estrade sur laquelle j'allais prendre mon envol dans une lumière d'amour.

« L'année de mes dix ans a été marquée par ma rencontre avec Marcus. Il était beau. C'était la première chose qu'on remarquait chez lui. Les traits parfaits de son visage, son port de tête, son regard franc et d'un bleu intense. Marcus a débarqué à l'école comme je l'ai toujours vu arriver où que ce soit, comme si on n'attendait que lui, avec ce qu'il faut de naturel et de modestie pour être immédiate-ment accueilli, aimé et considéré. J'avais plus de raisons que mes camarades de vouloir être l'ami de Marcus. J'eus l'intuition stupide qu'il était tout ce que j'aurais pu être si je n'avais pas été handicapé. Je ne sais pas comment expliquer ce que je ressentis alors. Une forme intime d'envie que la jalousie ne peut égaler parce qu'elle est trop laide, trop facile. J'ai tout de suite aimé être Marcus par procuration, me fondre dans mon désir d'être lui. Et Marcus, ô miracle, est tout de suite venu vers moi, avec le seul dessein de se rendre utile pour être admiré, ai-je pensé un peu plus tard, quand je pensais mieux le connaître, mais la réalité était bien pire. Avec son infaillible odorat, Marcus avait flairé la victime consentante que je pourrais devenir et la façon dont il pourrait se servir de moi pour jouer son rôle de garçon formidable auprès des filles, puis de chef cruel auprès de quelques minables qu'il désirait impressionner. Tout était implacablement écrit, avec la férocité que seuls les enfants savent manier en toute innocence. Je fus ainsi adoubé comme meilleur ami de Marcus les trois premiers mois de l'année scolaire, puis insidieusement nous dévalâmes une pente tourmentée, pour descendre à l'étage du tortionnaire, mais toujours avec le consentement de la victime que j'étais devenu pour lui ! Dans une espèce d'aveuglement forcené, je refusais de comprendre que je n'étais qu'une pauvre petite chose qu'il manipulait à sa guise pour faire rire sa cour et montrer sa force de persuasion. Car il décryptait pour les spectateurs chaque acte qu'il désirait me faire accomplir comme un scientifique détaille toutes les étapes d'une expérience dont il sait qu'il sortira vainqueur. Grâce à une erreur d'aiguillage, j'ai, à son insu, assisté à son show concernant la nouvelle bêtise qu'il préméditait de me faire accomplir le lendemain. Là, j'ai pu comprendre mon innocence et sa perversité. En croyant rejoindre un couloir, j'étais entré par erreur dans une immense réserve de livres, une sorte de débarras, et le temps que je rebrousse chemin, que j'atteigne la porte, j'avais entendu entrer des élèves. Peut-être étaient-ils accompagnés d'un adulte, et je n'avais aucune raison de me trouver dans un placard à l'heure de l'étude. En entendant la voix de Marcus et non celle d'un professeur, j'avais déjà la main sur la poignée, mais quand il prononça mon nom, la curiosité l'emporta et je me tins coi dans le placard de cette salle où je n'aurais jamais dû me trouver. Que disait-il de moi quand je n'étais pas là, lui qui ne tarissait pas d'éloges en ma présence ? Je fus servi. "Ce cher Luis, ce nain ridicule à la démarche de dindon ! Demain, je vous parie qu'il vole chez le père Cousy. Je vais l'envoyer nous chercher quelques pains au chocolat et quelques croissants, qu'est-ce que vous en dites ? Vous ne savez pas ce qu'il m'a demandé cette semaine ? Si je croyais qu'une fille voudrait bien l'embrasser ? Et attendez la meilleure… Cent francs que vous ne devinez pas de quelle fille il parlait !"

Mort de honte, prostré, j'étais médusé d'entendre celui que j'appelais *mon seul ami* en train de déballer mon secret le plus intime, mes doutes, les tourments moites de mon cœur. Je serrais les dents, incapable de refouler les larmes qui jaillissaient littéralement de mes yeux. Je plaquais mes deux mains sur mes oreilles. Je ne voulais pas entendre son nom, leurs rires… Mais je les entendis quand même… Et lui qui s'esclaffait plus fort que les autres et se tapait sur les cuisses, racontant qu'il était impossible de croire que je prétendais séduire une aussi jolie fille que Jeanne. Mais je ne prétendais rien et c'était lui qui m'avait affirmé que, bien sûr il ne fallait pas que j'hésite, j'étais un garçon épatant, et il se renseignerait discrètement pour savoir ce qu'elle pensait de moi.

Ce qui mine le faible lui fait dresser tête haute et remplacer la noblesse de cœur par une arrogance que chacun confond avec la puissance. Exercer une quelconque domination sur un infirme pourrait s'apparenter à une franche rigolade, si ce n'était aussi abject que méprisable.

L'étrangeté de mon comportement, la bave qui coulait de ma bouche, me transformant en un fou échappé d'un asile bien plus qu'à un cheval indompté, ne manquaient pas d'amener mon cas au seuil critique du jugement d'autrui. Car si la colère déforme les traits d'un homme normal, elle rend le handicapé confus, plus maladroit encore qu'à l'ordinaire ; son élocution devient une bouillie, son équilibre précaire est rompu. Tout contribue alors à rendre l'instant pathétique et insupportable. Après cet épisode, l'après-midi même, je lui sautai à la gorge. Seul, j'avais fait de moi un type bizarre, mais poussé à bout par Marcus, je devenais un débile infréquentable. Terrassé par la douleur de sa trahison, meurtri par mon incapacité émotionnelle à maîtriser une situation dans laquelle il passait désormais pour une victime de mon incohérence, un ami sauvagement attaqué par un cas pathologique, je ne voulus plus revenir à l'école les jours suivants. Je n'avais aucune autre issue que celle de me rouler par terre et de hurler pour empêcher ma mère de m'approcher, mon père de déclarer que ça suffisait les caprices et que maintenant j'allais retourner en classe ! Encore aujourd'hui, je n'arrive pas à répondre à cette question : n'y avait-il personne, aucun adulte qui se rende compte de l'étendue de ma souffrance ?

L'épisode de Marcus était d'autant plus dangereux qu'il me faisait glisser sur la pente d'un certain masochisme amical. Tout être qui s'intéressait à moi pouvait devenir mon tortionnaire puisqu'il s'intéressait à moi alors que les autres se détournaient. L'amitié était donc devenue cet espace flou où un *ami* a le droit de vous torturer puisqu'il a l'élégance de ne pas vous laisser seul. Quand il se moquait, j'appelais ça de la plaisanterie. Je pardonnais puisque c'était mon ami. Je lui trouvais des excuses. Se foutre de moi, c'était sans doute sa façon de m'intégrer au monde normal. Bref, je m'égarais sur des chemins on ne peut plus faux où je justifiais la barbarie d'un enfoiré par peur de la solitude et surtout de l'isolement. Car l'isolement avait une conséquence bien pire que la solitude. L'isolement ne permettait à personne d'enfreindre la loi du groupe. J'étais mis à l'écart parce qu'infréquentable, et l'on me regardait comme tel. À terme, je préférais donc être le chien battu d'un beau garçon que tout le monde respectait plutôt qu'un handicapé à qui personne ne parlait. Je me trompais évidemment. Mais qui aurait pu me protéger de cette erreur naturelle ?

Pendant deux ans, je m'adonnai donc aux caprices, aux brimades, aux humiliations que Marcus m'imposait jusqu'à ce qu'arrive Rosa.

Rosa fut sans doute la première fille dont je tombai éperdument amoureux. Saviez-vous qu'à mon âge on peut encore rêver de ces premiers émois et entrer dans cette réalité onirique avec tant de force qu'on y retrouve l'émotion intacte et préservée malgré les années ?

Dès notre première rencontre, Rosa me traita comme si elle ne voyait pas du tout mon handicap. Elle habitait juste à côté de chez moi et nous avions commencé à parler sur le chemin de l'école. Comme vous l'imaginez, ce n'est évidemment pas moi qui avais engagé la conversation. C'était elle qui s'était adressée à moi, exactement comme si je ne boitais pas, comme si je parlais normalement, comme si j'avais été n'importe quel garçon normal ! J'en étais sidéré… Elle m'avait traité comme personne ne l'avait jamais fait jusque-là. Quand nous rentrions de l'école et qu'il lui venait l'idée de marcher sur l'extrême bord du trottoir, en tendant les bras pour équilibrer son corps, elle me demandait de la suivre et de faire pareil. Je répondais timidement et en articulant avec application que je ne pouvais pas faire ça, mais elle n'en tenait pas compte. "Comment tu le sais, puisque tu n'as pas essayé ?" répondait-elle, sûre d'elle. Alors j'obtempérais et je découvrais que, malgré ma maladresse, mon envie de réussir pour elle donnait des résultats très honorables. Je m'entraînais et elle m'encourageait. Alors, comment vous expliquer, je sentais qu'elle repoussait mes limites, qu'elle galvanisait mon effort, le courage que je mettais dans toute entreprise qu'elle initiait. La plupart du temps d'ailleurs, elle ne félicitait pas un handicapé pour un miracle accompli, mais un débutant pour sa performance en matière de liberté corporelle. Elle me sortait de ma coquille. Rosa racontait toutes sortes de contes, d'histoires. Elle inventait la vie autour de nous. Personne ne l'écoutait, sauf moi. Les autres la trouvaient étrange, à part. Elle n'aimait pas leurs jeux, et elle se fichait bien de ne pas être appréciée, intégrée ou comprise. Elle était tout simplement dans la vie, dans la beauté de ce qui nous entourait. Pour moi qui étais si craintif du regard des autres, et plus encore depuis que j'avais été martyrisé par les mauvaises plaisanteries de Marcus, son attitude détachée me paraissait d'une liberté incroyable. Je découvrais qu'il ne suffit pas d'être beau ou séduisant, car elle était très jolie, pour être intégré au groupe. En définitive, être différent de la masse suscitait un phénomène de rejet. Rosa me le fit remarquer un jour. "Toi, ils ne t'aiment pas, moi non plus, ils ne m'aiment pas. Tous les génies ont été mal-aimés quand ils étaient petits. Tous les enfants différents deviennent des grandes personnes que tout le monde admire." Qui avait bien pu lui raconter ça ? Ses parents, une institutrice, sa grand-mère qu'elle adorait et dont elle me parlait sans arrêt ? Un jour, elle m'entraîna et me vanta une boutique où nous pourrions acheter des friandises espagnoles, et je réalisai qu'elle s'appelait Rosa. Nous n'en avions jamais parlé auparavant. Nous prîmes l'habitude de parler en espagnol, surtout quand nous ne voulions pas être compris par les autres. Dès que Marcus s'aperçut que je n'étais plus seul, il voulut reprendre la main et dominer Rosa. Mais elle le toisa d'un air supérieur et lui asséna devant tout le monde : "Je ne parle pas aux imbéciles prétentieux !" Un jour où je n'étais pas là, car Marcus avait sans doute deviné que je lui sauterais à la gorge s'il touchait à Rosa, il essaya de lui faire peur, de la bousculer un peu. Elle le regarda comme s'il l'effrayait, puis soudain se rua dans ses jambes. Quand, déséquilibré par le choc, Marcus fut au sol, elle lui mit une claque sonore en lui demandant de ne jamais plus lui adresser la parole. Elle me raconta l'épisode en m'expliquant que c'était une prise enseignée par son grand frère. "Je crois qu'on est débarrassés de lui maintenant. Et par la même occasion de ceux qui étaient là et qui auraient envie de nous embêter toi ou moi..."

Je ne pus jamais embrasser Rosa ou lui déclarer mon amour. Elle savait qu'un jour elle sauverait des gens... Elle le disait comme ça. Elle serait *sauveteuse* et elle ne se marierait jamais. Elle ne pouvait pas tomber amoureuse. Mais elle aurait des amis qu'elle aimerait d'amour, et j'étais le premier. C'était déjà énorme pour moi. Je vois dans votre œil interrogateur que vous vous demandez comment a fini l'histoire. De la façon la plus simple qui soit. Rosa a déménagé. Nous avions quatorze ans. Nous avions vécu deux ans d'amitié et l'Atlantique allait nous séparer. Il y eut bien une dizaine de lettres. Ses parents avaient rejoint une partie de leur famille qui se trouvait en Argentine. Je ne sais pas pourquoi, mais bien plus tard, j'ai pensé que le père de Rosa pouvait être un responsable clandestin de la chasse aux nazis. Il m'avait posé des questions sur mon père et sur ce qui l'avait poussé à fuir l'Espagne, mais naturellement, à cette époque j'ignorais tout des activités républicaines de mon père. Je ne sais même pas s'ils se connaissaient. Même si nous étions voisins, mes parents ne fréquentaient pas grand monde en dehors de leurs vieux amis. J'aurais bien aimé savoir ce qu'elle est devenue. Peut-être est-elle toujours en vie. Mais je ne crois pas. Elle m'aurait sans doute recontacté. Vous voyez que je suis quand même prétentieux ! Je n'ai même pas cherché à la retrouver quand je suis allé en Argentine. Son silence n'était pas de bon augure. Je préfère garder le souvenir de cette belle amitié et de l'espoir qu'elle m'a offert.

Je sais combien il est facile de faire de mon récit une sorte d'aventure magique. Un pauvre handicapé rencontre deux musiciens et dans le chant mélancolique d'un bandonéon embrasse d'un seul coup sa tristesse et sa vocation ! Le reste coule de source, et la plupart des biographes ne veulent que la surface des difficultés qui suivirent, pour maintenir la gloire du parcours, et garder un peu de l'ignoble suspense qui n'en est plus un quand le héros est devenu fort malgré ses faiblesses. La vérité est bien sûr tout autre. Les semaines qui ont suivi mon départ, après ma rencontre avec Lalo et Astor, furent à la fois splendides et misérables. Je découvrais la liberté, j'apprenais le solfège et la musique avec une soif inextinguible, un bonheur sans doute insupportable pour tout étudiant contraint d'apprendre par ses parents, mais divin pour moi. Moi, je m'étais enfui pour ça, et je m'accrochais. Cependant, ma situation précaire ne me permettait plus de payer l'hôtel et je devais trouver une solution sous peine de voir disparaître purement et simplement mes rêves de musique. Un soir, dans un des cabarets que je fréquentais alors, je rencontrai un jeune couple de mon âge, Jackie et Lulu, dont la gentillesse à mon égard me bouleversa. Elle passa la soirée à m'apporter à boire ou à manger avec beaucoup de compassion, mais jamais de pitié. J'appris vers la fin de la soirée qu'elle faisait des études pour devenir kinési-thérapeute. Elle avait repéré mon hémiplégie et m'encouragea à rééduquer mon bras gauche, certaine que si je m'entraînais, je pourrais récu-pérer une part importante de mon autonomie. "Tant qu'il y a de la vie dans un membre, il y a de l'espoir. Tout se travaille..." C'était la première fois qu'on me disait une chose pareille. Quant à Lulu, qui jouait fort bien de la guitare, il me confia qu'il exerçait un bou-lot correctement payé chez Vidal, un disquaire de Saint-Germain, et proposa de me pistonner afin que je puisse avoir la place du vendeur qui venait de partir. Le patron n'était pas très commode, mais si je faisais valoir ma culture musicale et mon ardeur au travail, j'avais une chance. Ce soir-là, je rentrai à l'hôtel avec un immense espoir au cœur et, si je n'eus pas de mal à décrocher le poste dès le lendemain, il ne simplifia pas mes études. J'avais réussi à gar-der une après-midi pour aller suivre des cours au Conservatoire. Le père Vidal, impressionné par ma ténacité et mon désir de pratique de la musique, m'engagea. Il me restait le soir et le dimanche pour travailler. Quand j'ajoutais les quelques soirées dans les boîtes de jazz, il ne restait plus beaucoup d'heures de sommeil et il était évident que ma fatigue allait vite limiter mes sorties. Moyennant quoi, je n'avais plus de problèmes d'argent et je pouvais me mettre en quête d'une chambre. Il ne fut pas très facile d'en dégotter une qui ne soit pas perchée au sixième étage sans ascenseur, et je n'arrivais pas à me résoudre à habiter au sous-sol. Je finis par signer un pacte avec le directeur d'un hôtel qui me loua au mois une chambre avec petite terrasse en rez-de-chaussée, à condition que je l'aide de temps en temps à rédiger quelques courriers. J'étais bien meilleur à l'écrit qu'à l'oral et je tapais à la machine avec deux doigts ! Malgré toutes mes difficultés pour caser l'apprentissage de la musique, j'estimais immense ma chance de pouvoir toute la journée vivre dans un magasin de disques où j'allais pouvoir parfaire ma culture en m'autorisant à écouter tout ce que je désirais. Lulu aussi adorait la musique classique et avait des goûts aussi éclectiques et variés que les miens. Nous nous entendions donc très bien sur le choix des morceaux. Et puis, très vite, nous commençâmes à faire des paris sur ce que nous allions vendre : tel ou tel interprète, un illustre inconnu que nous faisions passer pour la prochaine grande vedette, rien que pour réussir notre pari. Je n'avais pas été vraiment engagé pour faire l'article, mais plutôt pour le déballage des cartons, le classement des disques et tenir de temps en temps la caisse les jours d'affluence. Mais jouer au vendeur me servait de brouillon pour m'entraîner à mieux parler, et je faisais de très grands progrès. Grâce à cet effort supplémentaire, je faisais quelques ventes qui me permettaient d'être mieux considéré par mon patron, qui était près de ses sous, et qui se réjouit de trouver en moi un vendeur supplémentaire. Lulu m'accusait d'en profiter. Il disait que les femmes avaient pitié de mes difficultés pour m'exprimer, et qu'elles achetaient pour abréger mes souffrances, et moi, je l'accusais de jouer de sa séduction et de son éloquence pour leur en faire acheter plusieurs. Bref, nous étions devenus assez proches, et parfois, quand il m'invitait dans le petit appartement qu'ils habitaient avec Jackie, rue Tournefort, elle m'apprenait comment je pouvais, en me servant d'une éponge mouillée ou d'une balle en caoutchouc, retrouver de la force dans les doigts de ma main gauche presque morts, et m'entraîner à mieux les utiliser. Pour mon anniversaire, qui fut le rappel douloureux du fait que j'étais né un jour, que j'avais donc des parents, ils me firent un cadeau que je n'oublierai jamais. Lulu avait négocié auprès de notre patron le rachat d'un Teppaz en parfait état de marche mais devenu invendable parce que son couvercle était éraflé. Jackie, elle, m'avait acheté un disque de l'Orchestre symphonique de Berlin, dirigé par Wilhelm Furtwängler, mon deuxième disque classique, mais celui-là, j'allais pouvoir l'écouter tout de suite. Avec celui que m'avaient offert Astor et Lalo lors de l'enregistrement, ça m'en faisait trois ! Auquel s'ajouta un quatrième de Dinu Lipatti interprétant Chopin, que m'offrit une cliente fortunée qui adorait mes recommandations. À partir de ce jour, je me permis d'en acheter un nouveau de temps en temps, même si le patron ne nous faisait jamais de ristourne.

De jour en jour, je me glissais dans certaines répétitions, je remplaçais un percussionniste malade, je rencontrais un nouveau professeur qui m'invitait à l'écouter et Lulu me couvrait quand je m'absentais du magasin pour filer au Conservatoire en douce. Plus d'une fois, je faillis me faire choper. Peut-être même que le patron s'était aperçu de mes absences répétées, mais je n'en saurai jamais rien. Je n'avançais pas très vite à cause de mon travail, mais la musique me remplissait d'un bonheur intense. Je ne parle pas de l'écoute des différents instruments, mais de la technique, de ces suites de notes que je comprenais de mieux en mieux et de ces partitions d'orchestre que j'emportais chez moi pour les dépiauter, plus encore que les analyser. J'aimais plus que tout mettre mes pas dans ceux des compositeurs qui les avaient écrites. Je lisais leurs vies, leurs notes, leurs journaux, leurs correspondances. J'empruntais des livres qui s'entassaient au pied de mon lit. Au Conservatoire, je me glissais partout et j'écoutais les professeurs de tous les instruments possibles durant les cours techniques. Je crois qu'on avait fini par me considérer comme une sorte de mascotte boiteuse qui était là et ne pouvait pratiquer aucun instrument. Je ne suis pas sûr que les professeurs savaient pourquoi et avec quelle permission j'assistais ainsi à tous les cours. Je me suis toujours demandé pourquoi les autres m'avaient si facilement accepté. Je disais juste : "Je viens assister au cours, ça ne vous dérange pas ?" Je précisais quand même que je faisais partie des élèves de Mlle Nadia Boulanger. Ça m'ouvrait des portes. À la fin des deux heures passées avec ses élèves, elle ne manquait jamais de me demander où j'en étais. Elle ne me laissait jamais partir sans une partition ou un livre. Parfois elle me faisait jouer avec ma main droite un passage pour savoir si je progressais. Je crois qu'elle pressentait ce que je voulais devenir. Même si je n'avais jamais osé lui parler de ce serment secret que je m'étais fait à moi-même. Chaque soir, avant de m'endormir, j'adressais à tous les dieux de la musique mes vœux, mes demandes, mes espoirs et parfois, je leur confiais aussi mes découragements. Mais le plus souvent, je regardais ce que j'avais, ce point où j'en étais arrivé, et j'essayais de trouver ça miraculeux. Je voyais bien que les musiciens qui m'entouraient travaillaient très dur et je comprenais que seul ce travail exigeant pouvait donner des résultats. La plupart voulaient devenir des virtuoses, ce que j'avais du mal à comprendre. Pour moi, être un musicien d'orchestre me paraissait infiniment plus fou, si j'avais bien sûr disposé d'une dextérité semblable à la leur. J'étais très conscient de ma chance : j'avais en moi une minuscule graine que je devais arroser chaque jour, couvrir d'un terreau fertile et faire grandir dans un environnement favorable. J'étais une éponge qui s'imprégnait de toute parole destinée aux musiciens. Il me semblait que je pénétrais alors dans le monde personnel de chaque instrument, sa logique, son souffle, son phrasé, la dextérité exigée par ses morceaux. Une des élèves pianistes de Nadia Boulanger accepta de me faire travailler quelques œuvres ou de jouer avec moi. Je prenais la main droite et elle la gauche.

Mes connaissances grandissantes en solfège m'avaient désigné comme tourneur de pages durant les concerts. C'était un instant d'extase rêveuse : être si près du clavier et s'appliquer à ce que jamais le regard du pianiste n'attende ou ne soit frustré d'une trop rapide décision qui lui aurait supprimé la vision de quelques notes dont il aurait eu besoin. Parfois, je m'envolais au fil des morceaux que les doigts de mes camarades égrenaient. Avec le temps, j'appris à ne plus envier la dextérité qui me ferait toujours défaut, à me concentrer sur la force des doigts, la justesse et l'exactitude du phrasé selon les indications du compositeur. Je me risquais même à quelques suggestions qui, si légères fussent-elles, étaient toujours bien reçues. J'étais toujours celui qu'on réclamait lors des concerts et des examens. Il faut dire que je ne pouvais jamais être soupçonné de vouloir nuire... Mais oui, il y en avait quelques-uns qui recouraient à ce procédé détestable, et la plupart d'entre eux devaient me trouver rassurant, puisque j'étais fiable. C'était thérapeutique pour moi aussi, c'était la première fois que je rassurais quelqu'un. Parfois je me demande si je n'ai pas voulu devenir chef d'orchestre pour être ça : ce monde solitaire dans un monde envahi. La seule chose dont je sois sûr, c'est que je n'ai jamais pu penser la musique en termes de carrière. La chance m'a permis de rencontrer quelques musiciens, quelques professeurs et quelques grands chefs qui m'ont aidé à franchir les étapes. Quelquefois ce n'était pas grand-chose, m'indiquer la porte, me fournir la clé, mais il m'est aussi arrivé de rester longtemps devant la porte fermée, avant de comprendre que je devais finalement passer par la fenêtre. »

Journal de Luis

(Commencé en 1955 / Abandonné en 1968)
Envoyé par Luis début 2016

Voir si je dois l'intégrer d'une seule traite
ou le diviser...

On ne peut tirer de l'homme que ce
qu'il porte en lui-même.

GOETHE

J'ai écrit deux mots sur une feuille que j'ai collée dans un cahier vierge :

          Luis   Musique

Et maintenant j'écris ce qui me vient :

Apprendre ? École ? Différent ? Difforme ?
Anormal ? Bête ?

Et d'autres mots que je n'écris pas jonglent
dans mon esprit. Est-ce qu'il existe dans mon cerveau quelque chose ressemblant à ma démarche
de débile ? Jusqu'à maintenant, je n'ai jamais
écrit. Je ne sais même plus comment j'ai appris
à lire. Un jour, j'ai su lire. Mais je ne me souviens
plus d'où ça venait. Je comprenais les mots que
je voyais dans la rue. Et je ne savais pourtant pas
les prononcer. Je les entendais résonner dans ma
tête. À l'école, on m'obligeait à les lire à haute
voix. Je détestais ça. Personne ne me comprenait.
Tous riaient. Ce n'était pas drôle.

Si je n'ai pas tenu de journal, c'était sans doute
par peur que mes parents trouvent ce cahier et
cherchent à savoir ce que j'y inscrivais... Il était
plus probable que ce soit ma sœur aînée (Dolorès...
comme « douleurs ») qui trouve ce cahier. Je ne
voulais rien leur dire. Ce que je pensais restait
à l'intérieur. Seule la peur que j'exprimais avec

ma violence sortait ; ça m'allait bien comme ça. Mais je comprends, maintenant que je suis parti, que je voudrais me souvenir davantage de ce que je pensais. Je voudrais bien retrouver mes impressions telles qu'elles étaient, intactes, issues du moment immédiat. Et non pas le souvenir que j'en ai. Je me méfie de la mémoire. J'ai fait un travail surhumain de pardon avec mes souvenirs. Du jour au lendemain, d'une heure à l'autre, j'ai pris l'habitude de changer l'événement vécu. C'était essentiel pour ne pas avoir trop mal. Pour ne pas me répéter que tout était injuste, pour continuer à vivre avec ceux-là qui étaient ma famille sans les haïr. Peut-être même que j'allais si vite avec mon ardoise magique qu'elle effaçait au fur et à mesure ma vie réelle pour en imprimer une autre dans ma mémoire ; une qui me plaisait mieux. Une qui gommait ce que je n'aurais pu vivre une deuxième fois en m'en souvenant.

Maintenant que je commence une autre vie, j'ai le droit de prendre des notes, j'ai le droit d'imprimer ce que je vis. Je peux maintenant me retrouver parce que je suis parti de chez moi. Je ne veux pas écrire, je veux prendre des notes pour commencer ma vie avec la musique.

Écrire, ce n'est pas toujours penser, parfois, c'est éviter de penser, comme si le corps disait directement ce qui doit se lire, sans passer par l'esprit. Mon corps me domine. Je me bats avec lui, mais plus souvent encore, contre lui. Pour les autres, ceux qui peuvent l'oublier, je ne sais pas comment ça se passe. Mais pour moi qui vis avec le rappel permanent de sa présence imparfaite, voire douloureuse, l'oublier, ou tenter de le faire, est une voie sans issue. Si je laisse ma main courir sur le papier – j'en ai une qui peut tracer ce que ma bouche ne sait prononcer sans mettre des lustres –, peut-être que ce que je ne pense même pas, ce que je n'oserais émettre ou envisager sera écrit là. Est-ce que les mots ont ce pouvoir ? Et ce que j'entends dans la musique, est-ce que je pourrai l'écrire aussi ? Ce que je ne peux articuler, est-ce qu'une mélodie le racontera ?

Je n'ai plus écrit. J'ai passé quelques jours entre l'hébétude et le découragement. J'accueillais la musique qui venait à moi mais je n'allais pas vers elle, trop perturbé par la démission de ma foi en une victoire possible. Peut-être fallait-il cette succession de pertes et de confiance en soi, de doutes et d'émerveillement face aux cadeaux qui m'étaient faits. Je comprends tout doucement que la vie n'est pas comme on nous apprend à la regarder. C'est même tout le contraire. L'intelligence ne peut que trébucher quand elle cherche des explications rationnelles à ces forces intimes qui nous guident et semblent n'être aucunement connectées à notre famille, à nos aptitudes physiques, à ce qui se ferme ou s'ouvre à nous. C'est en y pensant, en voulant faire entrer la musique dans le carcan du possible et raisonnable qu'on s'égare et non l'inverse. Je n'ai pas décidé d'y croire à nouveau. J'ai tout bonnement opté pour l'abandon du doute angoissé qui m'a étreint pendant plusieurs jours.

Après une semaine de vacances, les cours ont repris. Sans que j'en aie conscience, j'ai compris qu'être seul réactivait mes angoisses au lieu de me permettre de faire le point, comme je l'avais imaginé. Retourner en cours, entendre le chant du violoncelle qui jouait Bach, écouter les explications si éclairées de Mademoiselle m'a été salutaire... Instantanément, je me suis retrouvé là où il n'y avait plus de place ni pour la peur, ni pour ces frayeurs de petit garçon incomplet. Je me suis appliqué en essayant de faire au mieux, et plus encore.

Peut-être ai-je été pourri par la situation dans laquelle je me trouvais jusqu'à ce que je quitte ma famille. On n'exige rien de celui qui n'a pas d'avenir. Peut-être ne suis-je pas habitué à l'exigence que requiert la musique. Ce que je sais maintenant, c'est que j'ai voulu de toutes mes forces qu'on me considère comme normal : eh bien, j'y suis ! On ne me passe rien ! Et c'est tout juste si les professeurs se rendent compte de l'effort que je fournis. Je suis toujours jugé en termes de retard. J'ai commencé la musique après l'heure et on ne cesse de me le rappeler. Le handicap, on ne m'en parle jamais ; il est entré dans ce qu'on me demande à pas furtifs. Ce qu'il faut que je rattrape, c'est le temps où je n'étais pas un musicien apprenti, si bien que mon tempo personnel est toujours à la traîne.

Il faut que je trouve une solution. Je ne vais plus pouvoir payer la chambre. Si seulement j'avais mes deux mains valides, je pourrais demander un peu d'argent pour jouer et faire la session rythmique de mes amis jazzmen... « Heureusement que Luis nous dépanne gratos ! a lâché le patron de la boîte l'autre soir. Je ne pourrais jamais justifier au propriétaire que je verse un cachet à un type qui n'a pas ses deux bras valides pour être batteur ! » Voilà ! Il vaut mieux entendre ça qu'être sourd.

Je m'étais dit en commençant ce cahier que je n'en viendrais jamais à aborder le quotidien... Seulement ce qui dévaste le cœur et ce qui nourrit l'âme. Je n'ai pas tenu dix pages... Quelle misère !

J'ai rencontré ma voisine, dans des conditions inavouables de colère intense, mais concentrons-nous sur l'essentiel. Elle est historienne, elle travaille sur les réseaux de résistance de la dernière guerre. Ça lui va bien. Elle aussi est une sorte de résistante. En fauteuil. C'est un caractère de cochon à roulettes qui fait la morale sur ce qu'on doit éviter de faire ou de penser quand on est handicapé. Mais elle me plaît bien. Elle s'appelle Victoire. Et elle m'a appris une chose que j'ignorais complètement... Le mot « handicap » vient de l'expression anglaise *hand in cap* (main dans le chapeau). Cela vient d'un jeu d'échange entre deux personnes qui se pratiquait en Angleterre au seizième siècle. Dans le cadre d'un troc de biens, évalué par un arbitre, il fallait rétablir une égalité de valeur entre ce qui était donné et ce qui était reçu : ainsi celui qui recevait un objet d'une valeur supérieure devait mettre dans un chapeau une somme d'argent pour rétablir l'équité.

« Vous comprenez mon petit Luis ce que ça veut dire si on l'applique au pied de la lettre si j'ose dire, c'est qu'un lésé reçoit forcément autre chose qui compense. À chacun de trouver quoi. Que va-t-on sortir du chapeau pour vivre au même niveau que les autres ? Comme vous êtes en train de le constater, vous essayez de dépasser l'autre avec ce qui est dans votre chapeau... Ne vous arrêtez surtout pas. »

Victoire a raison. Il fut un temps où être applaudi pour avoir réussi quelque chose que les normaux font sans effort m'emplissait de haine. Et je ne parle pas de ces moments terribles où l'on s'adressait à ma mère comme si boiter ou parler avec difficulté m'avait rendu également sourd et stupide. J'avais du mal à ne pas m'énerver. Victoire pense que je me suis souvent trompé de cible, moi qui coupais la parole au responsable de ce jugement hâtif pour l'apostropher : « Vous pouvez me parler directement, je comprends couramment le français, l'espagnol, et j'ai même appris l'anglais à l'école. » Ma mère gênée baissait la tête et me réprimandait ensuite à propos de mon odieux caractère. « Tu ne peux pas être gentil pour ne pas aggraver les choses ! » Elle ne voulait pas comprendre. Pourquoi fallait-il que je sois gentil, alors qu'on me prenait pour un débile et que c'était insupportable ? Mais là où Victoire voit juste, c'est que je n'ai jamais pensé que c'était à ma mère que j'en voulais le plus de ne pas signaler aux gens qu'ils pouvaient me parler directement. J'attendais qu'elle me défende, qu'elle m'intègre, qu'elle fasse le lien entre mon monde et le leur. Eux, ils étaient juste ignorants. Mais elle, réagissait comme un coupable au lieu de m'ouvrir des portes. Elle ne comprenait pas. Je lui faisais de la peine. C'était ce qu'elle finissait par dire. Elle mettait un terme affectif sur son incompétence et ça stigmatisait ma hargne sans que je comprenne vraiment qui était visé dans l'affaire.

Aujourd'hui, le père Vidal est arrivé au magasin à l'improviste et Lulu a eu du mal à couvrir mon absence. Il a fini par envoyer un petit gamin me chercher au Conservatoire afin que je rapplique en quatrième vitesse. Comme je suis arrivé avec deux professeurs et trois camarades de ma classe d'harmonie qui ont tous eu la bonne idée d'acheter des disques, l'affaire a été classée d'office. Le patron n'a rien dit et j'espère qu'il a pensé que j'étais allé chercher le client à sa source. Dans les jours qui viennent, il faut que je me méfie quand même afin de ne plus me laisser piéger. Peut-être qu'on se leurre avec Lucien et que notre petit manège a été découvert depuis longtemps. Peu importe, je suis prêt à plaider coupable, à venir le dimanche pour garder ce boulot qui m'assure mon indépendance.

Ma petite Maria est venue me visiter. Elle regardait ma chambre avec de grands yeux ahuris. J'ai compris qu'elle mesurait le chemin parcouru, qu'elle se rendait compte que le frère qui se tenait devant elle n'avait plus grand-chose à voir avec celui qui était parti du foyer familial il y a quelques mois. Comme je ne lui demandais pas de nouvelles des parents et de Dolorès, elle m'a fait part de sa déception. Est-ce qu'ils avaient vraiment tous disparu de ma vie ? Je lui ai redit à quel point j'étais heureux de la voir, mais je ne pouvais pas formuler ce qui me nouait la gorge. Je n'ai aucune envie d'avoir des nouvelles de mes parents, de ma sœur aînée, de leur vie médiocre et passive. Rien que les images de leurs visages qui passaient devant mes yeux pendant qu'elle me parlait m'étaient douloureuses. Je sais qu'elle ne l'a pas compris.

Pourquoi n'ai-je pas voulu écrire auparavant ? C'est si agréable de pouvoir se défaire de sa peine sur sa famille. On a l'impression qu'elle quitte l'intérieur du corps pour toujours. Chaque mot déposé sur cette page m'allège du poids de ma culpabilité de ne trouver aucune part de mon cœur disponible pour eux. Je crois que je n'ai pas de rancœur non plus. Je n'ai rien. Je suis parti dans une autre vie comme si je m'étais exilé dans un autre pays où le climat n'est plus le même et me convient. Peut-être est-elle repartie déçue, mais je crois qu'elle était heureuse de constater mon bonheur. Je ne lui ai pas dit que je veux être chef d'orchestre. Pourtant j'en avais envie. Parce que c'est la seule qui m'ait apporté un peu de joie dans notre enfance. Mais elle est encore trop près d'eux. Et puis j'aurais eu trop peur qu'elle ne me dise que ce n'est pas possible, que je ne peux espérer une telle vie. Je me suis donc protégé d'eux et de ce qui pouvait m'en venir à travers elle. Un jour, je lui dirai. Pendant qu'elle était là, j'avais du mal à m'exprimer, comme si en présence d'un seul membre de ma famille, je retournais en arrière ; j'étais malgré moi, ramené à la vie empêchée qu'ils me promettaient. Quelle tristesse d'être aussi dépendant de ses émotions ! Depuis qu'elle est partie, il a quelques heures, j'écoute Bach et je commence tout juste à sentir que mon tremblement s'éloigne. Je n'ose même pas imaginer ce qui pourrait advenir de mon corps si un autre des membres de la famille venait me surprendre dans ma tanière. Je lui ai d'ailleurs conseillé de ne pas divulguer mon adresse, ni le moyen de me joindre. Je ne sais si elle a évalué quel désastre ce serait pour mon équilibre si je devais affronter ma mère ou mon père dans ce contexte où ils n'existent que très loin, dans un souvenir que je m'applique chaque jour à éloigner un peu plus. C'est un travail qui m'est assez facile parce que je suis si absorbé par la somptueuse beauté de tant de musiques qui me traversent qu'il n'y a réellement aucune place pour quelque chose de dysharmonique. Si leurs pensées m'effleurent, aussitôt les souvenirs refont surface, mais à présent ils sont immédiatement associés aux œuvres qui traduisent le mieux l'inéluctable effondrement qui fut le mien quand je ne savais pas dérouler cette panoplie de chirurgien. Chaque souvenir a désormais sa musique, chaque traumatisme, son répertoire, et mon père est presque un compositeur à lui tout seul tant ses intolérantes envolées hargneuses collent à la peau de certaines œuvres. Wagner. J'ai conscience d'être totalement injuste envers lui qui fut pour beaucoup dans l'existence effective du chef d'orchestre – celui qui impose sa vision de l'œuvre –, mais je ne peux séparer l'homme de sa musique.

Cette nuit… en plein cœur de la pénombre enfumée d'un cabaret, mais lequel était-ce ?, j'ai rencontré une fille. Ou, devrais-je dire, je suis allé porter une main secourable à son corps titubant. On pourrait trouver là que *la poêle se fout du poêlon* comme dirait Louise, la cuisinière de ma cantine du Conservatoire, mais j'étais sincère. Et pas encore assez ivre pour ignorer que je pouvais lui apporter une certaine stabilité, malgré les imperfections de mon corps strictement vacillant. Une heure plus tard, nous en étions à l'exploration du palais de la princesse, qui était plus aviné que riche, et elle proférait des horreurs, me soutenant que nous ferions peut-être ensemble des enfants parfaits – j'étais si gentil, jamais elle n'avait rencontré un homme si gentil –, mais qu'elle était prête à accepter d'en faire des tordus comme leur père. Et comme l'aurait fait Guitry en son temps, je pensais au désastre d'une progéniture ayant mon corps et la délirante folie de leur mère. Je décidai instantanément qu'on ne peut pas vouloir sciemment mettre toutes les malchances du côté de sa descendance. Je ne ferais donc jamais d'enfants. Son délire princier m'a fait prendre conscience d'une autre chose encore. Cette question de paternité ne m'avait jamais effleuré. J'étais si persuadé de n'être qu'un garçon manqué, au sens premier du terme, que le fait qu'une fille puisse me faire père ne pouvait prendre racine dans mon imagination. Bref, si mon adolescence m'a définitivement rangé dans la catégorie des garçons que les filles ne choisissent pas, avec la monstrueuse vague émotionnelle que représente la musique, cette tragédie amoureuse est devenue le cadet de mes soucis. Mais maintenant que j'avais été choisi par défaut, si j'ose dire, il me fallait prendre une décision. Ce fut vite fait. J'allais arrêter la lignée !

Les filles trop jolies ne devraient jamais boire. Même ivre morte, Marie-Paule était encore désirable et je me disais qu'il n'était pas si bête de commencer sa vie sexuelle avec une partenaire que l'alcool ne rend pas trop exigeante, ni même assez lucide pour évaluer qu'elle a affaire à un débutant. Somme toute, son état de coma éthylique m'a désinhibé et j'ai arrêté de penser que j'étais en train d'abuser d'une fille incapable de gérer son désir pour considérer qu'elle abusait d'un handicapé puceau et, de surcroît, en état d'ébriété. Bref, pas un pour rattraper l'autre ! Je n'en suis pas si fier, mais au réveil, elle n'a pas eu l'air si surprise de me voir et, du coup, je me suis senti quand même un peu choisi. Il faut dire que j'ai particulièrement soigné le petit-déjeuner. Tartines, omelette, café, jus de fruits et croissants chauds. Elle m'a regardé, puis elle a contemplé de nouveau le plateau sur lequel j'avais placé une rose. L'air de rien, j'ai mis les préludes de Rachmaninov et un grand sourire s'est affiché sur son visage, car il paraît que c'est son compositeur préféré. Une fois éliminées les vapeurs d'alcool de la veille, il n'était plus question de faire des enfants ensemble, mais j'ai découvert une adorable jeune femme de presque dix ans mon aînée, ex-pianiste classique et amoureuse du jazz. Elle était très fantasque et j'ai eu le grand soulagement de constater qu'elle n'avait pas l'air de trouver si incongru d'être sortie avec moi. Je craignais tellement qu'elle ne bondisse du lit, prétextant un rendez-vous urgent et oublié, ce qui aurait claire-ment signifié pour moi qu'elle n'était plus bourrée mais seulement effarée que l'alcool l'ait projetée dans le lit d'un tordu. Je fus même assez fier quand, en me quittant d'un baiser sur la bouche, elle me dit tout bas : « Dans l'état où j'étais, j'ai de la chance d'être tombée sur un charmant garçon comme toi. » Je sens que le *charmant garçon* va me faire toute la semaine et je vais arborer ce qualificatif improbable et pompeux dans le secret de mon cœur.

Voilà, une semaine plus tard, je suis redes-cendu sur terre. Ma belle pianiste n'a pas trouvé bon de me recontacter et je ne l'ai pas recroisée dans mes cabarets préférés. Sans doute a-t-elle eu du tact envers moi et de la reconnaissance envers la vie qui ne l'a pas livrée à un pervers, voilà tout. Je tâche quand même de trouver que l'aventure était belle et de ne pas être trop déçu de son issue. Après tout, une fille si jeune qui boit avec autant de désinvolture ne peut pas être un cadeau à long terme pour un jeune homme généralement sobre comme moi !

Quand on est enfant et que les autres se moquent, on se dit que plus tard ça va être beaucoup mieux. Je voyais des bandes de copains qui se filaient des bourrades, se saluaient, se rejoignaient, et plus tard sortaient boire des coups, et je me disais « Pour toi aussi, ce sera comme ça un jour. » Mais j'avais oublié que les petites teignes de onze ans deviennent des adolescents stupides et arrogants. La loi de la jungle, c'est de plaire aux filles, et de le faire de préférence aux dépens de quelqu'un. J'ai du mal à croire qu'il n'y a pas si longtemps, j'encaissais des remarques du genre : « Eh, Luis, ça se branle un handicapé ? Dis-nous, toi qui es au courant. C'est laquelle, la jambe qui marche pas pour toi ? En même temps, il vaut mieux pas que tu te reproduises si tu dois fabriquer des bossus comme toi ! » Dire que je me suis même battu ! Quel temps perdu ! Il n'empêche, je pensais à ce moment-là que mes parents n'avaient même pas été capables de me faire un frère aîné qui, si ça se trouve, aurait cassé la gueule à ces normaux dégénérés. Et puis me revient à l'esprit que ma grande sœur a été ma première tortionnaire avec sa honte, sa peur de me montrer, et tout récemment son interdiction formelle d'être de sa famille si on se rencontrait dans la rue. « Mais je ne peux pas venir te voir ? ai-je demandé la première fois comme un crétin. – Si, a-t-elle répondu, magnanime, et je serai très gentille avec toi, mais interdiction de dire que tu es mon frère, pigé ? » J'ai mis si longtemps à comprendre qu'être sympa avec un handicapé pouvait la rendre populaire, mais qu'une proximité génétique lui porterait préjudice ! Un jour, heureusement, ma petite Maria a lâché le morceau devant les parents qui ont interdit une fois pour toutes à Dolorès de me parler dans la rue. « Au moins, c'est plus juste, disaient-ils. Si tu ne veux pas de lui comme frère, tu n'as aucune raison de l'avoir pour ami. » Le sens de la justice de ma mère m'a toujours un peu échappé. Et puis dans mon cas, discuter de ce qui est juste ou de ce qui ne l'est pas s'apparente à un casse-tête insoluble, même dans l'alcool. Maintenant, c'est dur de s'en souvenir sans avoir envie de vomir.

Je pense à ces moments où je préparais des phrases dans ma tête. Il me semblait que tout allait sortir de façon fluide. Je savais la structure, je ne mélangeais pas les mots, je les articulais posément. J'avais une histoire à raconter. Il me semblait que tout aurait du sens, qu'on comprendrait aisément. Car ça devait être ça le langage, quelque chose qui coulait de source, de la pensée à la bouche et même jusqu'à l'oreille de l'autre avec la certitude qui devait prendre naissance à l'origine de ce qu'on voulait dire, et l'on ne serait ni ennuyeux, ni décalé, ni lent, ni incompréhensible. Mais le théâtre de la médiocrité ordinaire possédait des portes, des heures d'ouverture et il ne jouait la pièce que pour moi, toujours la même. Une sordide habitude du même déroulement chaotique s'annonçait. Personne n'envisageait d'attendre le mot suivant, la fin de ma phrase dont on avait déjà oublié le début qui du reste était emporté par ma sœur aînée, la plus prompte à me couper la parole pour changer de sujet, de personne, et récupérer ce que je n'aurais jamais dû essayer de prendre. Certes, je parle un peu mieux qu'autrefois et je ne suis plus obligé d'arrêter la conversation avant de la voir se dérober dans un fiasco grandiose qui entame l'être humain que je ne suis pas. Mais surtout j'impose le temps d'écoute. Je ne dis pas que c'est facile pour les autres ou qu'il n'y a pas des moments qui doivent les exaspérer. Mais j'ai remarqué qu'en parlant sans se soucier de cette différence, je déroule plus tranquillement ce que je veux dire. Moins angoissé, j'articule plus facilement.

Quel être humain ne peut communiquer par la parole ? Le bébé quand il ne sait pas encore parler et le vieillard quand il devient incohérent, l'oublieux de ce qu'il est et l'oublié une fois qu'il l'a été. Et puis les sourds. Et soudain cette pensée abyssale de ne plus entendre me calme instantanément. J'ai de la chance ! J'ai de la chance ! Le répéter, le hurler, le noter partout en lettres d'or sur les murs. Être sourd voudrait dire ne plus écouter de musique et même n'en avoir jamais écouté, ne rien savoir de cette vie sonore qui est à elle seule ma vie entière, pleine. S'il était possible, je négocierais... La surdité, oui, mais juste pour rendre absentes les paroles des humains. Me laisser le chant de la nature et celui des instruments. S'il vous plaît. Et même le silence... Oui, merci de me laisser le silence et son insondable possibilité de musique. Sourd, je suis sûr qu'on n'entend même plus le silence. Il n'y a plus cette couleur, cette différence, cette pause au milieu du reste. Et puis le silence n'est jamais total, il n'est qu'une parcelle d'absence. Le silence des sourds, je me dis que ce doit être la mort de l'oreille.

« Chaque instrument est comme un bourgeon qui pousse sur l'écorce d'un arbre séculaire ; il fait partie d'un formidable ensemble. Et tout l'orchestre, tout cet ensemble, doit avoir la signification du printemps qui naît » (Igor Stravinski, à propos du *Sacre du printemps*).

Parfois j'y repense. Pourquoi je ne l'ai pas fait ce jour-là ? C'était si facile. Du sommet de la tour Eiffel, comme un oiseau. Quelque chose m'a empêché de le faire. Ce n'était pas la peur de ne plus exister ou la peur de me rater, de souffrir, ou d'en sortir dans un état pire encore et de devoir affronter cela. C'était plus simple encore. C'était quelque chose d'incongru et de plutôt mièvre à mon sens. La confiance. Je croyais que quelque chose allait m'arriver. Quelque chose de bien, de surprenant. Je possédais soudain une foi inébranlable en la possibilité d'une existence que je ne pouvais entrevoir. C'était une sorte de certitude baignée de doutes et d'ébahissement, mais je ne pouvais trahir ce petit noyau de confiance qui avait élu domicile dans mon esprit. Parce que mon esprit ne boitait pas, ne bavait pas, n'avait aucun problème de motricité. Il était vif, scintillant et il saisissait chaque note avec la précision d'un chirurgien et cette musique bruissait à mes tympans, soulevait mon cœur. La confiance n'était plus cette petite graine insignifiante dans une terre, elle devenait un arbuste, un grand arbre dont les branches caressaient le ciel et les racines buvaient la terre. Cette confiance étendait ses ramifications au-delà de mon être et de sa présence au monde. Seul, oui, je ne servais à rien ! Mais je n'étais pas seul. J'étais un petit grain d'un grand tout nécessaire et splendide. Je ne pouvais en douter. La haine de ma petite vie n'avait pas de sens dans ce grandiose univers. Je ne regardais plus à l'extérieur de moi ce qui aurait pu me tuer, je regardais à l'intérieur de nous ce qui me donnait envie de vivre.

J'écoute Bach. Le mouvement des doigts tout d'abord, puis l'enlacement des arpèges, les notes qui se croisent sans se saluer comme si de part et d'autre elles tombaient là par hasard. Bach ressemble à l'univers, un faux chaos organisé. Derrière toute organisation mathématique, la mise en abyme est plus intense et perceptible. De ma fenêtre sous les toits, je regarde la pluie tomber comme si chaque goutte était connectée à ces notes de musique. Je ne sais pas si je serai un jour chef d'orchestre. Je doute. Je n'ai sûrement plus le choix. Quand Beethoven est devenu sourd, il continuait à entendre. Il écrivait encore de la musique. Parce que la douleur, la douceur de la musique, personne n'en sait vraiment rien. Tout se joue au-delà des musiciens, au-delà du chef d'orchestre, au-delà de la partition du compositeur. C'est ce qui fait de la musique un langage à part. Le langage humain, c'est celui des mots. La musique serait une concession, un cadeau, un amour suprême que quelqu'un pourrait avoir oublié pour nous aider à ne pas utiliser que des mots, pour dire tout le reste.

Quand je ne savais pas encore que je voulais faire de la musique, quand je la recevais comme une nourriture, comme l'eau qui étanche la soif la plus inextinguible, quand j'ignorais tout de ceux qui peuvent réaliser ce miracle de produire de la musique, j'avais peur qu'elle ne disparaisse. La musique m'inoculait une peur ancestrale, qui ressemblait fort à la terreur primaire des premiers hommes craignant que le ciel ne leur tombe sur la tête au premier coup de tonnerre. Si je pensais à la musique, déjà, je me sentais joyeux. Les seuls moments où je me sentais vraiment sombre, c'est quand bêtement je me disais que je n'en entendrai plus jamais. Le jour où ma sœur a renversé le poste de radio, quand ma mère a essayé de le remettre en marche, il grésillait. Il a fait une dernière tentative, et puis plus rien. Il s'est arrêté d'émettre et cette mort a déclenché une crise de désespoir si intense que ma famille en est restée pétrifiée. Je pleurais si bruyamment que mon père a cru que c'était moi qui l'avais cassé. Ma mère l'a heureusement détrompé. Dolorès a déclaré : « Luis pleure le poste de radio comme jamais il ne pleurerait sa famille. Ça prouve bien que sa tête est vraiment touchée. » Sur le moment je n'ai pas compris la violence de ses propos. Mais pour la radio, il était inutile de s'en faire. Le poste était aussi important pour mon père que pour moi. Pour des raisons différentes que je n'ai comprises que récemment. Il écoutait Radio Londres. Depuis que nous avions fui l'Espagne, il faisait partie d'un réseau de résistance. Déjà là-bas, il travaillait comme clandestin pour le parti républicain. C'est pour cette raison que nous avons dû fuir et nous exiler en France. Je l'ai appris il y a quelques mois. Peut-être aurait-il dû partager quelque chose avec moi au lieu de me voir comme un attardé, un débile qui ne pouvait être son fils ; il aurait changé la façon dont je le considérais. S'il m'avait un peu parlé, je crois que je ne serais pas parti. Je ne m'en rendais même pas compte. Je souffrais sans même comprendre que ma douleur n'était pas toujours physique et qu'elle n'était que le rejet violent et injuste de mon père. Avant de grandir un peu, je pensais que ma mère était différente. Avec moi, elle était toujours patiente et douce. En grandissant, j'ai appris à la voir se défiler. Elle n'a jamais pris ma défense. Elle baissait la tête comme si les reproches que mon père m'adressait, maudissant mon handicap, lui étaient indirectement destinés. Elle avait pondu un gosse anormal et payait de son silence sa coupable maternité. Comment aurait-elle pu me regarder avec bienveillance dans ces conditions ? Pourtant rien ne prouvait que mon handicap venait plus d'elle que de lui. On ne savait pas grand-chose. Sauf que j'étais sorti de son ventre. Cela devait suffire à mon père pour estimer que sa grande normalité à lui avait dû sauver ce qui pouvait l'être, et que la famille de ma mère devait dissimuler quelques tares inavouées réapparues sur moi.

Je le déteste. C'est la seule émotion qu'il m'est possible d'exprimer en ce qui le concerne. Parfois, dans la violence d'une symphonie, quand les tensions sont à leur comble, quand il semble que rien ne résoudra ce chaos déterminé que nous jette aux oreilles le compositeur, c'est lui que j'entends à la place des cuivres avec derrière la litanie plaintive de ma mère sur les cordes. Et s'il existe une flûte ou une harpe, c'est la voix de ma petite Maria. Quant à Dolorès, seules les percussions sont à la hauteur du martèlement de son refus et de son mépris. Voilà la forme acceptable qu'ils ont adoptée désormais dans mon esprit.

Découverte de Bruckner. Un monde m'envahit... qui me permet de quitter le mien... et... celui du Conservatoire. Je m'infiltre dans les cours qui m'intéressent. Ceux où je peux rester en étant invisible. Au bout d'un petit moment, très court, plus personne ne s'étonne de me voir assis dans un coin de la salle, sans instrument. Aujourd'hui, le professeur de violoncelle s'est tourné vers moi et m'a demandé mon avis sur l'interprétation que nous venions d'entendre. J'étais si gêné qu'au début, je ne voulais rien dire. L'une des élèves que je connais un peu m'a encouragé : « Allez Luis, ne sois pas timide, les conseils que tu m'as donnés l'autre jour étaient tellement précieux que j'en ai parlé à notre professeur. » Alors j'ai osé parler du moment où Yvon jouait trop lentement, ce qui était juste, ce qui ne l'était pas. Le professeur a souri. À la fin du cours, elle m'a posé des questions sur ce que je voulais faire. Elle a dit qu'elle m'avait laissé venir parce que j'étais arrivé avec une élève, mais dès la première fois, en me voyant les écouter, elle désirait savoir qui j'étais. Alors j'ai raconté mon désir d'être chef d'orchestre, de suivre tous les cours de tous les instruments, ma soif d'apprendre. Elle arborait une moue dubitative mais n'a pas cherché à me décourager. « Ça ne sera pas facile », a-t-elle dit gentiment, comme pour me signifier que mon rêve avait des accents irréalisables.

Mais c'est peut-être moi qui me fais des idées. J'ai répondu tranquillement : « Je n'ai pas eu une vie facile de toute façon. Alors, la dureté du monde de la musique me paraît tout à fait secondaire à côté du reste. » Elle a rougi et acquiescé. Et c'est vrai, je ne sais pas de quoi ils me parlent quand ils essayent de me raconter la difficulté du parcours musical avec cette mine compassionnelle. J'ai plutôt de la chance d'avoir mis un pied et toute ma tête au Conservatoire !

Je regarde mon enfance et je ne peux me résoudre à devenir un adulte plein de fureur parce que mon âme aspire à l'amour. Elle est blessée, mais je l'entends vibrer. Dans l'écoute d'un morceau particulièrement émouvant, je voudrais presque pardonner, ne plus leur en vouloir. Désormais ma revanche ne les concerne plus. Elle est une conquête que je dois faire pour moi-même, pour cesser de croire à ce qu'ils m'ont décerné comme avenir, un néant sans joie. Alors la musique devient un pays que je dois conquérir et les musiciens en seront mon armée. Tout est simple à comprendre, les batailles, l'insubordination, les territoires à ravir, les victoires à emporter et dans ces moments de clarté et d'espoir, le temps de la paix devient incertain.

Mlle Boulanger me laisse venir à chacun de ses cours et, quand je suis allé la voir pour lui proposer de la payer, elle a catégoriquement refusé. « Ta musique me le rendra », a-t-elle simplement répondu. J'ai commencé le livre qu'elle m'a prêté hier. C'est celui d'un philosophe dont j'ai oublié le nom. Ça me parle… C'est encore de la musique. Et cette phrase principalement que j'ai écrite en gros sur un papier affiché dans ma chambre. « On ne peut tirer de l'homme que ce qu'il porte en lui-même. » Ah oui… c'est Goethe. Je vais le mettre sur la première page de mon journal. Comme si c'était un livre. Comme ça, quand je serai un célèbre chef d'orchestre et que je serai mort, on retrouvera mon journal de jeunesse et on sera ébloui de mon parcours… ! Pfft si je commence à écrire de telles conneries dans ce journal, autant arrêter.

Il s'est passé une chose curieuse aujourd'hui. En passant dans un couloir, j'ai entendu une pièce symphonique dont j'ignorais le titre et l'auteur. Sauf l'effet qu'elle m'a procuré pendant des années. Je ne me souvenais plus de la première fois où je l'ai entendue à la radio, mais je devais être très petit. Je crois qu'il faisait très chaud. Nous habitions un appartement étouffant sous les toits. Je me suis couché sur le carrelage de la cuisine où se trouvait le poste. J'étais en culottes courtes et malgré l'atmosphère irrespirable, je sentais la fraîcheur du carrelage me procurer un apaisement totalement connecté à la partie des violons. Je crois que je me suis endormi. Puis, un autre jour, en passant dans un jardin avec ma mère, j'ai entendu un orchestre dans un kiosque qui jouait à nouveau cette musique. Je l'ai reconnue tout de suite. C'était le printemps et il me semblait que la plupart des fleurs du jardin s'ouvraient à mesure que le chant s'élevait. J'ai tiré ma mère par la manche pour aller vers le kiosque, sans succès. « Oui, oui, j'ai compris. La musique… Je sais que tu adores la musique, Luis… » Elle ne comprenait pas que ce n'était pas n'importe quelle musique. C'était celle-là que je voulais entendre. M'arrêter pour fermer les yeux, voir, demander le nom de cette merveille. Si j'osais… Mais rien ne s'est passé ainsi. Elle a considéré ma demande comme un caprice de plus. J'étais si triste que je n'ai même pas fait de crise. Mais cette fois encore, je n'ai pas su le nom de ce morceau. Plusieurs années se sont écoulées avant que je le réentende. Et cette fois-ci, j'étais seul dans la rue avec la baguette que je venais d'aller chercher chez le boulanger. Le son tombait d'une fenêtre du troisième étage. Je me suis assis dans la rue et j'ai écouté. Une demi-heure plus tard, rentrant à la maison alors que tout le monde attendait le pain pour déjeuner, j'ai reçu une sacrée correction et on ne m'a plus envoyé à la boulangerie. Je passais devant l'immeuble pour aller à l'école et chaque fois guettais la porte afin de monter jusqu'au troisième demander le nom de ce morceau. Je ne notais rien mais j'étais capable de retenir le nom des œuvres que j'entendais. Depuis longtemps déjà je reconnaissais Mozart, Bach, Beethoven, Ravel, Haydn, Rachmaninov, Tchaïkovski. Peut-être que l'on est déjà, enfant, ce que l'on devient plus tard. Peut-être qu'un humain est comme une symphonie, une suite de mouvements, d'impulsions contradictoires, de tensions qui se résolvent à la fin d'une vie. Bien ou mal, joyeusement ou tragiquement, et ensuite on meurt parce qu'il n'y a rien à faire de plus ou de moins.

Mais quel était donc ce morceau que j'avais entendu plusieurs fois au cours de mon enfance et dont je ne pouvais jamais savoir le nom ou le compositeur ? Je n'avais pas réussi à monter au troisième étage pour frapper à la porte un jour où celui qui occupait l'appartement était là. J'ai vu quelques semaines plus tard un camion de déménagement avec un piano. Quand j'ai demandé à quel étage quelqu'un s'en allait, un gros costaud m'a répondu en soupirant : « Au troisième ! Pousse-toi petit ! Sinon tu risques d'être plus amoché que tu ne l'es déjà ! – Et les gens du troisième, ils sont encore là ? – Non, mon garçon, a répondu le gars, ils sont déjà partis dans leur nouvelle maison à soixante bornes d'ici. Laisse-moi bosser, maintenant. » De nouveau l'impasse. Et ainsi de suite jusqu'à aujourd'hui. J'ai si souvent entendu cette symphonie sans savoir son nom que j'ai fini par le prendre comme une bonne plaisanterie de la vie ; c'était ma symphonie inconnue à moi ! Soit j'arrivais trop tard pour entendre le titre, soit mon père éteignait arbitrairement la radio. Le sort avait toujours contribué à me laisser dans l'ignorance. J'imaginais que j'étais comme le prince d'un conte qui rencontre sa belle, mais ne sait jamais rien d'elle ni où la retrouver, ni son nom, ni rien. Seule sa beauté, sa force, son évidence lui restaient.

La *Symphonie n° 3* de Brahms ! Je l'ai hurlé dans la rue ! Boitant d'un réverbère à l'autre, comme un fou ou un type complètement saoul. Je voyais le regard réprobateur ou vaguement amusé des passants. « C'est la *Symphonie n° 3* de Brahms, vous vous rendez compte, j'ai mis quinze ans à le savoir ! » J'avais même essayé intuitivement de chercher dans ce que je connaissais le moins bien au magasin de disques. Curieusement, d'autres symphonies de Brahms se présentèrent, mais pas la troisième. Et maintenant, posé sur mon lit avec la boîte de petits pois que je viens de me faire chauffer, je l'écoute. Je vais acheter la partition ou demander à Mademoiselle si elle peut me la procurer. J'ai envie d'en savoir plus, de rentrer dans le cœur de cette œuvre. Pour l'instant, ne rien savoir d'elle encore et connaître juste son nom me ravit.

Comme j'ai changé. Je le sens mais je n'arrive pas à savoir exactement de quel ordre est ce changement. Je ne suis plus jamais avec des gens qui me plaignent et me voient comme un handicapé. Je suis un étudiant en musique handicapé, un vendeur de disques handicapé, un mélomane handicapé dans une chambre entourée de locataires qui me tancent gentiment sur mes heures d'écoute de la musique. Je suis un ami musicien handicapé, et très souvent en retard sur les connaissances musicales de mes autres amis. Je suis un batteur fatigable mais enthousiaste pour mes amis jazzmen. Je suis autre que ce que je ne peux pas faire. Et surtout je ne suis ni débile, ni irrécupérable, ni la lie d'une société qui ne voudra pas de moi, ni la honte de certains. J'ai ma place ici et personne ne me fait la grâce de subvenir à mes besoins par pitié. Je paie ma chambre, je gagne ma vie, et ce qu'on m'offre est un bonheur, amicalement donné. Ou alors on pratique l'échange gracieux, le troc, et rien n'est déséquilibré dans ce rapport aux autres. Je suis presque heureux.

« Ce n'est pas agréable pour moi, mais le but de l'art me paraît toujours être la libération suprême vis-à-vis de la douleur et le moyen de la transcender » (Gustav Mahler).

Transmettre, être un passeur, et n'être pas toujours dans un rapport monnayé est le propre d'un être humain qui est respecté. Voilà ce que me font savoir ceux qui me donnent aujourd'hui quelque chose qu'ils n'ont pas l'air de me concéder en me culpabilisant. Parce que m'avoir donné vie alors que je n'avais rien demandé en ayant l'air de me reprocher de n'être pas conforme à des attentes, des projets que l'on aurait faits avant que j'arrive, était injuste. Je n'ai jamais mesuré mon impuissance devant cette imposture. Que pouvais-je bien répondre à la déception profonde de mon père ? Je ne serai jamais un héros, un fils fort et brillant dont il puisse être fier. Un vrai Espagnol. L'homme de la maison après lui ! Je serai à tout jamais ce fils cassé, boiteux, qui parle en tordant un peu la bouche et rit comme un monstre avec une voix de crécelle. Je me suis toujours demandé si c'est la guerre civile qu'il a fuie, ou la communauté amicale auprès de laquelle il refusait d'assumer l'existence d'un fils aussi pathétique. Rencontrer des gens nouveaux qui l'ont connu déjà affublé de son marmot pas montrable devait être plus facile pour lui que d'être mon père devant ses vieux copains d'avant. Ma mère n'a jamais dit qu'elle était heureuse de rentrer en France, mais sans doute que c'est elle qui l'a poussé à ne pas rester à la frontière trop longtemps, à revenir vers Paris. C'est là qu'elle est née alors j'imagine que c'est là qu'elle a voulu vivre en rentrant. Je me rends compte maintenant que je ne vis plus avec eux qu'elle a dû l'influencer plus que je ne le pensais. J'ai toujours cru qu'il la dominait, qu'il décidait de tout, qu'elle subissait comme nous son autorité de patriarche espagnol, guerrier abrupt et intransigeant. Je l'ai cru si longtemps que ça lui donnait des excuses quand il m'accablait et qu'elle ne prenait pas ma défense ; même si je lui en voulais de ne pas m'aider face à lui. Maintenant que j'ai le courage d'y repenser, je crois qu'elle était plus consentante qu'il n'y paraissait ou que je voulais bien le croire. Après tout, j'étais colérique, pas facile. J'ajoutais à ma situation de handicapé une mauvaise foi évidente. Dans ma situation, j'aurais dû faire profil bas et me contenter de ce que la famille voulait bien m'accorder. Était-ce si démesuré de me vouloir pareil aux autres, d'aspirer au meilleur, d'avoir des rêves de grandeur et de normalité ? de ne pas accepter qu'on me cloue au sol sous prétexte qu'avec mes phrases manquantes et mon corps défaillant, je ne volerais jamais ?

Chaque fois, nous assistons au spectacle sublime de la mort d'une pensée. La mer rythme un autre temps que celui de la ville. J'en suis revenu, mais pas encore tout à fait. Mon corps est à Paris, mais il vient de vivre l'étrange aventure du voyage et tout à la fois d'un ailleurs. Car partir, c'est aussi l'aboutissement du mouvement. Partir et être dans une autre couleur, une autre respiration, d'autres sons. J'étais avant ce voyage comme un puceau qui sait juste que l'amour existe mais pour qui, le faire est presque inaccessible. En vérité, je croyais que mon milieu, mon handicap m'entraînaient vers un gouffre où l'on ne pouvait aspirer à rien, mais je me trompais. C'est la vie d'un artiste, ces questions dangereuses qu'il se pose, qui l'amènent jusqu'à l'épuisement à s'interroger sur le chaos du monde. L'exaltation qui a suivi ma découverte de la musique n'était pas moins enchaînée à une fenêtre qui s'ouvre, à des ailes que l'on pouvait désormais déployer ou à l'horizon d'un rêve possible. Mais c'était la perspective de pouvoir assouvir ce désir de savoir, de fluidifier au prix de grands efforts irrésistibles la marche du monde. Les héros, ceux dont on fait des films ou des livres, ne sont que des écrans, des substituts de ceux qui touchent à la création. Superbes et surtout matérialisés aux yeux du commun des mortels, ils détruisent les obstacles du doute et de l'ironie. Si leur réussite suffit à cacher l'amertume de n'avoir qu'un savoir tronqué, alors le talent de l'artiste est superbe. Mais lui seul sait que rien n'a disparu de cette mélancolique manie de tout ramener au pourquoi quand la victoire était plus un moyen qu'un but.

Plus j'avance et plus j'ai peur. Je marche dans les rues, je reste coi au fond de la salle, je m'imagine à la place de cet homme, sur cette estrade... Je dirige mais quand j'y pense vraiment, je suis terrorisé. Quand je ne savais aucune note, quand la musique n'était qu'un immense amour, la paix de mon âme, la passion de mon cœur, je ne craignais rien. Maintenant que je l'ai approchée, que je la lis, que je la pratique, je l'aime encore plus sans doute, mais la peur est venue et je ne peux la conjurer. Un échec aujourd'hui serait plus acceptable si je n'avais pas autant espéré, si je n'avais fait qu'aimer la musique de loin. Tandis que maintenant, si je dois revenir au stade de simple mortel, de mélomane averti, de musicien du dimanche, j'en serai si mortifié, si dévasté que je ne pourrai survivre à ma déception.

Le Chef d'orchestre : théorie de son art. Voilà ce que ma petite sœur m'a apporté il y a une semaine ! J'en avais les larmes aux yeux. Je ne lui ai pourtant jamais parlé de mon désir de devenir chef d'orchestre. Mais elle m'a fait cette réflexion aussi ingénue qu'innocente : « Je cherchais quelque chose de musical pour ton anniversaire, et quand j'ai vu ce livre-là, je me suis souvenue que tu m'avais un jour raconté l'histoire de la *Symphonie fantastique*, et j'adorais ce moment où tu me faisais rêver sur "le thème de la bien-aimée". C'est bien ainsi que tu l'appelais ? Alors j'ai pensé que peut-être ça te plairait. » Plus tard, dans la soirée, en ouvrant le livre, je me suis aperçu qu'il était rempli d'indications extrêmement précieuses et précises sur la façon dont un chef d'orchestre doit mener qu'aucun cadeau n'aurait pu mieux tomber pour moi. Il parle même de la disposition des instruments dans les amphithéâtres, de la propagation du son, de sa progression rythmique. À quel moment doit respirer le joueur de trompette... La façon de mener des partitions écrites dans plusieurs mesures différentes... Un vrai manuel ! J'y ai lu tout ce que je pouvais entendre, parfois sans véritablement pouvoir m'expliquer ce qui clochait. Ainsi, il aborde l'exagération des nuances que pratiquent parfois certains chefs et qui dénature l'œuvre, et les intentions du compositeur. Par-dessus tout, j'y ai découvert l'exigence, et l'exaspération de Berlioz à propos de certains défauts dans l'interprétation des musiciens. Cela induit bien ce que la médiocrité peut entraîner quand un chef n'a pas le niveau nécessaire pour remédier aux défauts des instrumentistes de son orchestre. Ça ne me fait pas peur. Le travail à accomplir dans la musique ne me fera jamais peur. Ce que je veux atteindre, c'est cette magie, quand le plat de la main se lève et que dans ses moindres déplacements, les nuances de chaque musicien sont influencées. Je voudrais parvenir à ce point subtil où les émotions peuvent nous saisir à la gorge, quand on peut les faire éprouver à un public comme si elles étaient en train d'arriver. Je veux jouir de sculpter dans l'espace cette intention, cette aisance brute qui gouverne l'ensemble des tensions contenues dans une œuvre. Et c'est là, au moment même où la musique semble aérienne, dégagée de toute contingence matérielle, qu'elle prend sa source dans le corps. Rigueur et sensibilité sont des outils qui ne remplacent pas ce qui se passe dans ce moment pétri de terreur et de souffrance où le corps dirige, seul et séparé de la tête. Il tient, il se dresse, il se bat. C'est un animal sauvage et pour peu qu'il soit blessé, il devient fou. Il saisit de ses bras fébriles la musique écrite et il en fait du son, une perception irréelle pour chacun, unique pour ceux qui ont reçu cette antenne particulière. Je ne marcherai jamais droit, ma parole ne sera jamais fluide, mais j'entendrai toujours la musique au-delà du mur qui nous sépare de nos âmes. Je l'ai compris avec mon corps, avec la douleur domptée, avec le feu aux tempes, quand les ligaments se déchirent, quand la peau se soulève pour laisser s'insinuer le frisson qui chasse le mal, quand triomphent les arpèges, quand ils écrasent les peines d'un fer brûlant, quand les artères sont parcourues d'un sang qui inverse le cours des choses.

La mémoire... Oui, la mémoire est précieuse. Que faire sans les écrits de ces musiciens, de ces compositeurs ? Essayer de tout retenir, de tout garder, de tout écrire de ces cours auxquels on me tolère. Plus personne ne me voit, je suis un musicien fantôme, un musicien sans instruments, je bénéficie de l'indulgence saugrenue de certains. Je ne fais d'ombre à personne, je ne suis pas sur les rangs. En sera-t-il de même quand j'entrerai véritablement dans les murs du Conservatoire ? Je vois les luttes d'influence, les batailles souterraines, les sentiers doucereux, les coups bas, les soumissions incertaines. La bagarre fait rage pour ceux qui veulent devenir... Quand j'y pense, une barre se forme juste au-dessus de mes sourcils

et la semaine dernière, Mlle Boulanger m'a dit :
« Mon petit Luis, l'anxiété ne vous vaut rien de
bon. » Je crois qu'elle devine ce qui me tourmente.

« Est-ce que vous écrivez de la musique ? Est-ce
que vous composez ? a-t-elle demandé soudain.
– Non, mademoiselle, ai-je répondu, j'ai déjà beaucoup trop d'œuvres à découvrir. J'y consacre tout
mon temps. » Elle a souri en ajoutant que ça viendrait sûrement, que j'étais encore très jeune et
que les voies sont multiples. Ou peut-être parlait-
elle des voix ? Je ne sais pas très bien ce qu'elle
entendait par là. Pense-t-elle que je composerai
un jour ? Je ne crois pas qu'elle ait raison. Diriger
me remplirait déjà d'une grande joie. Être au service de ce que je lis, et plus encore au cœur subtil
de ce qu'on ne peut déchiffrer sur une partition.

Depuis quelque temps, je suis très malheureux.
Ce qui me venait si facilement est difficile, labo-
rieux. Est-ce que je suis resté confiné aux limites
de mes possibilités ? Tout ce que je faisais sans
me poser de questions est devenu vain. Tout ce
qui me semblait s'accomplir naturellement me
demande maintenant une extrême concentration,
et ce qui est pire encore, c'est que plus je suis
concentré et moins je parviens à réaliser la tâche
que je me suis fixée. Je n'ai pas osé en parler
à Mademoiselle, pas plus qu'à d'autres professeurs. Tout ce qui est dans les rails de l'école
si j'ose dire, finit par me rebuter. Alors je lis, je
tente d'oublier et je tombe sur cette phrase du
philosophe mathématicien Gottfried Leibniz : « La
musique est l'exercice arithmétique secret d'un
esprit qui ne sait pas qu'il est en train de calculer. » Alors, j'ai toutes mes chances ! Parce que si
j'admets que je peux avoir, comme je le ressens,

ce qui échappe à tout apprentissage trop scolaire, cela va me demander une immense confiance pour le mettre à jour.

Ce matin, découvrant une nouvelle symphonie de Bruckner que je ne connaissais pas, j'en ai transcrit les deux premiers mouvements de façon spontanée, sans me poser de questions, juste avec le désir de le faire et cette surprenante aventure a donné un bout d'explication à ce que je viens de vivre pendant quelques semaines. J'étais en panne de désir. J'avais besoin de retrouver mon vagabondage, ma disponibilité pour la musique, une sorte d'enfance de l'art.

Il se peut que je ne puisse pas continuer. J'entends des notes, je vois des mesures, j'évalue des tempos, j'ânonne, je lis cet alphabet musical dans un sens puis dans l'autre. J'avance avec de gros godillots en battant la mesure ! Que m'arrive-t-il ? Je ne connais pas cette musique-là. J'y suis étranger. Ce que je connaissais, moi, ressemblait à une balade en forêt, aux cimes grandes et sombres agitées par le vent. Parfois, je prenais des sentiers instables et je m'élançais dans les courants ascendants des colonnes d'air des cuivres. Je contemplais les bois qui me paraissaient ingénus ou sévères, et dans mes yeux absents s'engouffraient des fragments de crépuscules, des éclaboussures d'aubes naissantes, le souffle soyeux d'une tendresse enlacée à la charnière de l'écho. Je fêtais à chaque écoute mes retrouvailles avec l'amour pur d'une musique étincelante. Dans mes pensées, je dirigeais déjà, mais mon orchestre était une nef embarquée sur un nuage. Quand je levais les bras, la page où se déroulait l'œuvre n'existait plus. Des voiles se déployaient, la nasse de nos petites lâchetés disparaissait, tout comme l'enfant martyr ou la guerre sanglante. Ils étaient bien là pourtant, broyés dans le giron de la révolte sonore qui transfigurait les actes, la pesanteur de la vie en une ronde céleste. Alors le temps disparaissait, et nous devenions à la fois conscients de notre petite vie, et amnésiques de notre impuissance à l'accomplir dans la douceur d'un monde apaisé. Mais toute cette magie a disparu. Je ne fais plus de la musique, je fais de la gestion de patrimoine. Quand je ne suis pas embarqué dans des discussions sans fin sur les qualités orchestrales, les imprésarios, les allées et venues des mentors et de leurs cours, je retrouve des partitions couvertes d'annotations, qui m'éloignent chaque jour un peu plus de la musique. Moi qui croyais entrer dans la jouissance d'un temple musical, trouver le Graal de l'apprentissage, moi qui avais auréolé de gloire ce lieu du Conservatoire, je ne sais plus que penser. La moitié de ceux qui pérorent entraînent leurs doigts comme une armée de fantassins, pour une performance technique qui les placera au sommet d'une virtuosité de solistes sans oreilles, sans cœur et sans tripes. Le chant douloureux qui me déchire le ventre quand je les entends jouer se superpose à mon incompréhension. Travailler à l'usine, vendre des machines-outils est tout à fait semblable au niveau sonore de leurs réalisations musicales. Je me sens plus proche d'un vigneron ou d'un maréchal-ferrant que de ces fabricants de musique sans âme. Mon mépris et ma détestation me font peur. Je ne veux pas devenir prétentieux. Seuls les moments que je continue à passer avec Mademoiselle m'apaisent. Mon professeur de direction d'orchestre nous contraint à des exercices que je trouve stupides. Je renâcle et me révolte. Je cherche un maître qui me remplirait de joie muette et d'admiration sereine.

Je suis en train de découvrir que jamais je ne pourrais comprendre et faire éprouver ce que j'entends. La perfection du son, sa richesse, son extrême complexité qui ne se limitent pas aux performances de l'oreille, mais s'imbriquent subrepticement aux autres sens et donnent à toute pièce musicale une particularité qui la rend unique pour chacun. Rien n'est reproductible. Rien n'est figé. La justesse, l'harmonie, le mélange savant des sens et des lignes mélodiques qui le composent sont un univers de particules qui interagissent comme des atomes. L'étude en est infinie ! Les vibrations, le souffle, la particularité de chaque instrument, les fractions tonales des uns ou des autres, tout ça n'est qu'une accumulation de détails dans une marmite magique, où il faut ajouter la certitude que possèdent cent quarante musiciens d'être ensemble, et de porter une œuvre aux nues, grâce à leur chef, et bien au-delà de ce qu'a désiré ou écrit son compositeur. Si la réalisation sonore s'inscrit dans une époque, la grâce et le charme de l'instant feront le reste.

« Au lieu de diriger, il faut éliminer continuellement la mesure, qui doit se tenir en retrait derrière le contenu mélodique et rythmique (comme la structure des tapisseries des Gobelins sous les lignes du dessin) ; les chefs d'orchestre ordinaires à l'esprit carré considèrent chaque barre de mesure comme une barrière et scandent chaque mesure sans différentiation, comme un mauvais acteur le ferait avec les pieds de ses vers » (Gustav Mahler).

Il est presque plus important de choisir méticuleusement les morceaux interprétés que de véritablement vouloir y imprimer sa personnalité. Il faut lâcher ce que nous croyons savoir, pour accepter et recevoir ce qui nous est donné quand nous ouvrons notre cœur et ses différents sens. Bien plus que nos oreilles, c'est notre perception qui importe ; notre faculté à passer de l'autre côté, à tomber dans un certain coma qui accorde la subtile occasion de voler hors de soi, à cheval sur une vibration qui s'éternise et nous mène à une autre sans jamais disparaître complètement. Avec ce principe qui devient central dans ma recherche sur la musique, j'ai entrepris de me détacher du Conservatoire et de ses dogmes, et de réécouter toutes les œuvres différemment. J'ai inclus dans ce désir des compositeurs que j'aime moins, dont je ne peux que percevoir le grand génie sans être touché émotionnellement. On ne peut faire abstraction de ces albatros qui composent des merveilles et sont à l'atterrissage de piètres humains. Même le cri d'un âne ou d'un paon peut devenir attractif pour ce qu'il révèle du son, d'un certain manque de souffle ou de mélodie.

On ne peut rien découvrir sans enfreindre les règles. Tout l'art consiste en cette idée de marier ce qui ne devrait pas l'être. À partir de combien d'instruments enlevés le son prévu dans une partition disparaît-il ? Avec combien d'instruments en plus devient-il autre ? J'ai bien peur que la magie d'une interprétation ne dépasse le seul miracle du travail d'un chef d'orchestre avec ses musiciens. Quelque chose reste indépendant du public, n'est pas quantifiable ou prévisible. La présence particulière et combinée de cette assemblée d'êtres venus les écouter à ce moment-là, change l'interprétation. On ne peut découvrir ça qu'en étant là chaque soir, concentré sur ce que l'orchestre a joué et connecté aux soirs précédents. Et ce qui pouvait s'ériger en règle disparaît soudain dans une évidence : le talent particulier d'un compositeur visionnaire n'est pas seulement d'empiler des notes et de faire que cet édifice puisse tenir un certain ensemble. Il faut aussi qu'il traverse des milliers de soirées, d'heures, de jours, et durant des années, et que d'un bout à l'autre de cette œuvre la légitimité du son et lumière dont il nous inonde fasse battre le pouls d'une conscience universelle.

« Il ne faut rien vouloir, répétait l'autre jour un professeur à un élève qui essayait de dompter la marche de ses doigts. Jouez-le, ne le pensez pas ! » « Avez-vous déjà essayé de faire de la bicyclette en regardant les pédales ? C'est ce que vous faites là ! Et autre chose encore, arrêtez de croire que lorsque vous jouez, vous n'écoutez plus. Continuez à écouter juste, et vous jouerez mieux. »

Plus j'avance et plus je suis fasciné. Chaque symphonie a son caractère, son individualité. On pourrait croire que la forme symphonique s'impose par les différents mouvements, mais pas du tout. Les œuvres sont comme les plantes, un rosier ne ressemble pas aux rosiers d'à côté. Chaque symphonie se réinvente quand elle se joue, redonne son langage sublimé par ce qu'en fait un orchestre avec un chef particulier. Je me penche en ce moment sur Haydn qui a initié ce que tous les musiciens ont ensuite développé.

« Est-ce que vous comptez ? m'avait demandé un professeur quand je suis arrivé au Conservatoire ? – Non, je ne compte jamais. Je sens, sans avoir besoin de compter. La cadence rythmique se sent... Enfin, je crois... Je sens la cadence qui sous-tend le rythme et le tempo qu'elle détermine. – La cadence est un mouvement d'équilibre vital, d'équilibre corporel... C'est bien si vous sentez cela si finement. – Pas tant que ça, lui ai-je répondu presque insolemment. Vous savez, dans ma tête, je parle très bien. Et quand je rêve, je cours. Alors, bien sûr, je serai sûrement plus à l'aise dans les andantes que dans les allegros quand je vais diriger, mais qui sait comment les œuvres épousent nos manques ? »
Ce qui se réfléchit dans le rythme musical est une sorte de temps interne qui se moque de l'espace temporel de nos vies. C'est ce qui en fait le charme, je crois.

Bien sûr que ça ne suffit pas de se réfugier derrière la norme. La main droite pour la mesure et la gauche pour l'expression et le phrasé. Que faire de ces chefs qui ont l'air d'être dans un seul geste avec leurs deux bras, et ceux qui ont presque laissé derrière eux la mesure pour ne plus assumer que l'expression qui emporte dans la beauté du geste, la sûreté du ralliement à la mesure ? Bien sûr que je sculpte les sons avec ma main, mais la baguette me rappelle qu'elle s'impose à moi et que je dois la manier avec justesse. Il est désespérant de s'appliquer avec raideur et de n'obtenir qu'une bouillie mal dégrossie et de voir le Grand Maestro esquisser, comme pour chasser une mouche, un vague geste dans lequel l'orchestre s'engouffre et dont les musiciens ne peuvent que dire ensuite, je ne sais pas ce que j'ai fait, ce sont mes doigts qui ont pris son signal. Certains de mes camarades croient qu'ils exagèrent, mais je comprends très bien ce qu'ils ressentent, car je le sens moi aussi, sans avoir un instrument entre les mains.

Mes journées se passent à différencier la vitesse et les pulsations. Quel chef me donnera le secret de cette liberté du bras qui a la bonne mesure ? Le rebond de l'âge, si j'ose dire, car je vois bien que les plus libres, les moins coincés, sont des chefs qui ont de l'expérience. Ils ne semblent jamais contraindre leurs gestes qui ont la fluidité gracieuse de l'esquisse. La complexité rythmique n'a jamais l'air technique avec eux. Au contraire, plus ils s'embarquent, plus ils ont l'air d'être portés par l'air, libérés de la matérialité douloureuse de la régularité. Ils sont mystérieusement reliés à l'énergie, au souffle spatial. Les formes qu'ils dessinent n'ont pas l'air d'obéir à une conscience musicale supérieure, mais elles impriment pourtant à l'orchestre une sorte de chemin hypnotique qui envoûte les spectateurs vivant cette expérience.

Quelle persuasion doit-on avoir, et quelle difficulté pour demander à des musiciens de traduire un son qu'on ne formule pas soi-même ! Si ça ne devient pas un talent, c'est forcément une prétention... Il faut se découvrir soi-même car chaque règle émise par nos professeurs n'en est pas une. Il n'y a pas de manuel unique de la gestique.

Je n'ai aucune expérience en la matière, mais instinctivement, je crois qu'un geste qui n'est pas beau ne dit rien de bon sur la musique que l'on voudrait faire jouer. Est-ce bien moi, le handicapé vivant dans tous mes gestes à des kilomètres de la fluidité, traînant une main gauche raide et incertaine, celle qui devrait guider les émotions, moi qui suis en train de déblatérer sur la beauté du geste ? Et pourtant, je l'expérimente cette majestueuse épaisseur de l'air qui dérobe le bras d'un type censé être obéi au doigt et à l'œil. Quelle imposture ! Avalé par l'espace de mon incompétence, je laisse retomber, rebondir, jaillir, impulser... J'en tremble parfois. Et encore, je n'ai pas la pression des musiciens d'un orchestre philharmonique. Je préfère ne pas y penser maintenant. Parfois, faisant face à une petite quinzaine de musiciens, je vois se dresser les fantômes de la centaine qui les rejoindra et le frisson qui me parcourt est une grande peur mêlée de joie.

Certains soirs j'aimerais croire que l'esprit est ce lieu où se rencontrent d'improbables courants de pensée qui se jouent des époques.

« Cette fois, c'est aussi la forêt, avec ses merveilles et ses terreurs, qui m'inspire et tisse mon univers sonore. Je m'en aperçois de plus en plus : on ne compose pas, on est composé » (Gustav Mahler).

J'ai fait une magnifique rencontre ce week-end grâce à mon amie suisse. Je ne savais pas qui était cet homme très vieux placé à côté de moi à table, et nous avons commencé à parler de musique. M'ayant fait décliner mes origines espagnoles, il s'est lancé sur un intéressant parallèle entre Manuel de Falla et certains compositeurs russes. Il m'a expliqué comment l'Espagne et la Russie avaient des chemins parallèles d'aspiration à une musique de culture pour remplacer leur musique populaire. Manuel de Falla est selon lui très proche de Rimski-Korsakov. Comme c'est étrange de découvrir que mon amour pour Stravinski ou Rachmaninov découle directement d'une pente naturelle de mon pays d'origine vers la Russie. À la fin de la conversation, quand je lui ai demandé son nom avec curiosité, car sa culture musicale me paraissait immense et très profonde, il m'a révélé qu'il était chef d'orchestre. Je me trouvais à côté d'Ernest Ansermet ! Que j'avais entendu de nombreuses fois à la radio, dans mon enfance et mon adolescence ! Ébloui par une telle rencontre, je me suis presque étranglé de joie quand il a ajouté : « Nous devons nous revoir, jeune homme ! »

Je me rapproche doucement mais très sûrement de l'estrade. Il semble que les aspirations intérieures, quand elles sont justes, prédisposent la vie à nous offrir des rencontres. Comme si tout se mettait en place pour que je puisse y accéder. J'allais me libérer du Conservatoire et de son carcan, je souffrais et voilà qu'arrive un professeur qui, comme Mlle Boulanger, envisage chaque accord comme une perspective et non comme une action musicale. Une entrée en *ré* majeur, un passage qui a l'air d'être en mineur, mais raconte tout autre chose... Il souligne une tension, une tendresse, un abandon, ce que la musique est véritablement, pas la surface des choses, mais leur substance.

L'idée m'est venue d'en savoir plus sur la vie des compositeurs et sur leurs souffrances. En faisant des recherches, je viens de découvrir qu'il est probable qu'à l'époque où Bach aurait dû aller à l'école, certains parents allemands n'hésitaient pas à garder leurs enfants à la maison, par peur de leurs fréquentations ou de ce qu'ils pourraient subir auprès d'une bande de brutes se révélant dangereuses, même dans le cadre scolaire. Pendant ce temps, Bach absent de l'école latine d'Eisenach, apprenait avec son père musicien, recopiait des partitions et élaborait à l'intérieur de son propre mystère ce qu'il allait devenir.

Ils aiment leurs instruments, c'est indéniable, sans doute au-delà des œuvres qu'ils jouent, mais ils n'écoutent pas de musique. Ils ne vont pas au concert. J'ai découvert ça récemment. Chaque fois que je discute avec des musiciens d'orchestres philharmoniques, je suis étonné. Je ne comprends pas. Si je deviens leur chef un jour, ils seront mon instrument, mon multiple instrument, à cordes, à vent, à souffle, à battre... Il me faudra les aimer tous en un seul et tous avec ferveur... Je le sais. Comment aimer des êtres qui jouent sans écouter la musique ? Je dis cela et ce matin même, je suis tombé sur un musicien merveilleux qui m'a parlé d'un compositeur que je vais m'empresser de découvrir un peu plus. Ottorino Respighi. J'ai déjà écouté *Pini di Roma*. Quelle promenade bucolique ! Je me suis cru accompagné d'une charmante Italienne. Il m'a proposé d'aller avec lui écouter un quatuor à cordes. Comme il est clarinettiste, j'ai entendu son voisin ricaner. Haute trahison... Aller écouter des cordes ! Nous sommes donc sortis ensemble ce soir et son parcours ne

m'a pas étonné. Il a été musicien de jazz avant...
Mais il évite de le raconter car dans le dernier
orchestre où il a joué, on lui reprochait de ne pas
avoir fait le Conservatoire. Ça me rappelle ce que
me racontait Lalo qui cachait aux classiques qu'il
jouait avec des jazzmen et inversement... Quel
manque d'éclectisme ! Je suis sûr que si un jour
je voyage, la première chose que je ferai sera de
découvrir les instruments du lieu et de la culture
dans laquelle je me trouve.

Mon sommeil est un oubli au fond duquel je
me répare. Je n'ai pas la chance de me régénérer
en cinq heures. J'ai besoin de plonger en eau
profonde et d'y parcourir mes huit heures pour
remonter, hébété, avant de me souvenir que j'ai
un corps non conforme à ce qu'il aurait dû être.
Je crois que dans ces voyages nocturnes, il me
lâche et je n'ai plus besoin de ses pauvres com-
pétences pour me prouver à moi-même et pour
justifier ma présence aux autres.

Je vais de surprise en surprise. J'ai assisté
aujourd'hui à la répétition de l'Orchestre de
l'Opéra de Paris et le chef a eu ces mots
incroyables envers son orchestre. « Il est hors de
question que j'en surprenne un de vous en train
de lire des magazines pendant un concert. Vous
m'entendez, les cuivres ? Vous croyez que je ne
vous vois pas quand vous tournez les pages fré-
nétiquement alors que vous n'avez rien à jouer. Et
vous croyez que le public est aveugle ? Le premier
qui lit *L'Équipe*, même en répétition, je le fais
transférer dans une équipe de foot ! »
Il m'a ensuite expliqué que, selon certaines
conventions collectives, il est possible de se faire

remplacer pour les répétitions, si bien qu'il y en a qui arrivent au concert sans avoir répété ou presque.

Je ne savais même pas que c'était possible d'être aussi désinvolte quand on a en charge une mission aussi importante que celle d'être un passeur de musique. Je me suis juré que lorsque je dirigerais, jamais je ne supporterais une telle convention !

Est-ce que les moments où l'on est fier de soi correspondent à une quelconque réussite qui a du sens pour chacun ou sont-ils seulement ces instants où l'on sait qu'on est allé au-delà de son seuil de compétence ? Ce qui n'est perceptible que par soi-même... Car se dépasser n'implique pas que les autres savent ce qu'on est en train d'accomplir. Nos peurs sont solitaires. Elles ont cette flamboyance cruelle de ne torturer que nous et parfois de n'être un problème particulier pour quiconque, ce qui ajoute encore à notre désarroi. Et même, on peut se croire unique dans une peur collective. L'inconnu de soi est si universel.

Paris est à feu et à sang. Depuis une semaine que les événements étudiants ont commencé, mon quartier est devenu impossible. Il devient périlleux pour moi de sortir. Pris dans une bousculade, j'ai toutes mes chances d'être écrasé. Je fais la grève des pavés, alors que dans mon cœur, souffle ce vent de liberté réclamée. Il y a maintenant des barricades partout, des blessés, des voitures qui brûlent et les sons ne font que m'angoisser et raviver des peurs oubliées. Je me réfugie dans la musique, mais c'est difficile de s'extraire. Des amis du Conservatoire m'ont proposé de partir et j'ai dit non. Maintenant je le regrette. C'est un peu idiot car sortir pour me ravitailler est devenu compliqué. Si ça continue, je vais essayer de les rejoindre à la campagne. Je rêve de chants d'oiseaux. J'écoute la radio, les témoignages sont précieux, même si je suis aux premières loges. Ma fenêtre donne sur la guerre des étudiants et des CRS. Le Conservatoire a fermé, les étudiants occupent le théâtre de l'Odéon et toutes les rues adjacentes. J'ai beau me réjouir de voir que ces vieux barbons de la politique sont secoués, je suis moi-même trop vieux et surtout trop boiteux pour suivre le mouvement.

La nuit dernière, j'ai recueilli des étudiants blessés chez moi. Et ce matin, c'est la désolation dans le quartier. Je ne sais pas si on a une chance que la situation se calme. Je suis perturbé, mais je n'arrive pas à décider de fuir mon quartier. Je veux assister à ce qui se déroule sous mes yeux.

J'écoute Prokofiev et Chostakovitch. À la fin de la nuit, quand tout se calme, Debussy accompagne mes petits matins. Le monde est redevenu celui dans lequel je vivais enfant. La guerre est là, minuscule et tenace, ou alors est-ce moi qui ai grandi ?

Les tentatives intempestives se désintègrent pour faire place à la rumeur du mouvement des cordes. Où va le son dans notre perception, quand il ne laisse plus que souvenir, une vague réminiscence du trouble qu'il a provoqué ? Quel est le rôle de ce vacillement fugitif qui nous a plongé un instant dans l'attente d'un soulagement ? Le grondement étouffé des timbales s'oppose au chant cristallin d'une flûte. La frustration de la fuite d'une mélodie trouve son assouvissement plus tard. Le sommeil d'un instrument devient toujours explicable. Les histoires de sons n'ont pas la logique d'une romance lunaire. Une plainte peut devenir jubilatoire, une cadence ressuscite, un silence exulte, un contretemps ergote ; l'émotion bavarde d'un crescendo peut nous emporter plus loin que la pensée la plus élaborée. Les volutes enchantées d'une mélodie nous comblent, rejoignent notre inspiration égarée, dérobent l'existence passée pour laisser place au rêve de notre vécu.

Être enfermé dans un corps qui n'est pas à la hauteur n'est rien, être condamné à la souffrance qu'il génère conditionne tout. Est-ce que la réussite et le succès, l'impossible réussite et l'incroyable succès libèrent l'âme de son inconsolable peine ? Je n'en suis pas sûr, mais je désire ardemment le vérifier.

« L'espoir luit comme un brin de paille dans l'étable » (Verlaine).

« J'ai passé des heures à regarder les chefs que j'aimais. En répétition, en concert, en film... Je voulais boire leurs gestes, les gober avec mes yeux, les sentir couler dans mes veines. Carlos Kleiber, si élégant, si raffiné, la rondeur de ses bras sculptant l'espace, sa douleur et son charme si sensuel. Celibidache, que j'aimais particulièrement quand il dirigeait Bruckner avec sa puissance intime, sa force, son génie épuré, son emportement mystique. Leonard Bernstein, dont j'enviais la folle séduction, le rythme corporel, l'énergie tenace. Claudio Abbado dont je percevais la profondeur, le panache discret, la douleur apaisée, une tendre complicité...

Et Dieu que j'ai aimé vivre en dirigeant la musique chaque fois qu'elle se produisait devant moi. Je sentais soudain mes bras se redéployer, comme si le reste du temps, ils n'avaient été que le prolongement mécanique d'un corps atrophié. Ils me servaient de pinces pour saisir des choses matérielles, mais le seul moment où ils étaient véritablement vivants, c'était dans cet espace plein de vide, et de notes que je retenais puis lâchais. Je jetais au monde des intervalles, des montées, des descentes, des ondes vibratoires, qui n'étaient que des instants superposés à d'autres, et cet ensemble colorait le moment que nous vivions. Je n'aimais pas le mot "gestique", qui me semblait rabougri dans son intonation. Je lui préférais gestuelle, chorégraphie, envolée, ample vérité du geste, écriture dans l'espace… Et si je reprenais une œuvre, ce n'était jamais au même endroit. Elle avait continué son chemin en moi, et je la redécouvrais ailleurs, plus proche et moins familière à la fois que ne pouvait l'être une autre encore inconnue. Je découvrais charnellement ce qui pouvait paraître obscur dans le discours des grands chefs. "Maître, ce passage, comment va-t-il ? Quel est le tempo ? À quelle vitesse dois-je aller ? avait demandé le jeune chef Sergiu Celibidache à Wilhelm Furtwängler. – Tout dépend de la manière dont ça sonne", avait répondu le maestro. Tout comme dans l'amour, le temps n'existait pas en musique et rien ne parlait, dans aucune partition ni dans aucun cours de musique, de ce qu'il nous fallait découvrir dans notre intime sensation. Ainsi notre vécu le plus profond n'était pas physique, mais dépendait de la manière dont nous percevions le monde, corps et âmes emmêlés. »

Luis Nilta-Bergo / Interview filmée
le 28 avril

« Vous voyez, je ne sais pas pourquoi les hommes veulent toujours mentir aux femmes. Tout d'abord, ils veulent leur raconter des tas de choses formidables sur eux-mêmes. Ce qu'ils sont, de quoi ils sont capables… Toute cette panoplie incroyable qu'ils déploient comme un paon qui fait la roue. Et ensuite, quand elles leur reprochent de ne pas être ce type formidable qu'ils avaient décrit, ils sont sincèrement étonnés. Ils deviennent authentiques et, avec une bonne foi désarmante, mais en fait, ils disent cette fois la vérité, à savoir cette seule vérité qu'ils n'ont jamais dite auparavant : ils ne comprennent pas ce qu'elles veulent ! Aucun homme ne peut être ce surhomme qu'elles ont imaginé. Mais ils oublient qu'ils ont vendu des qualités imaginaires, et que finalement la seule erreur des femmes, c'est d'avoir cru ce qu'ils disaient et non pas ce qu'ils étaient. Vous voyez, ils ne se rendent pas compte que la plus grosse méprise des femmes, c'est d'avoir été endormies par ce qu'ils racontaient à l'époque où elles les aimaient encore. Ils n'ont jamais été ces hommes dont elles rêvaient. C'est si valorisant d'être la réalisation d'un rêve ! Alors peut-être qu'avec moi qui ne peux pas raconter d'histoires, ça se passait différemment. Au début, je parlais si lentement et si mal qu'il est évident que si j'avais essayé de mentir sur mon état, elles m'auraient ri au nez. Donc je disais la vérité et du même coup, je passais pour un type courageux qui assumait son handicap. Je me méfiais un peu des femmes qui développaient rapidement à mon égard des qualités d'infirmière. J'avais toutes les peines du monde à revendiquer un statut qui ne soit pas celui d'un malade. Je ne pouvais certes pas être le cow-boy viril de la bande et je le savais, mais je ne voulais pas non plus qu'on me relègue au rang de grabataire. On peut dire aussi que j'ai assumé avec une certaine placidité la tendance des femmes à venir pleurer sur mon épaule. En tant qu'être souffrant, je devais sans doute donner l'impression que je pouvais les comprendre, ce qui était on ne peut plus faux. Je ne comprenais rien à leurs larmes, ni à leurs regrets de ne pas être aimées par une bande de crétins qui se foutaient pas mal de ce qu'elles étaient véritablement et de ce qu'elles attendaient de la vie en général et d'eux en particulier. Moi, ça faisait bien longtemps que j'avais compris qu'être une femme était une sorte de handicap d'un autre genre. En tout cas, pour vivre avec des hommes ! Car les femmes comme les handicapés jouissent naturellement d'un sens aigu de l'être humain qui n'est pas donné à la plupart des hommes normaux que j'ai croisés toute ma vie. En ce qui me concerne, les femmes ont été des alliées formidables, et plus rarement, sans le savoir, des monstres de cruauté qui, certainement bien plus que les humiliations directes que m'ont infligées certains hommes, ont contribué à mon effondrement... Pourquoi est-ce que je vous parlais de tout ça ?

— Parce que je vous ai demandé de me parler de votre rapport aux femmes.

— Ah oui ? Il va falloir que vous me posiez des questions plus précises, parce que je risque de me perdre. Et puis ce sujet-là est trop vaste pour être traité sans musique. Avez-vous déjà imaginé toutes ces formes féminines que je caresse en dirigeant ? Je ne caresse pas le vide, oh non, je n'ai jamais désiré me priver de la sensualité d'une gestique fluide, même si mon membre gauche a essayé de m'entraîner abruptement vers le chaos. Interpréter veut dire s'abandonner, et s'abandonner à la peur de l'abandon aussi. Une œuvre contient l'harmonie de toutes nos contradictions et pour cette raison, elle est blottie dans chaque particule qui nous compose. Nous ne devons pas oublier que nous recevons en héritage les rêves d'un compositeur, et rien n'est plus grave que la responsabilité de rêves qui ne sont pas les nôtres. Dans une partition, les indications peuvent être claires, mais en contradiction avec la musique qui naît. L'espace entre ce qui est écrit et ce qu'on joue est infini. Il dépend de notre capacité à saisir du silence entre les notes, à faire éprouver ce qui ne peut être joué, à propulser dans le cosmos des étoiles dont on ignore l'existence. »

Léa avait bien compris qu'elle ne pourrait pas le cerner en approchant de lui comme le font les lionnes quand elles chassent. Elle ne l'encerclerait jamais. Il l'entraînerait sur son propre territoire, il l'épuiserait, lui ôterait tout appétit et toute envie de continuer à essayer de le comprendre en le traquant à long terme. Il était comme un diamant brut. Si elle voulait savoir quelque chose, il fallait le lui demander directement. Il faudrait donc qu'elle aille dans sa sphère à lui. Mais ce n'était pas si simple. Elle hésitait toujours en se disant que certaines choses ne pouvaient pas se formuler sans prendre certaines précautions, comme si poser des questions directes remettait en question sa normalité. Il lui avait clairement posé le problème lors d'un de leurs premiers entretiens. « Un chef d'orchestre est-il un musicien normal ? Un être humain normal ? Un chef d'orchestre est un sculpteur de sons qui manie une matière inexistante et si émotionnelle qu'elle échappe à toute tentative de rationalisation. Il est surréaliste de vouloir enfermer ce langage spirituel dans des explications, de la physique ou un quelconque mouvement qui pourrait le quantifier. D'autres chefs s'y sont éreinté l'esprit. Le summum de la liberté n'est pas quantifiable. Il faut oser choisir avec ce que l'on sent quand on dirige, car la relation entre le geste et le son n'est pas de nature interprétable, on ne peut que la pressentir, la vivre… »

Léa passait des heures à réécouter ses interviews, pressentant douloureusement qu'elle ne pourrait pas choisir, et c'était la première fois qu'elle expérimentait ça. Elle allait se heurter à l'impossibilité de monter ces conversations et c'était terrifiant. Parce que le montage était la clé de tout portrait. Le montage, ce découpage savant, permettait de concentrer les propos d'une personne pour en faire un personnage, tout en lui laissant sa réalité… Mais la parole de Luis était comme une symphonie ; elle déroulait plusieurs mouvements, un début, une fin, proposait des enjeux, des progressions… Et on ne coupe pas une œuvre ! Il fallait se rendre à l'évidence, ce qu'il disait n'était tout simplement pas « coupable » ! Pourtant Léa n'en était pas à son premier portrait. Avec l'expérience, elle arrivait même à entendre au moment des réponses, là où la voix baissait, ce qui était plus ou moins fort dans ce qui était dit, la forme qu'aurait le discours final, une fois qu'elle serait passée par là avec son scalpel de documentariste. Avec Luis, il n'était pas question de ça. Son phrasé si particulier, sa lenteur et son souffle donnaient à ses phrases une forme inédite, pleine de suspense. Il transformait toute question en une autre question, en faisait un voyage envoûtant qui menait à soi-même. Les imperfections de son débit et de son élocution donnaient à la pertinence de son discours, qu'on aurait pu croire inaudible, des allures de mélopée indispensable. Faire un long portrait, c'était comme être le geôlier d'un personnage, mais c'était dans l'autre sens que s'exerçait le syndrome de Stockholm. Ici le geôlier devenait fasciné par son prisonnier. Depuis le début, Léa le sentait. Elle lui trouvait des excuses et parfois ne traquait plus ce qu'elle était venue chercher. Elle s'était laissé embarquer, séduire, emporter. La malice de Luis, son humour, sa force de persuasion étaient infinis. Il n'était jamais le même. De jour en jour, il la connaissait mieux et se servait de ses hésitations. Il refaisait l'histoire et elle voulait le croire, lui, alors elle remettait en question les confidences faites par d'autres. Elle aurait voulu le quitter, abandonner carrément ce documentaire ou lui avouer les raisons profondes de sa quête, mais elle n'en trouvait pas le courage ; elle continuait à creuser dans l'existence de cet homme qui semblait avoir mille vies à l'intérieur de lui. Il était comme ces matriochkas qui n'en finissent jamais de révéler une nouvelle poupée, mais lui, il arrivait encore à dévoiler des perceptions entre les poupées, des secrets infiltrés dans le bois ou dans la laque qui les ornait.

« Dès le début, j'ai senti au bout de mes doigts des fourmillements quand je voyais des notes alignées sur une partition. Les notes me faisaient signe. J'entendais leur niveau, leur clarté, et ce n'était pas difficile pour moi de donner un *la* ou un *sol* très éloignés sur différentes octaves. Je lisais. Je ne déchiffrais pas. Pour moi qui avais appris la lecture un peu comme une langue étrangère, c'était une découverte. Jamais je n'aurais soupçonné qu'un quelconque signe noir sur blanc pût être aussi lisible. Ce fut si immédiat que les premiers temps, alors que j'apprenais le solfège avec Mademoiselle, à laquelle j'avais fini par avouer que je ne connaissais rien à la lecture musicale, elle pensait que je m'étais moqué d'elle. Tout était simple : ce langage était le mien. Je n'avais jamais parlé avec des mots, mais je parlais la musique couramment comme une nouvelle langue. Les phonèmes étaient mon angoisse, mais je chantais des notes et devenais dès lors un type normal, quelqu'un qui pouvait lire à haute voix sans trébucher. Pour mon anniversaire, Mademoiselle m'avait offert un disque de Pablo Casals jouant les suites pour violoncelle de Bach. Quand j'eus mon précieux tourne-disque, et que je pus les écouter, elles devinrent les morceaux de chaque matin. Mon réveil se faisait en douceur avec ces pièces jouées par l'instrument de l'âme. Plus que tout autre, j'aimais le violoncelle. Mais très vite, quand j'ai commencé à entrer dans le cœur des hautbois, des clarinettes, des flûtes ; quand j'ai commencé à laisser mes rêves courir dans les fantaisies des cuivres, à entendre la vie battre dans chaque percussion tout en me grisant des envolées lyriques des archets et des altos, tempérées par les graves des contrebasses, tous me sont devenus essentiels. J'ai vécu un temps puis j'ai oublié totalement le garçon que j'étais avant de renaître à la musique. Il me semblait même que je ne boitais plus. Je dansais en allant chez Mademoiselle. Je lui avais expliqué que depuis peu je travaillais et que je pouvais maintenant la payer, mais elle exigeait juste de moi que je corrige les partitions de ses élèves qu'elle validait d'un coup d'œil rapide, arguant que ce paiement-là me faisait progresser et lui évitait de perdre un temps précieux qu'elle pouvait consacrer à autre chose.

Les dimanches de pluie, que la plupart de mes amis musiciens détestaient, me ravissaient. J'ouvrais grandes les fenêtres de ma chambre et je lisais des partitions. Certaines étaient comme des polars avec leurs problèmes posés, de drôles de petites énigmes qui se résolvaient sur les derniers mouvements. J'aimais particulièrement l'écriture de Ravel, la passionnelle narration de Rachmaninov ou la fantaisie onirique de Stravinski. Je découvrais Bruckner et je devinais dans les symphonies de Chostakovitch la tourmente d'un pays, le désespoir grondant d'un peuple asservi. Mademoiselle citait souvent des écrivains et me prêtait des livres. Sans elle, je ne crois pas que j'aurais persévéré car je subissais de plein fouet la fatigue de mes longues journées de labeur au magasin. Le père Vidal finissait par oublier que j'étais handicapé et moi qui avais tout fait pour lui vendre une capacité de travail égale à celle d'un autre, je ne pouvais guère me plaindre d'avoir réussi. Certains jours me soufflaient des idées dissonantes et j'imaginais que je ne serais jamais chef d'orchestre. Contrairement à un autre, je n'aurais pas la possibilité de me réfugier dans la pratique d'un instrument. Alors, pour combattre la peur qui s'insinuait en moi, j'assistais de plus en plus à des cours de direction d'orchestre. Je pourrais dire en petite souris, mais j'y étais bien visible et parfois peu discret. C'est grâce à un de ces cours qu'on me demanda un jour de remplacer un percussionniste lors d'un concert. Ce fut une expérience si forte que j'eus l'impression que mon cœur me balançait des coups plus violents que ceux que j'assénais à la grosse caisse. Comme mon cœur n'était pas du tout en rythme, je pouvais faire la différence et je réussis même à le faire taire en l'oubliant. Puis j'entendis les violons entrer comme prévu un peu plus tard... À la mesure quarante-six, un cor fit un bécarre en lieu et place d'un dièse et la flûtiste fut ensuite un peu trop souvent en avance, mais se recala quand elle fut rejointe par une autre. Quant à moi, je fis entendre un coup si retentissant que je sentis mon bras gauche trembler, alors que c'était le droit qui venait de travailler. Le regard du chef d'orchestre, à la fin du premier mouvement, me rassura. Ce qui m'avait paru trop puissant convenait très bien. Après la répétition, quand je lui fis part de mes perceptions, il me regarda bizarrement et voulut me dire quelque chose, mais il se retint et malgré mon air interrogateur, il garda le silence. Il n'ajouta finalement rien au compliment délivré avant que je lui décrive ce que j'avais perçu durant le morceau. »

Si je faisais une année fulgurante, n'étant inscrit nulle part, mais me glissant partout, je ne pouvais faire valider mes résultats car je n'avais pas d'existence réelle au Conservatoire. Certains soirs, je vomissais de peur en songeant à l'inutilité de ma situation. Je finissais parfois par cogner le mur de ma chambre avec rage en pensant que je faisais semblant de faire des études de musique, comme j'avais feint d'être imperméable à toutes les saloperies subies durant ma vie. Un soir, après le bruit terrible d'une chaise balancée à l'autre bout de la pièce, on tapa à ma porte et une jeune fille m'enjoignit de rejoindre la chambre voisine en s'excusant. Dans le couloir, elle m'expliqua que sa mère était exaspérée par les coups répétés venant de ma chambre. Jusqu'alors mes crises avaient été gérées par mes parents, et leur honte suffisait à combler mon besoin de revanche. Je n'avais jamais eu à subir directement l'indignation de ceux que je dérangeais.

La femme qui demandait à ce que je vienne la voir dans sa chambre était âgée d'une cinquantaine d'années, peut-être une soixantaine. Quand on est trop jeune, tout le monde a l'air beaucoup plus vieux. Ses cheveux étaient remontés en un chignon un peu strict et ils grisonnaient. Vêtue d'une robe d'un bleu intense, elle était attablée à son bureau comme si elle allait déguster un déjeuner gastronomique durant toute l'après-midi. C'est idiot mais c'est ce que j'ai pensé en la voyant. Elle avait un visage sévère que démentait la grande douceur de son regard. "Alors, jeune homme, c'est vous qui faites tant de boucan ? Un peu trop régulièrement à mon goût. Vous savez que vous m'empêchez de travailler ! Si j'en juge par votre démarche, vous ne risquez pas d'arranger votre situation en vous acharnant ainsi contre des murs en béton." Elle soutint mon regard mi-indigné, mi-surpris d'être attaqué aussi directement sur mon handicap. Curieusement, je ne décelai dans sa remarque aucune ironie. C'était comme si elle avait compris d'emblée ce qui était en train d'advenir de l'autre côté de son mur. Elle marqua une pause, attendant sans doute que je balbutie une excuse. Puis elle demanda à sa fille de sortir et cette dernière, qui devait avoir mon âge, prétexta qu'il était tard et qu'elle allait rentrer. Elle embrassa sa mère tendrement, me jeta un coup d'œil complice comme si elle m'avertissait que j'allais passer un mauvais quart d'heure, mais que ce n'était pas grave.

— Bon, reprit ma voisine dès que sa fille fut sortie, il va falloir mettre de l'ordre dans vos découragements et vos mauvaises humeurs, cher voisin ! Vous sentez-vous capable, dans les semaines qui viennent, de calmer un peu ces accès de rage qui ne vous valent rien et m'empêchent d'écrire correctement ?

— Je vais faire attention, et moins de bruit... mais pourquoi pensez-vous que j'ai des accès de colère, madame... ?

— Tout d'abord vous pouvez m'appeler Victoire, et vous êtes ?

— Je m'appelle Luis.

— Vous êtes espagnol ? De quelle ville ?

— De Burgos, mais j'ai grandi en France à cause de la guerre...

— Comme c'est intéressant ! Voilà ce que je vous propose : nous pourrions aller manger un morceau et vous me raconterez ce que vous faites et moi aussi. Comme ça, nous nous connaîtrons mieux et vous n'aurez plus envie d'emmerder les voisins !

J'hésitais car mes finances, que je calculais au plus juste, ne me permettaient aucun écart, mais là encore, elle devança mon refus en m'informant que c'était elle qui régalait.

— Avant d'aller dîner, je veux en finir avec ce que je vous ai dit précédemment et préciser mon propos. Tant que nous serons voisins, je vous interdis de vous plaindre et d'être découragé. Vous n'avez aucune raison d'en vouloir à qui que ce soit. Ce sont des jérémiades de mauviette ! Et c'est de très mauvais augure pour ce que vous voulez faire et devenir. Arrêtez donc de vous apitoyer sur vous-même, et considérez chaque matin ce que la vie vous offre de meilleur. Il y aura des matins maigres, ça, je ne dis pas, mais aucun matin vide, je peux vous le garantir.

Tout en disant ces mots, elle me fixait intensément comme pour déceler dans mes yeux la moindre protestation, fût-elle muette. Avant que je ne lui demande de quel droit elle me parlait ainsi, elle ajouta : « Et maintenant, amenez-moi ce fauteuil roulant qui est derrière vous et venez m'aider. » Pendant que je la soulevais du mieux que je pus, nous piquâmes un fou rire. Elle était très adroite, mais moi, je n'avais aucune habitude de ce genre de soutien.

Cela présageait de l'équipée sauvage que nous allions donner à voir dans la rue. Elle dans son fauteuil, et moi qui la pousserais en boitant. Je ne me trompais pas. On se retourna pas mal sur notre passage et elle salua ceux qui insistaient trop d'un sourire flamboyant.

Ma rencontre avec Victoire, mieux nommée qu'on aurait pu le croire de prime abord, fut une leçon. Elle ne fut que pendant trois mois ma voisine de chambre car elle retourna vivre en province, une fois son travail terminé. Elle était historienne et devait faire des recherches à Paris pour son prochain livre. Le jour où elle partit, je me laissai aller à une crise de larmes de découragement. D'autant qu'elle fut remplacée par un vieil acariâtre dont la gueule de renfrogné ne me disait rien qui vaille. Alors je m'accrochai aux paroles de Victoire : « Une voisine aide un voisin qui à son tour devra aider le suivant. » Et je me demandai ce que je pourrais bien faire pour dérider mon voisin. La réponse ne se fit pas attendre trop longtemps. Il tomba amoureux de mon tourne-disque, et en échange de son utilisation, quelques heures par jour, quand je n'étais pas là, il m'offrit quelques disques de musique classique achetés chez mon employeur.

Par-dessus tout, ce que m'avait révélé Victoire, et c'était la première fois que j'en prenais conscience, c'était la possibilité de quitter la sphère égoïste de ma petite personne empêchée, moquée et unique. D'autres vivaient des situations peu enviables, des souffrances dont j'ignorais tout et qui, jusqu'à ma rencontre avec cette combattante de la vie, m'indifféraient. Victoire m'apprenait avec sa bonne humeur constante, malgré les jours difficiles qu'elle traversait très régulièrement, à refuser de regarder chaque jour comme un frustré qui n'a rien reçu de la vie. Pire, elle m'obligeait à croire en mon statut de privilégié parce que, disait-elle, j'avais découvert la musique en moi et peut-être une façon de s'envoler là où d'autres n'auraient jamais que leurs yeux pour pleurer, et encore pas toujours. Elle me certifiait que les handicapés choyés sont encore plus exigeants, plus en colère, plus aigris que ceux qui n'ont rien pour accompagner leurs manques. Elle me démontrait que toute la solidarité dont je bénéficiais depuis que j'avais quitté mes parents était l'expression manifeste que ceux qui ont moins reçu à la naissance sont plus accompagnés par le destin et tiennent une place de choix dans le miroir qu'ils tendent aux *normaux* pour qu'ils comprennent leurs chances. Elle ajoutait même qu'à partir du moment où l'on peut recevoir ce cadeau, celui de regarder la vie autrement, on est en devoir de le faire circuler. Pendant les trois mois de notre amitié, Victoire m'a rendu plusieurs fois honteux de mon ingratitude. Je me comportais comme un sale gosse, j'exigeais beaucoup en pensant que si je tapais du pied, les choses allaient jaillir. Pas une fois Victoire ne m'a félicité de mon travail et de mon acharnement pour devenir musicien. Je n'avais, disait-elle, aucun mérite, je lisais la musique comme elle explorait l'intérieur des êtres, il était donc dans l'ordre des choses que je fournisse un léger effort pour tendre vers une certaine perfection. J'ai gardé longtemps cette expression que j'ai parfois utilisée avec des musiciens qui y mettaient de la mauvaise volonté. « Pourriez-vous fournir un léger effort pour mériter la perfection dont vous me semblez proches ? » leur disais-je, mais ils croyaient toujours que je me fichais d'eux. J'aurais adoré avoir une mère comme Victoire, mais le jour où je lui fis part de ce regret, elle éclata d'un rire inextinguible et m'expliqua que tout ce que je prenais bien, venant d'elle, m'aurait été insupportable venant de ma mère, et que peut-être, je n'aurais jamais fait d'études musicales. Alors j'ai arrêté de le penser.

« Si j'avais su que mon cas n'existait pas, cela m'aurait épouvanté. Je ne jouais pas ; je ne serais donc jamais un musicien au sens où on pouvait l'entendre professionnellement. Et si je me décidais enfin à passer les examens pour entrer véritablement au Conservatoire, j'allais en fait prendre le risque d'en sortir, moi qui traînais dans tous les cours depuis presque deux ans. Décidant soudainement de surmonter ma timidité, j'allai voir le directeur, Marcel Dupré, grand organiste, pour lui expliquer ma situation et mon ambition. Il m'avait fallu deux ans et beaucoup de travail personnel pour oser. Bien m'en a pris, il avait décidé de créer une classe de clavecin. C'est ainsi que j'atterris entre les mains de Marcelle de Lacour. Grâce à cette merveilleuse musicienne, je pus découvrir un peu plus ce qu'était la pratique de la musique.

Et c'est avec cet instrument et un morceau de Bach que je pus passer l'examen. La main gauche était jouable pour moi et Marcelle fit toujours en sorte de me faire étudier des morceaux qui ne demandaient pas à ma main handicapée une dextérité que je n'aurais pu fournir. Évidemment, c'était une drôle de façon d'être musicien ; mais c'était celle qui me sauva. Je ne suis pas sûr qu'il pourrait en être de même aujourd'hui. Par la suite, j'entendis souvent des discours conceptuels sur la musique et sa pratique, des blablas d'intellectuels de la partition, qui malaxaient des mots dans leur esprit et me rendaient vert de rage. J'aurais voulu leur dire que toute la sensualité de la musique, sa spontanéité, son côté charnel et savoureux, son goût se trouvent dans sa façon douce et prenante à la fois de se répandre dans les airs et d'y être suspendue, distribuée à notre écoute. Il faut donc jouer et faire entendre, et c'est cette réalité tangible et impalpable à la fois qui prime. Mais ils ne l'auraient pas compris. Moi qui ne pouvais exprimer directement cette liberté de pratique d'un instrument, j'aurais voulu jouer de tous ; apprendre la harpe tout comme le violon, le hautbois ou le violoncelle. Je ne pouvais adhérer à une version constipée de la musique. Je pensais même intuitivement que la musique seule a le pouvoir de se trouver où elle doit être au moment où on la réclame, si bien que les concerts ont une façon particulière de se dérouler suivant le public, ses attentes ou ses refus. J'ai pu vérifier cette intuition de nombreuses fois au cours de ma carrière. Et quand je me remémorais la musique que j'avais pu entendre quand je restais seul à la maison alors que tout le monde rejoignait les caves pendant les bombardements, ces coïncidences faisaient loi.

Les sirènes sont si fortes, les voisins si affolés que je suis paralysé. Je finis par poser mes mains sur mes oreilles pour ne plus entendre les pleurs des enfants. Ma mère n'arrive plus à me faire avancer. Mon père est sorti le premier de l'appartement, il a emmené mes sœurs. Nous avons rejoint la rue et tout le monde est déjà à l'abri. Ma mère tente de me porter, je crois qu'elle fait de son mieux. Je me déplace difficilement. Plus j'essaye de courir, plus je suis maladroit. Mais j'ai moins peur, alors que nous sommes seuls au milieu de la rue déserte, que bousculés dans la cohue effrénée des escaliers. Même si les avions sont maintenant au-dessus de nos têtes. Nous habitons rue de Vaugirard et, quand les bombes commencent à tomber, ma mère se met à crier et, avec une force surhumaine, elle me soulève et m'entraîne vers les caves que nous devons rejoindre, sans savoir si la poussière qui s'élève autour de nous ne cache pas les prochaines maisons qui vont nous tomber dessus. Les hurlements de ceux qui n'ont pas quitté leurs foyers assez vite retentissent. Le spectacle est apocalyptique, mais je veux le voir. Ma mère hurle sur les derniers mètres pour que je fasse un effort, pour que je marche, car elle m'a reposé à terre, épuisée. Nous sommes en septembre 1943. J'ai huit ans. »

Après cette nuit où plusieurs rues du quartier furent détruites au Sud de Paris, mon père furieux décréta que je ne mettrais plus en danger la vie de ma mère. Désormais je resterais dans l'appartement tandis que mes sœurs et mes parents iraient dans les caves. « Tu comprends, n'est-ce pas fiston, je dois protéger la famille qui est entière. Tu verras, ce sera beaucoup mieux pour toi aussi. Tu joueras tranquille et je suis sûr que tu éloigneras les bombes de notre maison. » De tout ce fatras de mots inaudibles, je ne retins qu'une chose, je ne faisais pas partie de *la famille entière* et mon cœur, à son tour, se morcela dans ce discours. J'étais d'ailleurs si toxique que même les bombes ne voudraient pas de moi ! Accessoirement, cela maintiendrait notre modeste appartement en vie ! Je ne sais pas trop ce que mon jeune âge comprit de ces horreurs dont je n'ai pourtant jamais oublié les phrases exactes, mais je me souviens que toute la nuit suivante, je vomis. Ma mère n'avait rien dit, mais j'attribuai sa lâcheté, à l'époque je la nommais silence, à la peur qu'elle avait eue pour nous deux, car dans mon insouciance d'alors, je supputais qu'elle serait plus efficace pour moi, plongée dans une prière pour mon salut, que hurlante et frêle au milieu de la rue. Que mon père, qui était un grand gaillard, pût me porter dans les caves, tandis qu'elle marcherait ou courrait avec mes deux sœurs pour s'abriter, ne fut jamais envisagé. Je passai donc les alertes suivantes dans la cuisine, planqué sous la table, serrant dans mes bras le poste de radio qui me jouait de la musique classique. Un jour, les murs tremblèrent tandis que je souriais en écoutant la valse de Ravel.

Il faut croire que mon père avait le flair pour choisir nos appartements ; quelques mois plus tard, nous déménageâmes dans le quartier du dix-huitième où s'abattit durant une nuit d'avril 1944 le pire bombardement de la ville de Paris par les alliés. Tout le quartier de la Chapelle fut détruit et nous fûmes l'un des rares immeubles à être encore debout au matin. Toute la nuit fut traversée par ces coups de tambour que je finissais par confondre avec les percussions de la *Symphonie héroïque* diffusée par la radio contre laquelle j'avais posé mon oreille, tandis que je tremblais de tous mes membres. Une fois de plus, ma famille me laissait à la merci du destin, sans jamais comprendre dans son égoïsme indigne que ce qui protège un enfant de la peur, c'est la présence rayonnante de ses proches. Bien des années après, en voyant les enfants qui faisaient signe à leurs parents de les rejoindre pour s'asseoir au milieu de l'orchestre qui jouait dans les ruines d'un pays en guerre, j'ai repensé à ce que la musique avait de maternel, lovant entre ses bras protecteurs l'âme la plus effrayée afin de lui procurer un apaisement.

30 mai 2015

— Vous ne pouvez pas diriger un orchestre, me déclara-t-elle. Cela demande une autorité, une prestance. Quelque chose d'impressionnant déjà dans la stature, quelque chose que vous ne pouvez pas avoir. Ce n'est pas seulement la battue, même si vous arrivez physiquement à lever les bras, à vous tenir debout ; il y a d'ailleurs certains chefs qui ont fini assis. Seulement le respect, l'autorité, la façon dont un chef s'impose, où trouverez-vous tout cela ? Comprenez-moi, je ne suis pas là pour vous décourager, mais je voudrais vous empêcher de cultiver une illusion qui ne vous amènera que des déceptions. Je trouve cruel que d'autres professeurs vous laissent croire que vous pouvez y arriver.

Chaque mot prenait un sens plus aigu, comme une battue désordonnée, des coups de cymbales jetés au hasard, un final qui n'en finissait jamais de s'achever. C'était Wagner sans la beauté du phrasé, l'orage sans l'apaisement de la pluie. Je l'écoutais, cette harpie du Conservatoire, et quand enfin elle se tut, elle dut sentir dans mon attitude qu'elle ne m'avait pas abattu, que mon silence n'était pas résigné. « Vous me comprenez ? » ajouta-t-elle, un peu interdite. Je pris une grande inspiration et articulai du mieux que je pus chaque mot :

— Je comprends surtout que vous ne me parlez pas de musique. Je ne choisis pas de vouloir diriger des orchestres pour la prestance. Je suis diminué par mon handicap, mais je ne serai jamais médiocre. Vous ne savez pas ce que c'est de lutter pour avoir ce que tous les autres ont sans avoir eu à se battre pour l'obtenir. La plus élémentaire fonction du corps. Marcher. Parler. Vous ne savez pas non plus que la vie, quand elle ne nous offre pas tout, s'en excuse en nous offrant mille fois plus sous une autre forme. Vous ne pouvez pas décider de ce que je serai ou ne serai pas. La musique est en moi. Je ne joue pas. Je suis. Et si moi je n'ai pas le choix, comment pouvez-vous prétendre savoir quoi que ce soit de mon avenir de chef d'orchestre ?

« Pendant assez longtemps, j'avais pu vivre mon rêve sans être atteint par la dichotomie entre ce qu'il exprimait et la réalité d'un apprentissage corseté dans une tradition, un conformisme, un carcan d'erreurs. Je rassasiais ma soif d'apprendre, picorant ce qui était musical, essentiel, louvoyant entre les cours qui m'intéressaient et fuyant les plus mortifères de certains professeurs. Aujourd'hui où le Conservatoire est encore ce lieu magique et tragique qui ne fabrique que des virtuoses ou des dégoûtés de l'apprentissage de la musique à vie, je me dis que rien ne change véritablement. Vu le nombre d'enfants qui apprennent la musique et le peu de musiciens ou de joyeux créateurs qui sortent de ce nombre, on devrait se poser la question de la transmission, de l'essence même d'un art qui est d'abord une façon d'être, de vivre et d'éprouver. Quel rapport peut-il bien y avoir entre la musique et la place qu'on assigne à un musicien d'orchestre en lui faisant sentir qu'il appartient ou non à une certaine élite ?

Même s'ils s'attellent à la même œuvre, comment peut-on mettre dans le même sac des gens qui frappent, d'autres qui soufflent dans de la ferraille, et d'autres encore qui poussent des archets ou pincent des cordes ? Sans compter qu'une partie d'entre eux se la coulent douce pendant que les autres officient, voire bayent aux corneilles en attendant que leur temps revienne. Vous les voyez, vous, se concentrer sur ce qui se joue ? Je caricature à dessein, mais les expressions sont celles que j'ai pu retrouver plus tard dans les orchestres. Déjà là, on pouvait percevoir les différences entre les instrumentistes. Et il n'était pas question pour les cuivres de raconter qu'ils jouaient le week-end dans la fanfare locale de leur commune... En me glissant auprès de tous, en voyant les trompettistes vaguement méprisés par les belles pianistes ou violonistes qu'ils draguaient, je découvrais déjà, sans le savoir, ce que j'allais avoir plus tard sous les yeux.

Comment pourrais-je oublier le premier orchestre qu'on m'a donné ? Vingt ans après ma rencontre avec Astor Piazzolla et Lalo Schifrin, dix ans après que je suis entré au Conservatoire, je suis enfin monté sur cette fameuse estrade pour lever les bras et conduire cent quarante musiciens. Difficile de décrire aujourd'hui ma consternation d'alors ! L'orchestre de Pétaouchnock ! Appelons-le ainsi pour ne pas le nommer vraiment avec la honte qu'il représentait à l'époque. Ce nom à consonance russe qui aurait situé son hystérie et la façon dont il était à perpète de la musique lui serait allé comme un gant quand nous nous sommes rencontrés. Ma première nuit, après l'annonce de ma nomination à sa tête, s'est partagée entre la joie d'avoir enfin un orchestre et l'effroi que ce fût celui-là. Moqué, devenu célèbre pour sa mauvaise foi, son attachement viscéral à un syndicalisme effréné, enfer des chefs, et surtout mauvais ! La risée des critiques... Vous me direz, à quoi devait-il son existence dans ces conditions ? Au soutien financier incontournable d'un politique accroché à sa réalisation culturelle comme un chien à son os. Tout comme il était fier d'avoir bataillé pour m'avoir comme chef. Faire travailler un handicapé à la tête de l'orchestre de la ville était une trouvaille de communication ! Cela lui assurerait au moins la moitié des votes nécessaires à sa réélection... Au matin, rien n'était résolu. J'ignorais ce que j'allais bien pouvoir leur dire lors de ma première intervention. Je décidai de laisser venir la parole quand je serais devant eux, selon l'inspiration du moment. Car un chef, s'il tourne le dos à son public, fait toujours face à ses musiciens.

De ces moments fatidiques où l'on prend enfin les commandes, je n'avais entendu que des récits d'épouvante, de mise au ban, de passage à tabac psychologique de chefs qui, faute d'être des tyrans, étaient devenus des victimes. Tout circulait à propos de cette relation qui s'établissait entre les chefs et leurs musiciens. C'était à la fois une histoire de domination, de séduction, d'autorité naturelle, d'admiration, de haine, d'amour, de rejet, de cabale... L'orchestre, tel que le décrivaient les futurs chefs et les professeurs de direction d'orchestre, ressemblait à un navire de pirates au capitaine incertain, et parfois à une mutinerie qui entraînerait sa chute. Il y avait de quoi avoir peur ! Seuls les mâles dominateurs, brillants tortionnaires, survivaient aux attaques sauvages de la fosse, grâce à un mélange de crainte et d'adoration susceptible de leur assurer une paix relative, voire un succès de part et d'autre de l'estrade. Autant dire que je ne faisais pas le poids ; je n'avais ni le charisme, ni le physique, ni même, et c'était plus grave, le désir d'être ce genre de chef. Finalement, je ne pouvais que leur offrir mon amour de la musique, mon oreille affûtée, que certains qualifiaient d'infaillible, et mon aspiration à les mener au plus juste, tant j'étais convaincu que l'art véritable tend, non pas vers la beauté, mais vers l'absence de but. Je leur proposai donc ça : juste la musique comme elle est ; c'est-à-dire la musique comme nous pourrions être nous-mêmes si nous épousions parfaitement son expression intime. »

2 juin 2015

Je savais bien qu'aujourd'hui Léa aborderait mes débuts dans la direction, mais je ne pouvais guère lui restituer exactement la teneur de mes propos à ce premier orchestre, même s'ils restent très présents encore aujourd'hui à mon esprit. C'est une bonne initiative d'écrire à nouveau un journal car je n'ai aucun doute sur le fait qu'à un moment de mon grand âge, c'est ma mémoire qui va se mettre à boiter. Même si j'ai du mal à imaginer aujourd'hui que je pourrai oublier ce grand jour où je me suis présenté à eux. J'avais hésité en essayant de m'y préparer, mais au dernier moment, j'ai choisi de monter sur l'estrade. J'ai attendu le silence, un peu trop longtemps, et je crois leur avoir souri avant d'attaquer bille en tête.

— Peut-être que vous n'êtes pas ce que vous vouliez être, mais vous êtes une petite partie d'un grand tout. Je ne suis pas non plus celui que j'aurais voulu être, un homme normal. Un homme comme les autres… Mon corps est amputé d'une partie de lui-même ; chaque jour, je m'applique à rassembler les morceaux d'un tout incomplet. Mais je suis là où je voulais être ! Responsable d'un orchestre.

Je marquai une pause en observant leurs visages. Ils se demandaient sûrement où je voulais en venir.

— Je connais votre réputation. Dans le monde du handicap, la cruauté est de coutume, avec l'humour qui convient. Vous êtes donc ce qu'on appelle un orchestre de bras cassés et, par chance, vous venez d'hériter d'un chef d'orchestre handicapé ! Je ne sais pas qui on voulait punir dans cette affaire, mais on s'est lourdement trompé. Sans doute pensait-on que je ne méritais pas un orchestre digne de ce nom et que vous deviez payer vos récentes mises à mort de chefs ayant refusé les conditions de travail que vous souhaitiez... Alors, je vais avoir besoin de vous pour prouver que je suis un vrai chef d'orchestre et que la musique que j'offre est plus grande que moi. Et je crois que vous aurez besoin de moi pour effacer ce que vous êtes devenus, et leur montrer que vous êtes un véritable ensemble et que la musique que vous jouez est digne d'être écoutée avec admiration et respect. Nous allons donc leur offrir de la lumière, de l'émotion parce que nous allons jouer au plus juste de notre âme. Et puisque nous sommes déjà dans la fosse, nous leur jouerons en guise d'enterrement de leur mauvais esprit cette *Pavane pour une infante défunte*. Nous finirons ainsi le concert. Croyez-moi, ce sera superbe !

Luis Nilta-Bergo / Interview filmée le 3 juin

« Qu'avez-vous dit, finalement, à ce premier orchestre ?

— Je ne sais plus bien mais quelque chose comme : vous comme moi allons oublier les heures, la fatigue, le nombre de répétitions normal pour un concert, car rien de ce qu'on appelle l'art ne s'obtient normalement. Et également que je souhaitais rencontrer chacun d'eux lors d'un entretien particulier et qu'ils pourraient prendre rendez-vous auprès de mon assistante. Peut-être que vous vous demandez, comme eux, pourquoi je voulais ainsi les connaître individuellement. L'idée était simple : n'ayant pas l'âme d'un général, je ne me considérais pas à la tête d'un régiment. Un orchestre est fait d'un vivier de personnalités, et je pensais pouvoir établir une relation plus intime avec chacun, qui me protégerait de l'agressivité du groupe. Mon discours fut applaudi par les rebelles ! Dans les claps, je crus déceler de grands espaces dans le tempo qui pouvaient faire entendre que certains de ces battements étaient moqueurs, mais je ne voulus pas en tenir compte. Je leur ai souri. En ce moment étrange, je ne savais plus bien ce que je venais de leur dire, seul persistait le sentiment d'avoir été vrai et d'avoir exprimé ce que je pensais du fond de mon âme. J'eus encore à batailler dans certains entretiens, mais tout se passa plutôt bien.

— Quel genre de bataille ?

— Oh, quelques discussions où mon interlocuteur voulait en découdre avec mon désir de les rencontrer et par là essayait de me coincer. Du style : "Si vous n'avez pas l'âme d'un général, pourquoi essayez-vous de convaincre chacun d'entre nous en nous convoquant ? – Je ne vous ai pas convoqués, je vous ai invités à me rencontrer. Et vous rencontrer ne donne pas plus d'excuses aux uns ou aux autres, mais disons qu'il est plus difficile d'insulter son voisin quand il fait du bruit si on a bu un pot avec lui la veille. – Mais tout de même vous restez le chef. – Oui, c'est-à-dire un homme qui ne peut rien sans vous tous !"

Vous voyez, rien de vraiment hostile. Les conversations allaient plutôt du côté de leurs origines, leurs désirs de musique. Je voulais les prendre en compte et composer avec eux le programme. Nous avons travaillé pendant trois mois avant de donner notre premier concert. Je ne leur ai pas annoncé avant, car je ne voulais pas que nous nous produisions avant qu'ils soient prêts. Je repoussais toujours l'échéance, mais au bout de quelques répétitions, j'avais réussi à les accrocher à une performance et eux-mêmes s'étaient pris au jeu de se préparer comme s'ils allaient passer un concours pour entrer dans la grande famille des meilleurs orchestres du pays.

— Et comment fut le concert ?

— Comment ne pas se souvenir de ce concert-là ? Je savais quelques organisateurs de festivals présents dans la salle, qui attendaient de voir ce que nous allions donner avant de lancer leurs invitations. Soutenu par de grands chefs, j'étais nommé dans tous les journaux *le seul chef d'orchestre handicapé au monde* ayant obtenu ses lettres de noblesse auprès de chefs comme Claudio Abbado. De source sûre, on me disait proche de Carlos Kleiber. Ce qui n'était pas tout à fait vrai, même si je l'avais côtoyé beaucoup. Pour des raisons différentes des miennes, il avait été traumatisé par son père. Ce qui prouve que, même avec un père chef d'orchestre, on n'est pas mieux loti parfois ! Peu importaient les rumeurs. Moi je ne gardais confiance qu'en notre travail, en ces moments surprenants offerts par cet orchestre, au bout d'un mois d'efforts assidus. J'étais si impatient et heureux que je n'avais pas laissé de place pour la peur durant le temps des répétitions. Et pour l'heure j'étais cadenassé dans mon tout premier smoking acheté, en espérant qu'aucun bouton ne laisse échapper l'angoisse qui m'étreignait la cage thoracique. Je trouvais que le théâtre suintait le trac et l'odeur des costumes sortant du pressing. Je regardais autour de moi le défilé de tous ces pingouins, et je dus éviter de peu une contrebasse qui faillit m'écraser. Les cuivres brillaient dans la pénombre des coulisses. Je voulais être au milieu d'eux et je ne me serais replié au calme dans ma première loge de maestro sous aucun prétexte. Sous le regard réprobateur de mon assistante, je déambulais donc d'une démarche plus qu'incertaine, plus branlant encore qu'à mon habitude dans le couloir qui menait à la scène. Je me repassais mentalement des bribes de cette *Huitième symphonie* que nous allions interpréter durant la première partie du spectacle. Je me demandais si je n'aurais pas dû choisir la première version, celle de 1887, la toute première de Bruckner, et non celle de 1890. Le temps s'était mis à piétiner jusqu'à ce que retentisse le silence du départ des musiciens sur la scène. Notre propre emballement avait ralenti la cadence. Ce ne fut qu'au moment où les musiciens furent tous partis s'installer et accorder leurs instruments que je me sentis un peu seul et qu'une nouvelle pointe d'angoisse m'étreignit la poitrine. Les choses les plus folles me traversèrent alors l'esprit. Mon smoking allait accentuer ma démarche de pingouin, comme si j'avais fait exprès de choisir le seul métier qui me permit de mettre une tenue de travail qui me ridiculisait. L'estrade plantée au milieu de la scène, avec sa petite barrière, ressemblait de loin à un déambulateur qui n'irait nulle part. J'étais seul derrière le rideau, laissant le temps nécessaire au public qui guette l'entrée du maestro que je sentais flageoler sur ses jambes cotonneuses. Puis on me poussa presque dans l'arène, et tout devint présent. Je n'eus pas le loisir de me demander si j'étais le taureau ou le torero, mais je perçus que mon habit de lumière viendrait de la musique. C'est à elle que je faisais confiance puisqu'elle m'avait choisi. Je m'avançai dans une sorte de fou rire nerveux intérieur, imaginant l'effet produit par le boiteux que je donnais à voir. On m'aida à monter sur l'estrade, après que j'eus serré la main du premier violon. Je restai un instant avec les bras le long du corps, appuyé sur mon siège spécial, regardant les musiciens, écoutant la salle derrière moi. Après un bref sourire de connivence, je levai mes deux bras, et le gauche, plus raide que l'autre, fit jaillir ma longue main tordue dans l'espace pour impulser l'allegro moderato. À la gravité des cordes répondit l'espace que j'étais en train d'ouvrir entre mon corps inerte et les attentes d'un public qui nous questionnait déjà, sans le savoir. Quand la clarinette et la flûte eurent dialogué, quelques minutes plus tard, je voguais déjà sur mon passé transfiguré par ce désir déjà si vieux d'avoir voulu être là où j'étais en cet instant. Le miracle de mon accession à la musique en tant que *conductor*, mot que je préférais de beaucoup à chef, serait désormais possible. Mais surtout, ce que j'avais appris avec ces années d'expérience sans gloire, dans l'ombre, pouvait désormais se dérouler là, en allant chercher ce qui composait le socle d'une perception universelle, tout un univers de particules immatérielles qui, au-delà du son, nous relie à une humanité, et sûrement à quelque chose de divin.

— Et qu'avez-vous pensé à ce moment-là ?

— Mon but, alors, était d'abandonner toute forme d'attachement au passé, au savoir, à la culture, à la mémoire, pour libérer l'écoute totale, sans influences. Je devais suivre le fil unique d'un vécu immédiat ; ce fil qui est à la fois le commencement, la fin et se tisse entre les deux. "C'était d'une clarté épouvantable !" aurait dit mon maître, Celibidache, avec son rire...

C'est ce qui m'a poussé toute ma vie à diriger de mémoire les œuvres que je faisais interpréter. Je voulais offrir ce qui mène le cœur justement, offrir le *Hineinhören*, comme le disait en allemand Carlos Kleiber, cette écoute intérieure qui n'a pas de mot équivalent en français. Igor Markevitch m'avait cité, lors de notre rencontre, les paroles de Toscanini : "Aux chefs qui ont la tête dans la partition, je préfère les chefs qui ont la partition dans la tête." Je croyais, moi, que c'était une phrase de Hans von Bülow à Richard Strauss... Peu importe. J'étais moi aussi fermement décidé à n'avoir jamais de notes à suivre et tout à faire surgir de mes doigts ; jusqu'à vivre un jour un concert unique où tout se déroulerait dans l'espace d'un instant et me paraîtrait pris dans cette unité du cosmos que m'avait souvent décrite Sergiu Celibidache, sans que je sache complètement à quoi il faisait référence.

Vous savez, Léa, la gestique est une forme de nudité. Vous ne pouvez pas être un type qui fait la circulation au milieu d'un carrefour. Avec les années, un chef apprend à se laisser aller à une certaine sensualité. Elle est parfois facilitée par le fait de tourner le dos à son public, ce qui est, vous l'avouerez, extrêmement rare, voire inédit dans le monde du spectacle. Et d'ailleurs, il faudrait réfléchir à la symbolique de cette arrogance. Peu importe, un chef, si retourné soit-il, n'en est pas moins un cabot qui, au début de sa carrière tout au moins, a conscience du spectacle de ses bras. Il essaye alors de négocier entre ce qu'il donne à voir à ceux qui ont l'air de lui courir après, et la direction qu'il assume. D'où parfois une certaine incohérence abrupte qui disparaîtrait instantanément s'il se dévouait à la seule musique. Maintenant que presque tous les concerts sont filmés, des approbations courtoises ou quelques légers clignements agacés se sont subtilisés aux coups d'œil furibonds et autres regards explicites qui étaient autrefois possibles quand le visage du chef n'était vu que par les musiciens. Mais dans la direction, le regard, les intimes mimiques du visage restent le baromètre, ce que guette l'orchestre quand il veut obtenir la preuve qu'il a séduit son chef avant que de récolter les applaudissements des spectateurs.

Le travail qui précède cet aboutissement est très solitaire, besogneux, voire austère. Je cherche la proximité entre des notes qui se côtoient dans une partition depuis si longtemps... Détricoter un enchaînement de mouvements en lisant ce que racontait ou pensait un musicien quand il a composé une symphonie, ce qu'il avait sous les yeux ou ce qu'il vivait dans le pays, la ville où il se trouvait, est un voyage. Une partie de ce que j'apprends dans cette recherche, je dois le faire passer aux musiciens, sans le leur dire, juste en impulsant mes découvertes, décryptées bien avant la répétition. Il n'est d'ailleurs pas exclu, concernant certaines œuvres, que sa propre musique ait complètement échappé à un compositeur. Certains furent de piètres chefs d'orchestre et de médiocres interprètes de leurs chefs-d'œuvre.

Au cours de ma carrière, j'ai naturellement dirigé plusieurs fois la même œuvre, mais je n'ai jamais relu les annotations de mon interprétation précédente. Je désirais que l'œuvre soit neuve, qu'elle m'apparaisse à l'âge qu'elle avait au moment où nous nous trouvions, et non comme une vieille amante dont je me serais séparé quelques années plus tôt. Je supputais que son apparition annihilerait d'intangibles retrouvailles. Dans un nouveau concert, je souhaitais m'affranchir de toute réminiscence et par là même, faire quitter aux musiciens d'expérience cet air affecté qu'ils prennent quand ils en sont à leur énième interprétation d'une œuvre, dirigée par le énième chef d'orchestre. Je rêvais qu'ils se demandent en les jouant pourquoi cette symphonie ou ce concerto n'étaient plus les mêmes, et je ne voulais leur dire ni comment, ni pourquoi ils éprouvaient ce sentiment.

Avant de diriger à temps plein un orchestre régional, j'avais compris, lors de mes quelques expériences passées, que les musiciens d'un orchestre n'étaient pas comme les enfants d'une grande famille, unis dans la musique. Mes quelques rencontres au cœur de ces groupes symphoniques et mes amitiés au Conservatoire me permettaient de sentir une différence très nette entre les personnes qui composaient un orchestre, et je ne parle pas là de leur niveau musical. Car voyez-vous Léa, dans mon innocence, j'ai cru un temps qu'on était d'abord musicien avant d'être homme. Mais il n'en était rien, un musicien était avant tout un être humain qui souvent n'avait pas choisi son instrument, et encore plus souvent n'avait pas voulu jouer au sein d'un orchestre. Des différences d'origine sociale déterminaient souvent le choix de l'instrument pratiqué. Ainsi, il n'était pas rare que le groupe des bois et des cuivres soit très éloigné des cordes. Les premiers venaient de milieux souvent plus populaires tandis que les derniers étaient issus de familles plus aisées. Et les musiciens, suivant leurs origines, n'avaient la plupart du temps ni les mêmes goûts, ni les mêmes envies, ni les mêmes façons de vivre. Ajoutons à cela que je me souvenais de mes années françaises de Conservatoire où j'assistais aux longues heures d'entraînement, de technique, de répétitions de mes amis musiciens dont la plupart se préparaient à être des solistes, encouragés par l'ambition de leurs professeurs et parfois par celle démesurée de leurs parents. Bref, je n'en connaissais que très peu qui choisissaient délibérément d'être une petite partie d'un grand tout, et ne portaient pas la blessure narcissique à jamais ouverte de s'être dirigé dans cette voie par défaut. Et c'était souvent dans un ahurissement total qu'au terme de ces auditions qui ne menaient nulle part, ils atterrissaient dans un orchestre ou un autre. Ensuite, ils s'attelaient au désir de faire partie d'un meilleur orchestre, faute d'être eux-mêmes des solistes en vue. Puis, s'ils n'étaient pas chefs de pupitre, ils devenaient tuttistes, ceux qu'on appelle "la vase", le mot dit clairement cette absence de considération pour des musiciens qui forment quand même l'orchestre et sans lesquels on ne peut rien ! Cette succession de révisions à la baisse de l'exercice de leur musique finissait par ronger l'âme de certains interprètes, et l'aigreur qui s'ensuivait ne pouvait que rejaillir sur le groupe dont ils faisaient partie. Comme vous savez, il circulait d'ailleurs pas mal de blagues sur les musiciens "fonctionnaires" dont la vie morne se réduisait à jouer comme on pointe à l'usine. La plus terrible racontait qu'au terme de sa vie professionnelle, prenant sa retraite, un contrebassiste rentrait chez lui après son dernier concert et que sa femme lui demandait quel était ce gros truc qu'il ramenait à la maison !

Et il m'est parfois arrivé de dire à l'orchestre, quand je percevais certaines chamailleries qui rejaillissaient sur notre musique : "Comment voulez-vous vous entendre, vous ne vous écoutez pas !"

Je ne voulais pas penser que la majorité des musiciens d'orchestre correspondait à ce descriptif sordide et désespérant parce que malgré tout ils jouaient, et cette musique, qui s'additionnait à celle de leurs voisins pour diffuser dans l'espace sonore une œuvre, était une si belle chose qu'ils ne pouvaient finalement qu'en être fiers et oublier leurs désirs d'applaudissements individuels, pour ne retenir que la joie des spectateurs à la fin d'un concert. Ce que je viens de vous dire concerne essentiellement la France et cela peut-être très différent ailleurs en Europe où devenir musicien d'orchestre est beaucoup plus prestigieux. C'est ce que j'ai découvert plus tard en dirigeant des orchestres partout dans le monde.

Quoi qu'il en soit, l'orchestre est une école d'humilité et, pour ceux qui veulent bien y réfléchir deux minutes, la métaphore parfaite d'une vie plus universelle : l'orchestre est un monde, le meilleur et il joue sa partition sans question apparente. La signification profonde de tout ça lui file entre les doigts, mais elle ne doit pas échapper à celui qui, sur l'estrade, a décidé de remettre sa vie entre les mains de ceux qu'il dirige. Aucun professeur ne m'avait averti qu'une formation d'assistante sociale m'aurait été aussi utile que mes connaissances musicales. Une fois ces considérations prises en compte, et il vaut mieux ne pas s'en dispenser pour ne pas risquer d'en subir le contrecoup, tout orchestre peut devenir renversant pour peu qu'une *nounou chef d'orchestre* le prenne en main, le dorlote, le respecte de la cave au grenier et lui insuffle désir et motivation. Car le plaisir de jouer et de franchir le mur du son est plus facile qu'il n'y paraît à communiquer à des musiciens dont le niveau est déjà suffisant pour qu'ils aient appris à travailler seuls, ce qui va leur permettre de sublimer ensemble la chair du monde. »

**Luis Nilta-Bergo / Interview filmée
le 15 juin**

« Au début de votre carrière internationale, vous avez failli ne jamais revenir sur une estrade. On murmure que ce fut à cause d'un chef qui monta l'orchestre contre vous afin de détruire un concert que vous avez donné en Allemagne... »

Elle est prudente. Elle ne nomme personne. Luis la regarde choisir les mots qui sont loin de refléter la vérité de cette catastrophe. *Effondrement* serait le mot le plus adapté. Un concert apocalyptique dans lequel un timbalier ouvrit avec force le combat et entraîna à sa suite la faillite du deuxième mouvement d'une symphonie dont il veut taire le nom, tant il lui fut difficile de faire oublier cet épisode. À aucun moment, dans les mesures qui suivirent, il ne put reprendre la main et récupérer la singulière cacophonie de l'orchestre qu'il finit par arrêter d'un geste furieux. Il entendit une rumeur, puis des rires.

« Il faut imaginer ce que peut représenter un tel drame dans la vie d'un chef d'orchestre, car c'est lui qui porte la responsabilité de la déroute. Malgré notre reprise impeccable, je fus éreinté par les critiques et détesté par l'orchestre. La plupart de ses membres, les mêmes d'ailleurs qui avaient organisé sûrement notre honte commune. C'était ma première invitation en Allemagne, ce pays on ne peut plus mélomane et tellement important dans la carrière balbutiante d'un jeune chef. »

Elle imagine bien et voit se peindre sur son visage tout le désarroi qui fut le sien à l'époque. Il lui sourit avec douceur comme pour effacer ce qu'il vient de dire.

« On se doute peu quand on est jeune et que notre monde a l'air de s'effondrer, à quel point tout sera dérisoire à l'échelle d'une vie entière.

— Quel âge aviez-vous ?

— Trente-sept ou trente-huit ans. Je n'étais pas si jeune. Mon début tardif mais fulgurant, soutenu par de grands chefs que j'avais secondés pour diriger les plus grands orchestres du monde, avait fait de moi un concurrent sévère, mais je ne me savais pas en danger. Après cet échec, je compris bien que je courais le risque de ne jamais remonter sur une estrade. Car je ne pourrais jamais construire une carrière prestigieuse après la médiocrité de ce concert donné dans une ville allemande de mélomanes avertis. »

Il est difficile de décrire, même des années après, ce qu'on peut ressentir quand on est désavoué par ses propres musiciens dans un magazine musical. Je m'apercevais que j'aurais mieux accepté s'ils avaient attaqué mon handicap, j'étais habitué, mais ce fut plus pervers. Rien ne laissait soupçonner mon statut de handicapé en lisant ce long désaveu ; j'y étais décrit comme un mauvais chef. Et si j'avais recherché cette normalité, je me retrouvais attaqué, torpillé même, dans la seule chose que je ne pouvais contester sans passer pour un type de mauvaise foi. D'une certaine façon, j'aurais pu encaisser l'affront si le jugement musical était resté équitable, mais je savais parfaitement que derrière tout ça, se profilait cette idée : j'avais voulu entrer dans un monde qui n'était pas le mien, dans un univers qui n'était pas ouvert au handicap et puisque c'était le cas, on me le ferait payer cher. Les musiciens qui avaient provoqué mon humiliation ne me regardèrent pas dans les yeux et n'eurent jamais le cran de me dire en face ce qu'ils me reprochaient vraiment.

Du jour au lendemain, je laissai tomber mes désirs, ma vocation, et même la musique, qui me parut dissonante pendant plusieurs mois. Je pris un petit boulot de vendeur dans un magasin de chemises pour hommes, comme pour aller me rhabiller, pourrait-on dire. Je ne voulais plus entendre parler de rien. Je ne répondis pas aux courriers de mes professeurs, aux appels de mes amis. J'étais seul, prostré dans une insondable peine.

Je me suis souvent demandé, depuis, quelles avaient été les motivations de ce chef, pour avoir eu l'idée de saper à ce point la carrière d'un autre. Je n'ai jamais pu répondre réellement à cette question. Il est mort aujourd'hui, et malgré cette trahison, je ne suis jamais arrivé à le détester complètement. Peut-être parce que je désirais son élégance, sa fluidité et la force brutale qu'il impulsait à l'orchestre. Je l'ai beaucoup admiré, comme le prédateur que je ne serai jamais.

Car il a bien fallu qu'on me le dise, que de la bouche même de ceux qui avaient œuvré pour ma chute, je l'entendis un jour. Toute cette folie était savamment orchestrée, et c'est bien là le mot, par un chef qui désirait que je ne porte pas mes mains sur la Grande Musique qu'il défendait. Il ne voulait pas de ma gestique singulière, il abhorrait l'idée qu'un handicapé, un sous-homme en quelque sorte, conduise Mozart dans son propre pays. Il m'aurait préféré sourd. Le musicien qui m'avoua son forfait me rapporta la phrase assassine et décisive qui avait convaincu certains membres de l'orchestre d'adhérer à son plan machiavélique : « Vous n'allez pas vous laisser mener par un infirme, ou alors on dira que même un nain, un difforme ou un mongolien est capable de diriger un des plus grands orchestres symphoniques du monde ! » L'affaire était dans le sac, la partition sordide était facile à interpréter. Le timbalier ouvrirait le bal, il disposait de la puissance pour, puis viendrait le décalage des cuivres qui ne pourraient jamais être couverts par les quelques cordes qui m'étaient restées fidèles. Ainsi s'ensuivrait la débâcle d'une œuvre que j'aimais et que j'avais choisie. Il y eut même un journal qui creusa mes origines et dans lequel il fut écrit qu'un fils de rebelle espagnol, boiteux et balbutiant, ne pouvait prétendre diriger les œuvres allemandes les plus prestigieuses.

« Je ne serais jamais remonté sur une estrade si le destin n'avait mis sur ma route un signe que je ne pus considérer autrement qu'en y voyant un encouragement du ciel à revenir vers la musique. Là où tous les musiciens, professeurs et amis avaient échoué, un livre réussit à me ramener vers moi-même. Je devais avoir l'air si absent, si triste que l'une des filles qui travaillaient avec moi se risqua timidement à me demander ce que je faisais de mon prochain week-end. Il faut dire que dès mon arrivée, j'avais été très courtois avec elle et que son embonpoint lui réservait, du côté du magasin des femmes, nombre de quolibets et de messes basses. Nous devînmes donc l'association des tordus de la nature, en quelque sorte. Ça devait causer bon train dans la cuisine quand nous n'y étions pas. *Le handicapé et la grosse s'entendaient bien.* C'était ce que je supposais avec ce sens aigu de l'ironie qui ne me quittait jamais. Ce qu'il y avait de bien avec la plupart des humains, c'est qu'en les soupçonnant du pire, on était toujours en deçà de leurs possibilités. Mais ce qui restait consolant, c'est que c'était aussi vrai pour les meilleurs d'entre eux, quand on retournait la phrase : en évaluant l'amitié de certains, on était loin du compte. J'espérais que ça s'équilibrait. Annabelle, qui portait si avantageusement son prénom, finit par m'inviter à passer un week-end en Suisse dans sa famille. En tout bien tout honneur, elle m'y présenta comme un collègue de travail, voire d'infortune. Même si ça ne fut pas dit. Sa cousine possédait une magnifique propriété dans la ville de Vevey. Une après-midi, me promenant seul dans la ville, je rencontrai une jeune femme assise face au lac Léman et, va savoir pourquoi, lorsqu'elle me demanda ce que je faisais, je répondis que j'étais musicien. Je n'eus pas le courage de dire que je vendais des chemises parce que j'aurais eu l'impression de mentir. C'était la première fois que je m'en rendais compte. La différence entre *être* et *faire* me frappa de plein fouet. Je ne savais pas faire semblant dans les rencontres. Elle me posa quelques questions sur la musique, se déclara passionnée par les instruments anciens et m'invita à visiter son magasin d'antiquités.

Quand je me levai, elle eut une hésitation, me demandant si je pouvais marcher dix minutes pour rejoindre, à quelques rues de notre banc, le lieu où s'entreposaient de façon presque magique les vestiges d'un passé qu'elle collectait un peu partout dans le monde. Carolina avait plusieurs domaines de recherche pour les objets qu'elle exposait dans cet ex-atelier de réparation de jouets et d'horloges. Elle vendait des jouets d'autrefois, plus particulièrement des chevaux de bois et des poupées anciennes, récupérés en rachetant l'endroit, m'expliqua-t-elle. Elle chinait également des marionnettes, tout ce qui était lié au cirque, et puis dans une pièce à part, on trouvait des instruments, dont chaque représentant semblait m'apostropher pour me reprocher ma couardise, mon grand ego, mon manque de persévérance. Pour les fuir, je me réfugiai dans une toute petite mezzanine remplie de livres techniques sur l'art, d'éditions poétiques et de considérations philosophiques reliées de cuir sur les sujets les plus obsolètes. À un moment, déséquilibré par un bout de bois dépassant d'une bibliothèque, je m'accrochai à un ouvrage que je fis malheureusement tomber. Carolina téléphonait à l'autre bout de l'atelier et je pouvais l'entendre récriminer à cause d'une livraison perdue. Je ramassai vite la chose, qui s'ouvrit entre mes doigts maladroits sur des pages couvertes de notes. Des partitions ! Je venais de trouver des partitions d'orchestre reliées et couvertes d'annotations... Ou plutôt non, c'étaient elles qui m'avaient repéré ! Je feuilletai rapidement le début de l'ouvrage pour y découvrir un nom ou une indication qui m'informerait sur l'auteur ou le propriétaire. Mais il n'y avait rien. Seulement le titre des morceaux. La *Symphonie fantastique*, *L'Oiseau de feu*, la *Symphonie n° 4* de Chostakovitch, la *Symphonie n° 7* de Beethoven se succédaient. On distinguait des annotations d'origine, et d'autres encore à l'encre rouge qui se superposaient aux premières. Je parcourus l'ensemble bouche bée. Quand Carolina me rejoignit, je lui demandai d'où venaient ces documents, mais elle l'ignorait. Beaucoup de ses livres provenaient de l'héritage d'une boutique ayant appartenu à son père. Elle connaissait l'origine de chaque instrument qu'elle avait choisi elle-même, mais pas celle des livres. Mon trouble ne put guère lui échapper. Elle sembla amusée de me voir ainsi perturbé par ma découverte. Elle refusa que je paye et m'offrit les partitions avec ces mots que je peux difficilement oublier même si cette scène s'est déroulée jour pour jour, il y a quarante ans. "Faites-moi plaisir, prenez-le et faites-en bon usage. Il est probable qu'il vous soit destiné. Il faut écouter les objets quand ils décident de vous parler." Phrase d'autant plus prophétique que Carolina ignorait que j'avais quitté la musique. Je suis reparti hagard chez la cousine d'Annabelle, tenant très serré sous mon bras mon précieux compagnon. Le plus étonnant, c'est que ma trouvaille venait m'emporter, me kidnapper sur cette autre planète que j'habitais depuis quelques mois, et qui était celle du renoncement. J'avais oublié instantanément que je m'étais juré de ne plus faire de musique. Et surtout que, pour rien au monde, je ne redeviendrais chef d'orchestre. Et là, soudain, par la grâce d'un livre – et quel livre –, je ne me posais même plus la question. Quant à savoir si c'était une chance ou si le ciel pointait du doigt mon destin, cela m'indifférait. Bien des années plus tard, j'ai commencé à considérer la chance qui me fut offerte ce jour-là par la vie. Sans doute la jeunesse accorde-t-elle l'oubli de la reconnaissance, et une certaine aptitude à prendre les cadeaux du ciel comme des hasards auxquels elle ne doit rien, pas même un salut de remerciement. Quoi qu'il en soit, on me vit revenir comme si cette absence de huit mois s'était muée en une semaine, comme si j'étais parti en vacances. Personne ne me demanda à quoi je me consacrais depuis tout ce temps, et même mes amis musiciens n'osèrent pas s'enquérir du chemin parcouru et de ce qui avait bien pu me faire changer d'avis. Mon professeur de direction d'orchestre m'accueillit à bras ouverts et me conseilla de rencontrer sans tarder Sergiu Celibidache qui enseignait déjà à quelques élèves en France, suggérant que ce serait sans doute la meilleure aventure qui puisse m'arriver au stade où j'en étais. Puis il me regarda attentivement et me demanda si la composition était ma prochaine aventure. Sans doute imaginait-il que mon absence comme une preuve de création. Je niai et il parut déçu. Son regard inquisiteur lors de cette conversation me poursuivit. Je me mis à penser à tous les sentiments difficiles qui m'avaient traversé, quand j'avais presque décidé, puisqu'une partie de moi s'y était refusée, de quitter la musique. Un soir, je pris mon cahier de cuir et me mis à l'étude de la *Symphonie fantastique*. Je ne cessais de me demander à qui pouvait bien appartenir cet ouvrage, tant les commentaires me paraissaient judicieux et visionnaires. J'étais parvenu à comprendre à peu près toutes les annotations de l'ex-propriétaire du cahier auquel je m'étais résolu à donner un nom. Influencé par des initiales trouvées à la fin d'une des partitions, I. M., je m'étais résolu à l'appeler Igor. Isidore me semblait trop long, Ignace trop grimaçant. Je connaissais toutes les œuvres du cahier et je les aimais toutes, ce qui rendait ma découverte encore plus extraordinaire car mon prédécesseur avait apparemment les mêmes goûts que moi. Dès que j'entrais dans une œuvre, j'en percevais toute la subtilité, allant presque jusqu'à m'identifier aux intentions de ce chef d'orchestre. Il me semblait qu'il confirmait des intuitions de réponses objectives qui transfiguraient l'œuvre, lui donnant sa chair et lui insufflant son intention première pour la rendre perceptible au public d'aujourd'hui. »

16 juin 2015

Ce recueil n'était pas seulement un signe, un clin d'œil peu discret du destin comme je l'avais d'abord imaginé, mais la promesse d'un avenir sur l'estrade, une certitude devant laquelle je ne pouvais reculer. J'étais choisi, appelé au mépris de ce que je croyais ne plus pouvoir être pour la musique. Pourquoi me le dissimuler plus longtemps, la moindre particule de mon corps avait souffert de cet abandon. Comme je m'étais senti choisi par mes maîtres, comme les autres croyaient en moi, j'avais confondu leurs appréciations et mon exigence. J'aurais voulu que mes débuts soient le couronnement de mon travail acharné, presque les lauriers d'une fin de carrière et je m'étais trompé. Mon innocence m'apparut soudain dérisoire, mes aspirations vaines et démesurées. Seul ce cahier et ce qu'il m'infusait me serviraient désormais de boussole. Je devais continuer en me souvenant qu'un jour, je m'étais donné le choix du renoncement et qu'il m'avait bien plus affecté que mon handicap. On ne pouvait être détruit que par ce qu'on choisissait par orgueil. Le reste s'assumait, se défendait, se combattait et donnait tout son sens aux larmes, aux scintillements de la victoire. Ce qui était chèrement acquis était profondément humain, on pouvait y puiser les deux faces du don et de ce qu'il fallait y consacrer. Tout ce que je venais de découvrir là, était dans la partition de *L'Île des morts* de Rachmaninov, une sorte d'extinction sans appel qui se trouvait à la fin de l'ouvrage. Ce recueil se terminait ainsi par l'exemple que je ne devais pas suivre, l'endroit où je ne devais pas aller. Il me faisait entrevoir ce que la nostalgie du non-être cultive, ce lien cruel et fragile à ce qui n'aura jamais lieu, à ce qui donne l'illusion d'un accomplissement dérobé.

**Luis Nilta-Bergo / Interview filmée
le 17 juin**

« Vous n'allez pas me parler de mes échecs
en Allemagne aujourd'hui ? Rassurez-moi.
Nous n'allons pas reprendre l'entretien d'hier ?
Je dois faire une tête quand j'en parle ! »

Léa est étonnée. Luis n'a jamais manifesté
de crainte ou même de réticence. Il n'a jamais
l'air de se préoccuper de la manière dont elle
mène ses entretiens ou décide des sujets qu'elle
veut aborder avec lui.

« Je ne vous ai pas encore posé de question.
Et vous avez dû remarquer que je ne reviens
jamais sur nos conversations de la veille quand
je vous filme ! De quoi aimeriez-vous que nous
parlions aujourd'hui ?

— De choses plus légères probablement... »
Il a l'air rêveur et elle ne dit rien.

« Je suis sorti avec une chic fille très riche.
Je devais avoir trente ans. Nous avons essayé
de combler les manques de l'autre pendant cinq
ans. Constance était d'une impitoyable beauté,
de celle qui fait rêver d'être, pour une raison

174

irrationnelle, l'élu nommé pour la cueillir. Elle traversait les places et les pièces avec une intelligence courroucée, c'est l'expression qui me vient la concernant. Elle ne trouvait presque jamais personne pour la contredire. Elle voulait emmerder ses parents en choisissant un type pauvre et handicapé. Et surtout, elle se vengeait de tout cet argent reçu sans rien faire. À quoi pouvait-il bien lui servir ? L'argent n'offre rien quand on a tout. Elle avait l'impression de valoriser sa vie oisive et égoïste en s'occupant de moi. De mon côté, je m'étais abonné à tous les programmes européens des plus grands concerts. Elle avait une splendide Jaguar type E, jaune vif, décapotable, dans laquelle elle m'emmenait en Allemagne, en Italie. Nous descendions dans les plus beaux hôtels.

— Vous l'aimiez ?

— Je ne l'utilisais pas. Je lui étais extrêmement reconnaissant de m'avoir pris sous son aile, mais je crois qu'aucun de nous deux n'aimait l'autre. J'étais certainement le type qui l'avait le mieux traitée de tous ses amoureux. Je me souviens que sa mère lui avait dit cyniquement : "Ton pseudo-chef d'orchestre n'est même pas capable de te jouer une sonate de Beethoven !" »

Ce souvenir le fait rire et Léa est heureuse de le voir quitter ce visage douloureux qu'il prend parfois quand il remonte dans le passé.

« C'était d'ailleurs faux, à cette époque, je jouais certaines pièces au piano. Mais c'est vrai qu'il est difficile pour un chef de se produire dans l'intimité avec sa centaine de musiciens pour séduire une belle ! Nous n'avons pas les facilités logistiques d'un pianiste virtuose…

— Comment vous êtes-vous quittés ?

— Elle a fini par rentrer dans le rang en épousant un type de son milieu, un crétin à particule qui n'aimait que le golf et les bagnoles, et croyait que la musique servait seulement à faire des pubs et des feuilletons. Je savais depuis le début qu'elle finirait par se lasser de cette opposition parentale. » Il reste pensif un instant puis ajoute : « C'est curieux, des années après, je l'ai rencontrée dans une soirée très décadente à Venise. Elle était debout sur une table avec une bouteille de gin. Divorcée, elle paraissait avoir dix ans de plus que son âge. Constance a pleuré dans mes bras en me disant qu'elle aurait dû m'épouser. Moi je pensais naturellement que non. Mais cela m'a rendu triste de voir ce qu'elle était devenue. Je lui ai demandé si elle avait eu des enfants, mais j'aurais mieux fait de m'abstenir. Son fils, né d'un autre homme que son mari, était mort dans une piscine à l'âge de deux ans. Elle m'a écrit une lettre quelques années plus tard… Je l'ai gardée ici. Attendez. Tenez, vous pouvez la lire. »

Je mourrai dans les regrets. Seul un miracle m'a sauvée de la haine de vivre. Comme je n'ai aucun courage, je n'oserai jamais mettre un terme à toute cette débâcle inutile. Je n'ai enfanté que des révoltes, et maintenant, j'élève des nostalgies. Les jours les plus fastes, je ne pense à rien, et dans les moments les plus tragiques, je pense à toi, à ce que j'espère t'avoir donné sans le savoir. Je pense aux bons moments que nous avons pas-sés ensemble en roulant à fond vers l'Italie sur les symphonies de Rachmaninov. Je te revois nu comme un ver, chantant La Traviata *en italien, avec ton articulation laborieuse, debout sur le lit de nos palaces. Tu es la meilleure « chose » qui me soit arrivée ! Dire qu'à l'époque je pensais que c'était moi ta chance, quelle idiote ! Tu es ma plus belle aventure, et celle-là non plus, je n'ai pas su la garder. Quand j'écoute tes disques, je pleure comme une Madeleine, mais après, je me sens mieux pendant quelques jours. Adieu, Luis. Les vrais handicapés ne sont pas ceux qui boitent ou bégayent, ce sont ceux dont le cœur est boiteux et la parole menteuse...*

Luis Nilta-Bergo / Interview filmée
le 18 juin

Dans sa façon même d'installer la caméra, Luis a compris son envie d'en découdre. Sa fuite de la dernière fois ne lui a pas échappé, et sans doute va-t-elle remettre sur le tapis les questions occultées. Luis s'y prépare tranquillement, bien décidé à ne rien lâcher, mais Léa est dans une tout autre optique. Elle empoigne le pied pour le déplacer de quelques centimètres, regarde dans le viseur, rectifie le cadre et paraît satisfaite du résultat. Avec son casque sur la tête qui lui permet de vérifier la qualité du son, Luis se dit qu'elle ressemble à la compagne de Mickey, une petite Minnie charmante. Le casque est assez gros et lui fait de grandes oreilles noires. Il lui sourit.

« Maestro, comment percevez-vous la musique dodécaphonique ? N'est-on pas dans le registre d'un dialogue inaudible qui essaye de s'instaurer avec la plupart d'entre nous ? »

C'était donc ça, l'amener doucement à se mettre à dos les compositeurs de musique contemporaine !

« D'ailleurs vous-même, vous n'en jouez presque pas. Surtout depuis que vous dirigez votre orchestre à travers le monde.

— C'est une question qui tient à la composition même de cette musique. Ce que le public va y trouver, le créateur n'en tient pas compte. Or ce que le public plébiscite, c'est ce qui le ramène vers le passé. Un compositeur, comme la plupart des créateurs, a toujours cent ans d'avance sur l'écoute de ses contemporains. Ajoutons à cela qu'il cherche, et que dans ces conditions les voies qu'il explore ne demeurent pas toujours, mais néanmoins, elles vont déterminer celles qu'il va emprunter ensuite. Il est alors très logique que l'oreille ne soit pas du tout apte, familiarisée, formée à écouter la musique de son temps. Cet éternel problème est un drame pour un compositeur qui veut être apprécié pour ce qu'il fait et aussi pouvoir en vivre. On peut décemment considérer que les musiques composées aujourd'hui sont destinées à nos petits-enfants, voire à leurs enfants. Ces œuvres seront exactement adaptées à ce qu'ils vont vivre et il y a de grandes chances pour que les écrits épouvantables des critiques qui veulent prouver aujourd'hui que cette musique est une foutaise deviennent la risée de futurs mélomanes ou experts du monde musical. Ou alors, elle aura disparu et plus personne ne se souviendra qu'elle a existé. Mais il faut le répéter et s'y tenir : rien dans une œuvre ne la prédispose à cultiver une forme de beauté quelconque. Elle n'existe qu'en fonction de sa justesse, de son aptitude à être mise au monde pour accompagner l'humanité qui saura l'entendre et l'apprécier à sa juste valeur.

— Est-ce la raison pour laquelle vous la jouez si peu dans vos voyages en pays de souffrance, comme vous les appelez ?

— Peut-être oui. Cette musique est destinée selon moi à une écoute particulière, à ceux qui se préoccupent de leurs futures oreilles, comme je les appelle. Pour ces concerts que nous donnons à travers le monde, c'est la musique offerte depuis environ cent ans que je joue et qui semble accompagner comme il se doit le chaos d'aujourd'hui. Mais il est très mystérieux notre présent aussi je n'exclus pas de ce programme des compositeurs plus récents comme Stravinski ou Chostakovitch, par exemple. Savez-vous que Platon se servait des rapports musicaux pour définir l'âme du monde avec pour fondement les sciences ? »

Luis, voyant l'air surpris de Léa, continue à lui expliquer sa passion toute récente.

« Avant Platon même, dans les sociétés homériques où l'enseignement musical tenait une très grande place, la musique n'était pas l'expression personnelle d'un soi mais le moyen magique de communiquer avec des forces surnaturelles. À cette époque, on alliait la musique et l'art de guérir. Les premiers musiciens étaient d'ailleurs des médecins. Vous imaginez comme cette vision alimente ce que nous avons fait avec l'Orchestre du Monde. »

Sa voix se brise.

« Vous voulez dire que ce qui vous a donné envie de fonder l'Orchestre du Monde, c'est sa première vocation de musique qui soigne ?

— Non, pas vraiment, parce qu'à l'époque je ne m'intéressais pas encore à cette culture antique. Quand j'ai fondé cet orchestre, j'étais surtout dans un dégoût profond de moi-même et du système dans lequel j'étais entré, ou je devrais dire dans lequel j'avais été aspiré. J'essayais de comprendre pourquoi j'étais devenu chef d'orchestre. Je pressentais que les conditions dans lesquelles j'exerçais cet art étaient biaisées. Je me demandais comment joindre l'humanité et la musique autrement.

— Pourtant vous aviez tout réussi ! Vous étiez un maestro connu et reconnu. Adulé, même. Vous étiez invité à diriger les plus grands orchestres du monde. Ne disait-on pas de vous que vous étiez la coqueluche des femmes ? – Luis éclate de rire.

— Arrêtez votre caméra, s'il vous plaît. Je souhaiterais qu'on ne soit pas dans la caricature, et ce que je pourrais vous dire du succès d'un chef d'orchestre et de la tyrannie que peut exercer un maestro est tellement réel que je préfère que nous y réfléchissions ensemble avant. L'histoire qui précède ce moment est trop déterminante pour que j'omette de vous raconter l'origine de cette exaspération à laquelle j'étais parvenu sans même m'en rendre compte. »

Léa fronce un sourcil et stoppe la caméra. Ce dégoût, ce point de non-retour où il était parvenu, les quelques caprices dont elle a entendu parler, et puis ce changement radical dans sa carrière... Oui, c'est bien de ça qu'elle voulait l'entretenir. À ce stade, Léa est contrariée de ne pas avoir su l'amener doucement à cette partie de sa vie. Mais elle sent qu'elle n'obtiendra rien de plus aujourd'hui.

Quelque chose se dilate, bouillonne. Les notes se croisent, se suivent, se doublent, s'enchaînent et semblent ne plus se reconnaître. Il se revoit, bras en l'air, égaré et futile, guettant le jaillissement d'une trajectoire qui tracerait dans le ciel noir un destin trop grand pour lui. Mais comment lui en parler ?

Ma chère enfant,

Ne voyez là aucune familiarité, je pourrais être votre père et ça m'est venu naturellement. Quand vous m'avez présenté votre projet de livre-film, vous le savez je crois, j'ai failli refuser. Vous n'êtes, bien sûr, pas la première à me solliciter pour réaliser un documentaire sur ma vie, mais vous êtes probablement celle que j'ai évaluée comme étant la plus dangereuse. Jusqu'à maintenant, on me filmait en train de diriger, avec deux ou trois images de vie quotidienne, et une interview assortie des mêmes questions lancinantes. Au pire on venait enregistrer mon travail avec l'Orchestre du Monde. Bref, je m'en sortais. Mais votre proposition quasi ethnographique m'a, je l'avoue, un peu effrayé, ce qui n'a pas dû vous échapper. Pour une raison que je ne peux encore m'expliquer, je vous ai dit oui. Je pourrais me dédire, mais je n'en suis pas encore là. Ça dépendra. Car nous sommes en perpétuelle évolution quand nous en sommes à l'examen intérieur. Savez-vous que je ne connais aucune fiction racontant la vie d'un chef d'orchestre sympathique ? On a toujours affaire à des maestros égotiques, jaloux, tortionnaires sentimentaux, despotes délirants et j'en passe. Je n'ai jamais lu un seul roman positif sur le caractère d'un conductor. *Alors que dire des biographes ? Ils sont apparemment plus bienveillants que les écrivains... Qui ment ? Car écrire, c'est toujours mentir, n'est-ce pas ? Et même, je dirais qu'il est beaucoup plus aisé pour un historien d'être à côté de la vérité que pour un romancier qui, à l'intérieur de son imagination, capte parfois la vérité de ce qu'il ignore et la raconte à son insu, comme un médium. De certains chefs, on dit qu'ils ont du caractère, doux euphémisme car ceux dont on a raconté la vie sont aussi des génies de la direction. On a du mal à descendre l'homme quand on est transporté par le maestro. Ce qui n'est pas le cas d'un hypothétique personnage inventé. Alors je me dis sans doute avec un peu de perversité que je pourrais vous raconter l'histoire à ma manière et de cette façon, je ferais exister un Luis qui me convient... Mais en y réfléchissant, même quand on veut être honnête, on raconte l'histoire à sa manière, en toute bonne foi, et ça donne un récit subjectif, bien sûr, mais tellement honnête qu'il en devient invraisemblable ! Alors je réfléchis beaucoup. Jusqu'à maintenant, je vous ai fait quelques révélations, mais nous sommes déjà bien embarqués dans mes souvenirs et je ne sais pas ce qu'ils nous réservent. J'ai connu un écrivain, éditeur* de surcroît, qui parlait de mémoire sorcière : le souvenir engrangé puis raconté se transforme, disait-il, et alors, reste-t-il figé tel qu'il était au premier jour de notre récit, tel qu'on l'a raconté la dernière fois, ou tel qu'on l'a écrit ? Ainsi, même en essayant d'être fidèle, pourrai-je vous sortir une version qui ne soit pas approximative, de ma vie d'homme, de maestro et de handicapé ? Et à propos de handicapé, savez-vous d'où vient le terme ? Oui ? Non ? Nous en reparlerons.

Bref, cette lettre a pour but de vous redire que je n'ai jamais voulu examiner ma vie. Des choses trop difficiles ont été le moteur de ce que je suis devenu, et sans doute de ce que je ne suis pas devenu. J'ai tendance à penser que les souvenirs qu'on a laissés de côté et auxquels on n'a jamais apporté la douceur du temps en les revisitant régulièrement sont des sortes de réserves de munitions, de dynamite, qui menacent d'exploser à la gueule des curieux. Alors je m'interroge. Il fut une époque où je prenais des notes. C'était une sorte de journal, pas vraiment quotidien. Plutôt une réserve de sensations, parfois de colère. C'était au début de ma vie en solitaire, quand j'ai commencé la musique et que je venais de partir de chez moi, de chez eux plutôt. C'était d'ailleurs un de mes cahiers de musique, j'écrivais des mots sur une portée. Un drôle de symbole ! J'aimais y noter des phrases de musiciens, ou de chefs d'orchestre. J'y ai consigné quelques aventures personnelles. Autant que je puisse m'en souvenir, ces écrits s'arrêtent à mes premiers vrais concerts. À l'occasion, je pourrais essayer de rechercher ce cahier. Peut-être y trouverez-vous quelque chose *d'intéressant. Ou alors en relisant ces notes d'un temps disparu, je jugerai prudent de ne pas le laisser entre vos mains ! Pourquoi l'ai-je arrêté quand ma vraie carrière a commencé sur cette petite estrade ? Je n'en sais trop rien. Je suis trop lucide pour me servir du manque de temps pour justifier cet arrêt. Monter une marche a quelquefois des vertus qui font oublier les maux de l'empêchement. Les trajectoires humaines de la reconnaissance sont des clameurs intérieures qui brisent le langage. Il n'y a plus rien à dire ou à maudire quand on est admiré pour ce qui nous fait jouir.*

Mais revenons à notre travail de prospection, car je ne travaille pas moins que vous dans cette affaire. Ce qui m'a décidé à persévérer, c'est le sentiment que j'appartiens à une génération qui a grandi dans un monde ancien et qui a vu le vôtre, le prochain, à son avènement. Et de cela, la musique ne peut pas seulement témoigner. Il faut que parlent ceux qui ont peint, bâti, sculpté, écrit, participé d'une manière ou d'une autre à la construction artistique de l'humanité, ce qui reste quand on enlève le plus frénétique, le plus hystérique, ce qui appartient à l'imbécile lutte du pouvoir, à l'Histoire avec un grand H. Comprenez-moi bien. Quand les événements, tous les événements du présent sont terminés, la vie quotidienne, les guerres, les industries, on passe d'une chose à une autre, l'argent et le pouvoir se répartissent entre les uns et les autres mais l'Art, lui, est la matrice, la colonne vertébrale émotionnelle d'une époque. Jusqu'à maintenant, les périodes se sont enchaînées comme

*les maillons d'une grande et même unité, mais
ça ne sera plus le cas. Voyez la musique, qui a
toujours contenu des avant-gardes, des extrater-
restres qui avaient l'air de choquer le monde.
Voyez comme elle stagne, comme elle revient en
arrière, comme la plus récente, la plus moderne, la
plus futuriste a des accents vieillots de déjà joué,
comme si les compositeurs n'arrivaient plus à
voir le monde qui vient. Comme si quelque chose
s'était interrompu. Comme si le chaos des sons ne
produisait plus de lumière pour éclairer la suite.
Alors on fait du surplace et l'on n'en finit pas de
témoigner de la finitude, faute d'accoucher d'une
renaissance que je ne connaîtrai sûrement pas.
De cela, il fallait que je témoigne. J'appartiens à
une profession atypique du monde de l'art. Celle
de l'interprétation. Comme les musiciens, je lis
les compositions, et je les donne à entendre en les
adaptant à l'instant où elles sont jouées. Je ne
joue pas d'un instrument, je joue de l'orchestre.
Cette place me donne une responsabilité grave.
Quand l'orchestre joue faux, c'est le chef qui est
en cause. Et je ne parle pas là de la justesse du
son, mais de celle de l'œuvre. Je ne négocie pas
avec un morceau de bois, de cuivre, avec les
cordes ou avec le souffle de mes musiciens, je
malaxe directement de la matière humaine en
essayant d'en sortir le meilleur, avec son consentement, parfois sa mauvaise humeur. Je combats
la peur, au cœur même d'une unité fragile qui
doit son harmonie à la cohésion que j'y imprime.
Si l'orchestre a bien joué, le concert est réussi, et
s'il a mal joué, le chef d'orchestre était mauvais.
Ce n'est pas triste, c'est ainsi que ça se passe.*

Tout comme notre film-livre dans lequel, si je coopère, ce sera réussi et ça pourra avoir l'air vrai. Alors je voulais vous le dire, nous avons vous et moi des raisons personnelles d'accomplir un certain devoir de mémoire. Moi, pour ce que je tiens secret et que je vous confierai peut-être si tout se déroule comme une symphonie et que dans l'épilogue de notre concert, j'en ressens le besoin. Et vous, je ne sais pas. Mais on a tous des raisons de faire les choses que l'on ne veut pas avouer et parfois même, ne pas s'avouer... J'espère que si je décide d'aller au bout de l'aventure, vous pourrez me confier les vôtres et je les prendrai comme un cadeau.

Respectueusement vôtre, Luis.

30 juin 2015

Cette nuit, à nouveau, mon cauchemar. J'étais debout après l'explosion. Je ne me suis pas couché. Je n'ai pas mis ma tête entre mes bras. Je n'ai pas eu peur. Tandis que les immeubles devenaient une nuée de poussière, j'ai cru que je mourais à nouveau. Là-bas aussi, quand c'est arrivé, j'ai pensé que j'étais mort. J'en avais entendu parler, de cette mort subite dans laquelle on ne sait pas que l'on est passé de l'autre côté. J'étais un fantôme, seul sur la terre dévastée. Le dernier accord joué résonnait encore, avant le silence obscur d'une asphyxie. Puis j'ai entendu d'autres bombes, comme le jour où c'est arrivé, cet écho démoniaque d'un crescendo guerrier. Alors, je me suis réveillé.

Je n'ai pas réussi à me rendormir. Je suis sorti écouter les vagues dans la nuit sans lune. Il ne faisait pas si froid. Ça sentait l'iode amené par le vent du large.

Il ne va peut-être pas vouloir en parler. Elle le sait. Elle sent que ça va être très difficile d'aborder ce sujet avec lui. Son dernier concert, enfin pas tout à fait, mais on ne peut considérer le suivant, celui qu'il a donné pour rendre hommage aux disparus, comme un concert ultime. Plutôt un enterrement, une façon d'effacer l'effroi de cette nuit tombée sur l'orchestre tout entier. Il n'était resté au sol que des corps décharnés, brûlés, des morceaux de violoncelles, de violons, de tubas, de cors, de contrebasses cadavériques à peine reconnaissables, tout juste interprétables, comme si les musiciens avaient été pétrifiés, avec leurs armes collées au corps. Peut-être leurs instruments étaient-ils devenus comme des armes pour ceux qui n'étaient habitués qu'à la réalité tonitruante du canon et des bombes. Ces hommes et ces femmes étaient sans doute trop menaçants, trop mélodieux. Elle devine que le récit de la fin de son orchestre est symbolique. Il lui permettra ensuite d'aller vers d'autres pans de sa vie tout aussi secrets. Il lui faut aborder le plus difficile avant qu'il ne relègue cette tragédie à la fin de leurs entretiens, quand il se sera tellement raconté qu'il aura banalisé les confidences. Elle ne sait pas exactement comment amener le sujet, comment poser la question. Elle a espéré depuis quelques semaines… Elle aurait voulu que ce soit lui qui aborde cette sidération qui l'a ensuite plongé pendant plus d'un an dans un isolement dont personne ne réussissait à savoir s'il en sortirait vivant. Luis s'était emmuré dans sa maison, presque symboliquement enterré depuis la mort de la totalité de l'orchestre. Les êtres autorisés à franchir le seuil de ce tombeau se comptaient sur les doigts d'une main. Nathalie, la fidèle directrice de l'orchestre qui ne lui rapportait que les nouvelles du monde susceptibles de lui rendre la vie. Et quelques semaines après la tragédie, une information vint le sortir de son abattement, pour tomber dans un étonnement d'une autre nature. Le budget de l'orchestre était en train de tripler, puis quintupler. Les dons s'étaient multipliés, arrivaient du monde entier. Les dons individuels étaient en train de rattraper le budget des mécènes. Deux autres orchestres étaient nés après la mort de celui-là. Un troisième était en train de se constituer et chaque membre recruté écrivait dans une sorte de livre d'or combien il était fier d'appartenir à ce mouvement musical de paix et de soins. Quelques-uns ajoutaient leurs souhaits de rétablissement pour le maestro, osant par écrit révéler leur désir d'être un jour dirigés par lui. De tous les pays en guerre ou en paix, arrivaient des témoignages chaleureux pour le soutenir et le remercier pour ce projet dont il avait été le fondateur, et même un peu avant cela, un des seuls à y croire. D'autres le suppliaient de ne pas abandonner. Régulièrement, Nathalie revenait avec ce livre d'or pour tenter de le sortir de son apathie. Les mots de paix et d'amour s'étalaient sur les pages comme des pierres précieuses. On murmurait qu'il lisait, versait quelques larmes et hochait la tête en disant : « C'est bien. Elle aurait été heureuse. » À la question que Léa avait posée plusieurs fois tandis qu'elle préparait le livre et le documentaire pour le jour où le maestro accepterait de lui répondre, Nathalie répondait toujours avec beaucoup de force. « Bien sûr que non, il ne perd pas la tête. – Est-ce qu'il écoute de la musique ? » Nathalie devenait alors pensive. Je ne sais pas. Je n'arrive pas à le savoir. Il n'y en a jamais quand j'arrive. Il est dans le jardin. La plupart du temps, je ne pourrais l'affirmer avec certitude, mais je crois qu'il écoute les oiseaux. Léa se disait qu'il faisait comme Messiaen, obsédé par les chants de la nature. Tant de compositeurs étaient dans ce cas. Pourtant Luis ne composait pas. Luis était chef d'orchestre. Un très grand musicien abattu en vol, comme si un sniper avait décidé de le placer soudain dans son viseur. Mais c'était plus cruel encore. Il ne l'avait pas abattu en le tuant, mais en exterminant ce qu'il possédait de plus cher. Son orchestre, son amour, son engagement dans la musique et ses vertus de paix et de consolation. Tandis que Luis levait sa baguette magique, le mal s'était abattu comme s'il répondait à son signe, presque en avance sur l'impulsion de son bras qui n'avait pas achevé sa course, le condamnant à faire face au spectacle de cette barbarie. Il avait crié « Non » et quelques râles de souffrance plus tard, il était sorti de sa torpeur. Des gens couraient, quelques survivants blessés regardaient autour d'eux, allaient d'un cadavre à un autre. Les corps des musiciens étaient devant lui, étendus, dans leurs costumes blancs, couverts de sang, ils formaient un cercle incertain autour du cratère où était tombée la bombe. La musique venait d'agoniser dans une sorte de cri rauque noyé dans l'explosion. Ensuite, il n'y avait pas eu d'ensuite... Tout s'était évaporé dans l'air vicié de la guerre. Luis, rendu provisoirement sourd par l'explosion, tint longtemps le corps inerte d'Émilie entre ses bras. Il n'était pas question de partir, de bouger, de s'abriter ; pour quoi faire ? Dans ce décor de ruines et de gravats où ils avaient pensé réenchanter le monde le plus sordide, la barbarie hurlait sa victoire dans un silence total. Il faisait sombre, presque noir. Où était passé le ciel d'avant, quand ils commençaient à jouer cette symphonie qui, dans une suprême ironie, venait d'enterrer ses héros sous les décombres de l'illusion ? La vie étalait son cynisme, ses rires gras et vulgaires dans la voix. Elle réaffirmait que si tout ça recelait un sens quelconque, il devait être caché, et surtout pas révélé à ceux qui subissaient le pire.

Presque deux ans après, Luis se décida finalement à sortir de son isolement et Léa lui présenta à nouveau son projet : raconter sa vie dans un livre accompagné d'un DVD double, avec un documentaire sur lui et des archives de l'orchestre. C'était notoire, il était très sollicité, mais il était allé vers elle parce que sa demande était antérieure au concert tragique. La première lettre de Léa pour ce projet datait du moment où Luis s'était envolé pour la troisième fois vers la Syrie. Ensuite, il s'était écoulé un peu de temps. Elle était mortifiée de n'avoir pas pu le rencontrer avant son voyage, mais malgré le drame, elle n'avait jamais abandonné, appelant Nathalie presque tous les mois depuis son retour.

Il sursauta quand elle lui exposa son projet, lors de leur première rencontre. « De quel moment parlez-vous ? De ma période de chef dans des salles combles ou de l'époque où j'ai tenté d'amener la musique là où elle doit être ? » Léa, prudente, comprenant que le moindre faux pas génèrerait un refus catégorique, précisa sa demande avec le plus de sincérité possible. Luis n'était pas du genre à jouer les stars, à faire semblant pour négocier un statut. S'il lui donnait son accord, elle aurait le sentiment que ce serait pour une raison particulière qu'elle ne connaîtrait pas forcément. Léa pensait qu'elle pouvait prendre le risque de ne jamais publier, parce qu'elle passerait quand même des heures avec lui, des heures qu'elle pourrait décrire un jour, mais l'idée d'un refus lui était insupportable. Elle se voyait encore lui parler, sans avoir au préalable découvert l'homme qu'il était réellement derrière sa légende médiatique. Elle mesurait maintenant sa part de chance au regard des erreurs commises alors qu'elle lui exposait le projet.

Luis oublia instantanément comment il avait réussi à décrire ce jour-là à Léa. Il ne faisait plus de différence entre ses paroles et toutes ces images obsédantes, pendant qu'il lui racontait sa sidération des jours suivants, ses regrets d'avoir choisi ce pays, ce lieu, cette après-midi, puis dans un moment de folie, son désir de savoir si ce tir violent les visait particulièrement ou si ce n'était que les conséquences guerrières d'un hasard. Très vite, il abandonna. Il avait évidemment des ennemis dans cette affaire. Beaucoup de gens souhaitaient que l'Orchestre du Monde n'existe plus, mais il ne pouvait que se rendre à l'évidence. C'était l'étendue de sa peine qui motivait ces interrogations stériles. Ce qui était arrivé était la conséquence de son choix de vie. Les risques encourus, il en parlait souvent, mais il désirait ignorer que la musique ne protégeait pas de tout, idée qu'il partageait avec ceux qui étaient morts dans cette aventure. Et même si aujourd'hui on lui apportait sur un plateau la preuve irréfutable qu'on avait voulu tuer son orchestre, personne n'aurait pu décider que lui devait rester en vie alors que pas un seul musicien ne s'en sortirait. La subtilité cruelle de sa situation, personne n'aurait pu réussir à l'accomplir volontairement.

Il savait que Léa voulait l'interroger sur les failles de son parcours. Peut-être sur ce moment qu'il situait juste avant la fondation de l'Orchestre du Monde. Il pensait qu'il s'en était débarrassé en lui disant tout bêtement qu'il allait très mal à cette période. Est-ce qu'elle enquêtait sur lui ? Était-elle au courant de son séjour dans cette clinique suisse ? Personne n'en parlait à l'époque. À sa connaissance, aucun journaliste n'était au courant. Après tout, on pouvait bien imaginer qu'un handicapé souffrait, ménageait des périodes de soins, de rééducation. Dans un lieu de désintoxication, c'était évidemment plus délicat. Mais l'addiction pouvait être liée à la prise d'un médicament. À la question de son attaché de presse d'alors, c'était ce qu'il répondait : « J'ai eu un problème de médicaments. Pour supporter la douleur de mon corps fatigué, j'ai dû prendre certaines substances et j'ai été victime d'une addiction involontaire... Une erreur dans les doses. » Enfin, elle pouvait broder quelque chose qui ne raconterait pas son faux pas. La drogue, il l'avait pourtant croisée très tôt, avec ses amis jazzmen dont beaucoup étaient accros à l'héroïne. Dans les virées qui le menaient du Club Saint-Germain, au Kentucky, en passant par le Caméléon, le Bidule et le Mars, on croisait assez de camés, de dealers pour entrer dans la danse féroce de la douleur en robe de soirée. Il n'y avait touché qu'une fois. Une fois suffit pour entrevoir ce qui fait miroiter l'oubli et offre une illusoire jouissance colorée. Il ne lui restait plus que la fuite pour rejoindre dès le lendemain l'orgue de Messiaen, presque en souvenir de Lalo, mais surtout comme une sorte d'appel au pardon d'un Dieu auquel il ne croyait pas. La musique classique le sauverait de la tentation. Comme si aucun musicien de cet autre monde ne touchait à ces saloperies ! C'était une question de lieu et de mode ; ici ou là, les hommes et leur mal-être étaient les mêmes, mais ça ne se faisait pas, du côté du Conservatoire en tout cas. Le batteur de jazz Kansas Fields lui faisait de l'œil quand ils se revoyaient, en lui signalant qu'il disposait de nouvelles adresses pour de nouveaux produits, mais Luis plaisantait en grimaçant qu'il était déjà été assez tordu par la nature sans en rajouter avec le reste.

Alors pourquoi avoir cédé à cette tentation tardive ? Il ne savait plus très bien dans quelles conditions, il se souvenait seulement que c'était quelque temps après le départ d'Émilie. Ça n'avait pas duré car il était vite devenu trop malade pour persévérer. Mais c'était déjà trop tard pour s'en sortir seul et il avait fallu se faire aider.

12 juillet 2015

Il y eut une période de ma vie où ce que je voyais n'était plus en accord avec ce que j'entendais, comme si mon cerveau avait soudain décidé de dissocier l'image et le son. Cela commença par de courts moments où les sons qui me parvenaient étaient ceux de la nature. Cela pouvait même se produire au moment où je me trouvais dans une ville. Je percevais alors une cascade, un chant d'oiseau, une succession de vagues sonores qui s'abattaient en rafales puis devenaient assez rapidement d'autres sons, moins identifiables. C'était comme une sorte de langage. Quelque chose me parlait et refusait que je perçoive ce qui aurait dû être la bande-son du contexte dans lequel je me trouvais. Pendant quelques semaines, un peu inquiet, je luttai, je dormis, je chassai ce qui me rendait sourd à la vie normale. J'essayai même d'aller au cinéma. Mais je ne réussis qu'à cultiver des migraines épouvantables qui me faisaient bien plus peur que le phénomène qui les avait générées. Alors je m'abandonnai à la tentation d'écrire ce que j'entendais. Au début, mes notes furent très timides, je n'osais pas différencier les instruments, mais très vite je fus obligé de clarifier mes inscriptions sur les différentes portées. Je me rendis compte, en relisant quelque temps plus tard les quantités de feuilles recouvertes, que je disposais là d'une sorte de symphonie, mais pas du tout structurée de la même façon. Quand j'essayai d'arranger la partition première afin de lui donner une forme analogue à celle que j'étudiais, rien ne marchait. Discrètement, j'avais essayé de poser des questions à ceux qui composaient : « Qu'entends-tu au début ? Les notes viennent-elles directement ? Y a-t-il des mots ou des sons ? Y a-t-il des bruits dans la musique, des bruits de nature ? Qu'est-ce qui s'enlace à ce qui vient ? As-tu envie de pleurer, de rire ? Est-ce que ta poitrine se soulève ? Ton cœur bat-il plus vite ? » Au bout d'un moment, ils s'insurgeaient, ne comprenant pas le but de cet interrogatoire, et parfois ne saisissaient même pas ce que mes questions voulaient dire. « Si tu en as envie, compose, écris, vas-y, finissaient-ils par lâcher exaspérés. Mais arrête d'essayer de savoir ou d'imaginer des sensations qui n'existent pas ! » Je n'avais aucune envie de me torturer l'esprit ou d'analyser pourquoi ce qui me venait se calmait miraculeusement quand je remplissais des feuilles de portées vierges, alors je fourrai tous ces écrits dans un coffre en bois trouvé dans la rue, en rentrant tard, un soir où j'étais allé écouter Bud Powell. Dans ma petite chambre, tous mes meubles étaient baptisés. Tous étaient de grands interprètes ou compositeurs de jazz. Billy était mon armoire à vêtements, ce coffre-là devint Bud. Pendant très longtemps, j'y ai rangé tout ce que j'écrivais. Intuitivement, je mettais ces morceaux à l'abri. Il ne me serait pas venu à l'esprit de les montrer à mes professeurs. Je pensais que j'étais très loin de pouvoir prétendre à la composition puisque je ne comprenais même pas ma propre musique. Cela me rassurait de penser qu'elle était pour plus tard ; qu'il n'y avait rien à comprendre ni à jouer dans l'immédiat. Il suffisait de se laisser porter, de graver sans crainte ce qui se présentait, et le temps ferait le reste. Aussi pendant des années, je ne me préoccupai pas de ma musique personnelle. Je pouvais rester des mois sans que rien ne se présente. Mais quand ça venait, j'étais tout comme la première fois, envahi de sons qui fragmentaient ma vision et se superposaient aux événements que j'étais en train de vivre. C'était presque sans lien avec ma propre vie, je dis presque, parce que j'avais quand même remarqué une certaine connexion avec les moments où je pouvais tomber amoureux par exemple. Ce fut également un grand réconfort de composer durant les tragiques semaines de mes débuts où je combattais des orchestres, tout en essayant de les faire jouer. J'étais obligé de faire face à l'hostilité des musiciens, alors même que l'harmonie démentait le chaos. Tel un catcheur après un combat, je sortais exsangue de ces affrontements sans verbe où je devais contenir ma rage, ne pas réprimander trop désagréablement ceux qui avaient entrepris une destruction savante de la répétition dont ils ne voulaient pas. Je levais ma baguette comme si j'allais frapper, et la battue finissait par très bien porter son nom quand je traquais la moindre erreur sans indulgence, sourcil levé, oubliant mes douleurs physiques qui, une fois l'anesthésie de la musique passée, me lançaient des avertissements d'extinction définitive. Bien des années après, on me rapporta les paroles de Leonard Bernstein au jeune chef Chung Myung-whun : « N'oubliez pas que ce sont les Français qui ont inventé "sabotage". »

Chaque répétition me laissait à moitié mort sur le coin de mon pupitre et je me jetais sur mes quelques feuilles couvertes d'une portée immaculée pour y noter le fracas assourdissant de ce que fabriquait mon cerveau à cet instant. Pendant des années, je ne relus jamais toutes ces musiques écrites dans des moments suaves ou tragiques. Quand ma vie était plane ou docile, les notes s'enfuyaient, et aucune musique ne venait taper à mes tempes. Si bien que parfois, j'aspirais à cette vie plus silencieuse, moins pulsée par mes rêveries amoureuses ou mes déceptions cuisantes. Pourtant, je ne savais vivre qu'ainsi : envoyé en haut de la montagne la plus abrupte, pour être précipité au fond d'un gouffre sans matériel de spéléologie. Certains êtres vivent dans l'adversité par non-choix et quand tout va bien, quand tout paraît normal, alors leur méfiance se réveille. Quelque chose d'indicible leur murmure que si leur instinct de survie n'est pas en alerte, un événement grave risque de survenir. La mort peut-être ?

Un jour, je ne serai plus de ce monde, à tenter de croire qu'il y en a un autre, mais une certaine musique aura sa place. Elle sera alors pleinement dans son époque. À quel moment précis ai-je commencé à tracer dans mon cerveau des notes qui se succédaient dans un ordre qui n'était pas le mien, une suite où la réminiscence, la part des autres compositeurs n'avait plus qu'une place minime. J'ai tout de suite éprouvé cette musique, sans comprendre qu'elle n'était pas d'ici, pas de maintenant, que son temps n'était pas arrivé. Plus tard, la redécouvrant par hasard dans mon coffre, je l'ai compris. Aujourd'hui encore, elle ne peut pas être écoutée, évaluée, jugée, peut-être même entendue comme de la musique. Est-ce que les compositeurs de musiques sérielles ou ceux du be-bop ont entendu leur proximité ? Leur séparation ? Leur temps qui en occultait un autre ? On ne peut jamais calculer avec le temps. Juste écrire et peut-être oublier de jouer, jusqu'à ce que ce soit audible. Il paraît que Darwin a tenu longtemps secrète sa découverte sur l'évolution des espèces. Et même quand il décida d'en parler, cinquante années après, il était encore trop tôt. Il est évident que la liberté d'une musique s'adosse à l'évolution d'un monde où certains humains considèrent encore que d'autres leur sont inférieurs parce qu'ils sont femmes, d'une autre couleur ou non conformes à leurs exigences. La liberté totale est inaudible dans un monde sécuritaire et soumis à la restriction de l'expansion des êtres. Le degré suprême de l'art se place dans l'égalité de tous. Peut-être ne l'ai-je compris qu'en rencontrant Jacques. Issu d'une famille de musiciens, Jacques a tout de suite été porté aux nues par ses parents. Il fut élevé dans la joie et sous leur œil bienveillant, choyé, emmené partout par ses deux sœurs, du même âge que les miennes. Jacques, je l'ai d'abord entendu derrière un paravent, ainsi que le veut la tradition de recrutement des musiciens dans la plupart des orchestres. La malice de son jeu, l'insolence des envolées de sa flûte, tout respirait la brillance, la décontraction, le travail maîtrisé d'une interprétation sans faille. J'entendais un musicien pour lequel tout semblait facile. Avant de le voir, je le supposais beau. Or j'ai rarement rencontré des traits aussi grossiers. Je suis pourtant incapable de dire qu'il était laid. Et pourtant… Quand je le vis, je fus d'abord médusé de le découvrir en fauteuil, puis je m'aperçus qu'il était tel qu'il jouait. Plein d'humour et délicieux, profondément humain et d'une lucidité redoutable. Il perçut assez vite mon malaise et nous eûmes d'immédiates et profondes discussions dans lesquelles je découvris à quel point on pouvait porter son handicap comme une plume. Provocateur, il m'affirmait souvent qu'il n'aurait pas aimé qu'une fée apparaisse pour le changer. « Sinon ce ne serait plus moi ! minaudait-il avec ce sourire ravageur qui plaisait tant aux femmes. Et toi, qui n'es qu'une longue plainte intérieure, tu as de la chance, tu as une gueule d'ange. » Il se serait très bien entendu avec Victoire ! Jacques fut le premier à me dire que j'étais beau. Devant mon air sceptique, il l'affirmait haut et fort : « Je te regarde parfois quand nous jouons, on ne sait jamais des fois que tu aurais quelque chose à nous dire ! Cet air inspiré que tu as, cette folie étrange et si séduisante, bon sang, je serais une femme, je ferais tout pour sortir avec toi le soir même ! » Pervers et insistant, je lui disais alors : « Mais tu n'as jamais eu envie de courir, toi ? – Mais je cours, mon vieux, protestait-il, tu n'as qu'à regarder mes doigts ! » Au bout de quelques années d'amitié, lors d'un déjeuner chez lui, je le vis se lever de son fauteuil pour aller chercher du sel. Son déplacement était éprouvant et il m'avoua que les seuls moments où il rééduquait son corps ne se déroulaient jamais en présence de qui que ce soit. Il n'était même pas suivi par un kiné ! « C'est un peu comme prendre sa douche, une sorte d'intimité que je n'impose à personne ! »

À Jacques, j'ai osé raconter les affres de mon enfance, mes écrits musicaux. Il partageait donc ce secret avec Émilie. Elle, ce fut un jour d'été, alors que nous marchions dans un champ de sauge et qu'elle m'expliquait que le parfum de la sauge pouvait faire revenir les morts. Je ne sais plus trop l'histoire, car j'étais emporté dans son savoir. Émilie détenait toutes sortes de connaissances, et se mettait soudain sans raison apparente à me raconter les plantes de Provence, les campanules, la chicorée, l'immortelle, et la *patience violon*, qui doit son nom à la forme échancrée de ses feuilles... Nous étions partis dans l'histoire de ces plantes et soulevé par une confiance soudaine, j'avouai à Émilie que j'écrivais. Émilie crut d'abord que je tenais un journal ou que j'avais commis quelque ouvrage de souvenirs. Puis en voyant ma mine dépitée, elle devina. J'écrivais de la musique. Mais elle ne comprit pas tout de suite ce que je tentais de lui expliquer. Ma musique ne serait jamais jouée de mon vivant. Jamais je ne l'entendrais donnée par un orchestre, jamais je ne dirigerais les musiciens qui jetteraient aux cieux les notes inscrites sur mes partitions cachées. J'écrivais des œuvres qui n'étaient pas destinées à notre époque, mais à une autre, lointaine et inconnue. Elle, n'en était pas sûre...

J'ignore si le moment viendra et j'y perçois joie et douleur différemment. Certains passages ne me touchent pas du tout et je ne fais probablement que pressentir certains autres. L'ineffable abandon, la langoureuse souffrance, une sorte d'expiation, je perçois qu'une partie de ma musique est rongée de culpabilité. Elle siffle, gémit, murmure, expire. Au début, j'avais peur qu'elle ne soit pas assez joyeuse, mais j'ai compris très vite que ça ne me regardait pas. Je ne vivrais jamais ma musique, je ne vivrais jamais d'elle non plus. Il fallait du culot et sans doute une bonne dose d'abnégation, mais par-dessus tout, une confiance absolue en elle, en sa capacité à me survivre, intemporelle et igno-rante dans ce qu'elle me demandait de discer-nement, pour continuer à composer.

« On entendait parler de lui. Je l'avais vu une fois diriger. Mon professeur de direction d'orchestre me le conseilla. Je prenais des cours de direction d'orchestre depuis presque dix ans, mais je ne savais pas ce qu'était *avoir un maître*. Lui était un chef à part. Pas facile. Un homme qui ne voulait pas enregistrer de disques car il ne croyait qu'à l'écoute de l'ins-tant. Un caractère indomptable, un profession-nel exigeant, que certains méprisaient pour ses idées originales, son interprétation très lente de certaines œuvres. C'était un homme ayant la réputation de mettre la philosophie au cœur de son interprétation. À Berlin, juste après la guerre, quand le grand maes-tro Furtwängler, soupçonné d'être proche des nazis s'exila, Sergiu Celibidache le remplaça pendant son absence. À vingt-huit ans, ce jeune Roumain exilé depuis le refus catégorique de son père, quand il avait voulu consacrer sa vie à la musique, dirigeait l'un des plus grands orchestres au monde. Autant dire que le début de cette prise de risque, quitter son foyer à Bucarest sans rien en poche pour aller étu-dier la musique à Berlin, me plaisait énormé-ment. Par la suite, il avait été désavoué par l'orchestre, soupçonné de vouloir prendre la place de Wilhelm Furtwängler, dont il était devenu l'associé à son retour, pour être finalement supplanté par Herbert von Karajan à sa mort. Sergiu Celibidache était alors parti en Italie, au Danemark, en Suède. Et depuis 1979, il était devenu le chef de l'Orchestre de Munich. À un flûtiste qui quittait le Philharmonique de Berlin pour celui de Munich, Karajan demanda : "Qu'est-ce que vous allez faire dans cet orchestre de fermiers ?" Il avait même fait effacer le nom de Sergiu Celibidache de la liste des chefs titulaires du Philharmonique de Berlin. Ces anecdotes me glaçaient. Elles disaient bien la violence, l'implacable affrontement du monde des maestros. Ils étaient des conquérants, ils luttaient pour une place, ils éliminaient les adversaires, ils régnaient sur le peuple des musiciens. Mais Sergiu Celibidache, malgré ses débuts fracassants et brisés à la tête d'un des plus grands orchestres mondiaux, avait fait ensuite une carrière exceptionnelle, amenant le Philharmonique de Munich à un niveau supérieur. C'était un *conductor* à part, le terme anglais lui allait nettement mieux. Il était connu pour son amour de la transmission. Je sentais tout de suite, quand les gens du milieu le critiquaient, cette pointe de jalousie hors de propos. Quant à ceux qui l'aimaient, la majorité d'entre eux lui vouaient une admiration sans bornes, le révéraient comme un gourou et, pour les plus jeunes, rêvaient de devenir ses élèves. J'essayais de mettre à distance ces jugements épidermiques pour me concentrer sur sa musique. C'était difficile, car il n'existait pas beaucoup d'enregistrement de lui ; son avis était extrêmement tranché à ce propos. À l'envie de se perpétrer à travers les âges, de développer une carrière parallèle dans les disques, ce que menait activement Karajan, il répondait que la musique a un caractère unique qui n'existe qu'au moment où elle se déroule. Selon lui, aucun système d'enregistrement ne pouvait rendre le caractère essentiel de ce qui s'opère entre un orchestre et son public à l'instant même où cela arrive. Je fis donc le voyage jusqu'à Munich pour l'écouter une nouvelle fois. On pouvait aller à ses concerts, mais aussi assister à ses répétitions, toujours publiques. Mais dans ce qu'on disait de lui, en bien ou en mal, je découvris que quelque chose d'essentiel avait été oublié. Sa musique ! Ce qu'il faisait de la musique était prodigieux. Le niveau où il amenait à la fois l'orchestre et notre écoute me bouleversa. J'eus l'impression de rencontrer celui qui incarnait ce que je ressentais quand je dirigeais. Il était doté d'un charme fou, une malice, un charisme. Rien qu'en entrant dans la pièce, il aurait pu changer le sens d'une œuvre dirigée par un autre, une histoire qu'on racontait déjà à propos de Wilhelm Furtwängler. Je voulus être son disciple. J'étais tombé dans le camp de ceux qui l'adulaient. Mais je ne pouvais pas le dire ainsi. J'avais une raison bien plus folle de l'avoir choisi. Nous étions de la même famille. Ce qu'il disait de la musique coulait déjà dans mes veines. Après la répétition, j'assistai à sa conférence libre et j'en ressortis euphorique. "Les critiques n'ont pas d'oreilles", disait-il. Ses détracteurs pouvaient bien sûr se gausser, dire qu'il intellectualisait la musique, mais c'était tout le contraire. Cette nuit-là, je ne dormis pas. Je fus continuellement traversé par les paroles de cet homme et par l'écho qu'elles trouvaient en moi. "Avant le commencement tu es libre, après la première levée tu n'as pas le choix, tu ne peux pas faire autrement que de suivre l'évolution de l'œuvre. Toutes les idées sur l'interprétation viennent de la bêtise et de l'ignorance…" Tremblant, parcouru de frissons, le cœur battant, j'étais tombé sur celui dont j'espérais l'enseignement parce qu'il rejoignait ce que me criait mon être depuis ma naissance : l'enchantement du monde d'âme à âme qu'était véritablement la musique pour ceux qui la créaient, et ceux qui l'interprétaient. La musique n'était pas un art comme les autres car elle n'appartenait en rien au monde physique. On se trompait quand on essayait de l'évaluer en termes de fréquences, de courbes, de vibrations. Dans son essence, elle était avant tout transcendantale. Et ce que je venais d'entendre, mis en mots par Sergiu Celibidache, était une évidence musicale, mais comme toutes les vérités essentielles, elle était combattue par ceux-là mêmes qui auraient dû la propager. "Il faut s'entendre sur ce qu'est la musique, disait-il, il y a des aspects tout à fait inconnus. Qu'est-ce que le tempo ? Il n'y a pas de réalité derrière le tempo, ce n'est pas une réalité physique. Le tempo est une condition pour que la multitude de l'enseignement que le son nous donne puisse se réduire à une unité.

Nous entendons qu'une seule chose à la fois et je ne peux pas transcender la réalité si un son échappe à cette unité que je transmets. Un microphone transforme cette unité, il l'annule, il en crée d'autres, avec des éléments qui n'ont rien à faire là. Si vous lisez un auteur comme Joyce, vous devez ralentir votre lecture pour identifier la fin et la relier au commencement. Il commence ainsi parce qu'il voulait arriver là, et cet endroit existait déjà quand il a commencé. La multitude nous oblige à prendre du temps, sinon je ne pourrais faire entendre qu'une matière physique, une somme de fréquences directes sans nuances. Mais moi, je me dois d'écouter à un autre niveau, le son astral. Les instruments que choisissent Ravel ou Bruckner pour leurs compositions se rencontrent dans cette dimension. Au moment où la musique est jouée, un monde entier est en train de naître et ce monde n'existe pas pour certains parce qu'ils sont sourds à cela. Pour faire entendre ce monde, je retravaille cette matière physique, je la ralentis, je la mets à la portée de l'oreille du public. Je prends le temps de la faire écouter."

Je découvrais donc que ce que j'entendais depuis toujours avait une origine, était la volonté d'un compositeur, avait un nom même, et si je voulais matérialiser pour d'autres cette grâce, il fallait que je dirige des orchestres en allant chercher ces sons périphériques dans une maîtrise totale de ce que je voulais offrir au public. Vertigineux ! De quoi perdre le sommeil pour une vie entière.

Désormais, plus rien d'autre ne comptait. Je voulais approcher ce maestro, solliciter son aide, intégrer son cours... J'avais beau être sûr que je ne pourrais pas avancer tant que je n'aurais pas rejoint celui dont les paroles étaient déjà inscrites en moi comme des certitudes de longue date, je ne savais pas encore comment j'allais procéder. Je crois que je dirigeais déjà avec cet instinct que me donnait sans doute ce quelque chose de plus, ce handicap qui avait développé dans mon cerveau une zone particulièrement inapte à la vie, mais totalement vouée à la musique. J'en étais sûr maintenant, tout ce que je possédais en moins s'additionnait sur l'échelle émotionnelle et me faisait percevoir les êtres et les sons qui émanaient d'eux. Ces fils qui nous reliaient tous, les arbres, les plantes, la nature et le cosmos... Tout était sonore, même la couleur. Quand je dirigeais, je n'étais pas un chef tel que le langage impropre l'affirmait, j'étais un frêle esquif emmitouflé dans des accords, à la recherche d'une soif qu'on peut étancher. J'étais le réveil brutal d'une mélancolie assoupie, j'étais l'intuition du monde, la vivacité d'une beauté sans limites, je vibrais à l'unisson d'une délicatesse douloureuse, je m'autorisais la soumission à l'harmonie qui préside à nos minuscules chaos.

Je fus finalement emmené par un camarade du Conservatoire dans la ferme où se déroulaient les cours du maestro chaque semaine. Et je compris, là, pourquoi mon professeur de direction d'orchestre m'avait conseillé de le rencontrer. L'ambiance était laborieuse, souvent il nous faisait rire, mais je sentais qu'il aurait suffi d'un rien pour déclencher sa colère. Deux ou trois fois, il me sembla capter son regard qui notait une présence nouvelle. Son œil perçant me décocha deux ou trois "Je t'ai vu" qui me firent rougir jusqu'aux oreilles. Il appela un de ses élèves, lui demanda depuis combien de temps il était dans ses cours, et lui enjoignit de diriger un extrait de Ravel. Étaient là un pianiste, quelques violonistes, une violoncelliste ; un ensemble d'une douzaine de musiciens. L'élève, sous le regard de tous les autres, commença à diriger le passage que tous avaient précédemment mimé, agitant les bras ensemble, le chantant même, sans les musiciens. Je ne le quittais pas des yeux, j'étais fasciné par son écoute et la façon dont il regardait son élève et dans mon champ de vision, je percevais la maladresse et la précipitation du jeune chef. Le maestro ne tarda pas à exploser : "Mais qu'est-ce que tu fais ? Tu diriges mal, tu ne diriges pas l'impact rythmique puisqu'il y a un changement de tempo. Tu ne vois pas qu'ils n'entendent rien ? Qu'ils ne font pas une note de musique, qu'ils n'entendent même pas le voisin ? Personne n'entend personne là !" Je découvrais dans ses reproches ce que je ne pouvais exprimer depuis que j'écoutais des orchestres, depuis que je travaillais pour devenir un chef. Oui, elle était bien à ce niveau-là, cette exigence : arriver à faire cheminer conjointement cent quarante musiciens qui s'entendent, afin d'offrir une jouissance commune. Faire passer le son, l'accompagner dans ses enlacements, donner les clés sans en avoir l'air, faire soulever des vagues de frissons, là dans les bois, puis dans les cordes, comme si un petit animal malicieux nous faisait visiter l'œuvre de l'intérieur et pour ça, il n'y avait pas de mots, tout passait dans le corps et venait d'un souffle universel, de cette tentative d'apprivoiser le temps, d'y insuffler le début de tout mouvement relié à sa fin. Et soudain, je percevais la cacophonie de cet élève, sa tentative pour récupérer maladroitement du bout de ses bras des promesses qu'il ne tenait pas. Je voyais les aspirants à l'estrade tenter de retenir les rênes d'un équipage lancé au galop, avec de grands gestes comme s'ils attrapaient au lasso des taureaux furieux qui ne voulaient pas leur obéir. C'était une sorte de gymnastique où chaque geste était connecté à une impulsion, à un ordre qui échappait à la musique, à la splendeur de l'œuvre. Je devais être très agité et manifester mon excitation à mon insu, car le maestro se tourna vers moi. "On ne se connaît pas encore, nous, peux-tu diriger cet extrait ?" L'ami qui m'avait amené voulut dire quelque chose, peut-être s'excuser de ne pas m'avoir présenté plus tôt, mais le maestro fit un geste remettant à plus tard les explications. Je me déplaçai vers le centre, hypnotisé par sa demande, et les quatre ou cinq pas que je fis comme un crabe retournant dans son trou ne durent pas lui échapper. Je saisis le regard incrédule d'une fille qui devait se demander comment on pouvait diriger quand on était aussi peu fluide pour se déplacer. Il donna le numéro de la mesure et je remerciai le ciel d'avoir réentendu l'extrait quelques minutes avant, et surtout d'avoir déjà examiné cette partition. Je me souvenais même qu'elle m'avait tenu éveillé un soir de pleine lune dans ma chambrette de Saint-Germain-des-Prés. Je levai mon bras handicapé avec cette curieuse inclinaison qui le faisait ressembler à une branche morte en hiver, et fis le pari que cet orchestre jouait parfaitement avec les données que Celibidache proférait. Avec mes trente-huit ans, j'en faisais douze de moins, j'apprenais encore à diriger et, de temps à autre, je remplaçais un chef ayant un orchestre digne de ce nom. Je ne me souviens plus de ce que je fis, mais mon cœur fut embarqué et mes bras furent son prolongement. Pour la première fois depuis toujours, je m'autorisai à ne pas impulser le double du geste qu'il fallait faire pour ce que je ressentais. Je lâchai prise parce que cet homme venait de mettre des mots sur mes perceptions. La voix de stentor du maestro s'éleva au-dessus des instruments : "Qui t'a appris à diriger comme ça ?" L'extrait du *Boléro* de Ravel que nous étions en train de travailler mourut dans sa voix et, brusquement ramené sur terre, je le regardai en tremblant. Il me sourit comme triomphant de la peur qu'il m'avait collée. Et il ajouta de sa voix de stentor : "Tu es l'inverse de ce que je vois habituellement ! Techniquement, tu ne sais pas encore diriger un orchestre, mais tu fais de la musique !" Je me risquai à en savoir plus. "Est-ce que ça veut dire que le geste est incertain ? – Pas exactement. Il est différent, comme si quelque chose de toi, très intérieur, rejoignait l'œuvre." Plus tard, il me glissa : "Si tu étais un de mes élèves, tu serais le meilleur. Et à toi, je n'ai encore rien enseigné, alors que je voue ma vie depuis si longtemps à la transmission de la musique ! L'existence a de ces cruautés ! Tu sais d'instinct ce que je me tue à leur transmettre – le reste te sera facile à acquérir. Et je finis par croire que cela ne s'apprend pas !"

C'est ainsi que je commençai à suivre les cours du maestro Celibidache. Je travaillais énormément, et parfois, la veille pour le lendemain, il fallait intégrer une symphonie de Bruckner et la savoir par cœur, sous peine de se retrouver vertement réprimandé.

Bien plus tard, j'ai aimé les moments où nous conversions, de certaines partitions, de son amour de la nature, de sa passion pour la réincarnation qui était son chemin jusqu'au bouddhisme zen. Il me raconta cette blessure de jeune chef, quand il se mit à dos l'Orchestre de Berlin en leur imposant de très longues répétitions, avant qu'il ne sache dompter ce caractère impulsif, intransigeant dont il ne lui restait que la fièvre légitime pour combattre paresse et médiocrité chez ses élèves. Parfois, dans un moment de mélancolie, il essayait de me dire quelque chose à propos de ce qu'il n'avait pas réussi à faire ; quelque chose sur la vie, sur cette attention aux autres dont il était pétri, mais qu'il n'avait jamais réussi à prodiguer à ceux qui lui étaient proches. Tout comme moi, il était parti de chez lui, en désaccord avec ce père qu'il n'avait jamais revu par la suite. Mon père venait de mourir, et moi non plus je ne l'avais pas revu. Nous avions donc des choses à partager sur la résistance à la famille, sur les manques et les abandons irréversibles.

Au début, il s'était étonné de mon âge ; il pensait que j'étais trop vieux et que c'était foutu pour une carrière, puis il s'était ravisé. Avec mon handicap, j'étais un cas à part. Il en parlait naturellement, l'intégrait dans mon avenir, disait qu'un chef de mon niveau devait vite brûler les étapes, afin d'être là où était sa place. Il savait que je n'entendais pas là une flagornerie inutile. Son jugement avait la même valeur qu'une note juste, l'absence d'interprétation, l'ignorance créatrice, l'inspiration et la spontanéité, comme une façon de se mettre au service d'un compositeur. Son exigence me faisait du bien car elle ne reposait pas sur une imposture, elle émanait de ce qu'il savait de la musique et de sa générosité pour le transmettre. Cette générosité était d'ailleurs légendaire, mais certainement pas usurpée. Impressionné par ma minceur, il me demandait parfois : "Tu manges ? Tu manges à ta faim, au moins ?" Il n'était pas rare que je reparte avec une salade de fruits ou une soupe, préparées par sa femme. Ses attentions de père m'étaient presque douloureuses. Quand nous le suivions en Allemagne pour un concert, il lui arrivait de glisser discrètement un billet à l'un ou à l'autre, de payer un voyage en train, car il comprenait qu'aucun d'entre nous ne roulait sur l'or et que nous le suivions par passion pour sa musique.

Lui qui ne cessait d'enseigner n'avait pas de leçons à donner. Avec le recul, je crois qu'il changea complètement ma façon de percevoir la direction d'orchestre. Cet homme libéra en moi une fibre poétique dont j'empêchais l'expression, par peur d'être jugé. Le Conservatoire m'ayant à la fois ouvert ses portes et fermé celles de la musique, avec lui, je retrouvais ma vocation avec l'élan d'un amoureux. Les conditions d'apprentissage, l'intimidation, la violence de ce que représentait l'orchestre face à moi m'avaient quelque peu inhibé. Ma rencontre avec Sergiu me permit d'aller chercher ce que je n'osais exprimer, et je m'aperçus très vite que cette liberté de me laisser aller à ce que je percevais guidait l'orchestre tout autant, sinon plus fermement que mes gestes. J'employais désormais des images et du plus profond de la terre, je survolais un lac au lieu de diminuer l'archet ou d'augmenter l'intensité d'une mesure. Les mots qui accompagnaient ma direction formaient des sortes de poèmes et je me surpris durant une répétition de la *Valse* de Ravel à dire un jour : "Non, je ne dois pas savoir tout de suite s'il va réussir à l'embrasser, il l'enlace, il l'emporte, mais ce baiser est en suspens…" Et c'est ainsi qu'ils le jouèrent avec cet emportement et cette retenue, bien que rien d'autre ne fût dit sur les moyens d'arriver à cette émotion. Moi-même, je calai mes gestes à cette image du baiser qui ne viendrait peut-être pas et qui désormais était devenu comme une gestique codée d'une histoire que nous nous étions racontée en répétition, mais que le public pouvait percevoir, je n'en doutais pas. Parfois, je reprenais un langage plus technique et moins imagé. Je me laissais guider par mon instinct. Il suffisait que je contienne en moi ces images et que je prolonge cette sensation dans ce que je leur racontais. Puis avec le temps, je n'eus plus de mots et je fis passer cela dans le regard, dans la douceur du geste, dans l'abandon d'une angoisse que je ne sentais plus sourdre de mon passé de musicien issu tardivement du sérail du Conservatoire... »

14 août 2015

Je me suis arrêté de parler parce que le jour disparaissait pendant que nous étions dans ce petit salon où j'entretenais Léa de ma relation avec Sergiu Celibidache. Tout en revisitant cette magnifique rencontre qui déroulait un chapelet de moments privilégiés, toutes les heures passées avec ce maître tant aimé, je me demandais soudain comment j'avais pu basculer dans ce qui advint ensuite de mon existence dès que le succès s'en empara. La simplicité, les heures bucoliques, l'absence d'intérêt pour la grande vie, la vision détachée de l'argent et des biens matériels de ce grand maître avaient tout simplement été engloutis dans le tourbillon de ma vie de maestro adulé. Le mètre carré de mon estrade où j'étais connecté à la musique, à son insondable grandeur, à la tendresse extrême de ce qu'elle procurait aux êtres, à la pudeur de son exercice, disparaissait purement et simplement quand je descendais de cette petite marche, et soixante centimètres plus bas, je me noyais au sommet de ma gloire, j'écrasais mon handicap d'un talon rageur et avec lui tous ceux qui n'avaient pas cru en moi. Je dus avoir l'air si sombre en revoyant cette partie de ma vie où je fus une sorte de Dr Hyde et M. Jekyll que Léa s'inquiéta de mon état physique : « Vous allez bien, voulez-vous que je vous prépare quelque chose à boire, un thé ou quelque chose à manger ? » Je me repris en prétextant du courrier à terminer et je m'empressai de la raccompagner gentiment mais sans équivoque vers la porte d'entrée. Comme à son habitude, elle prononça avec insistance son salut de fin de semaine : « À lundi, maestro. » Elle devait avoir peur que je ne la lâche, qu'un jour elle trouve porte close et que je décide d'arrêter cette visite guidée de ma carrière, un brin nécrologique.

Chère Eva,

Tandis que je racontais à ma documentariste attitrée comment Sergiu Celibidache nous reprochait de nous refuser à l'homogénéité du geste, ce qui, me concernant, contenait, tu t'en doutes, un double sens que le maestro ne voulait certainement pas y mettre, je repensais à ces années passées à ses côtés. Je me demandais comment j'étais tombé dans le piège si grossier et classique de l'odieux chef égotique que je suis devenu un peu avant que ta mère ne me quitte.

J'imagine que ta mère t'a un jour raconté comment nous en sommes venus à nous écrire ? Oui ? Non ? Tu étais grande et peut-être as-tu suivi cela en direct ? Ne m'en veux pas, je commence à radoter. Sur le quotidien et parfois la chronologie de ma vie, mais pas d'inquiétude, je n'oublie jamais une partition, même les plus anciennes.

Peut-être ne t'en avais-je jamais parlé, mais je la vis jouer avant qu'elle ne sache qui j'étais. En la questionnant à travers notre correspondance assidue, j'avais fini par recouper les informations et par trouver sur un programme culturel de la ville de Berlin qui était cette Émilie que m'avait proposée un cabinet matrimonial. (À ce stade de notre correspondance, nous n'avions toujours pas le nom de famille de notre candidate à l'amour !) Quand je me rendis à son concert, sans lui en parler, mon cœur frappait si fort dans ma poitrine que j'eus l'impression d'introduire un tambour dans le public. Je ne la quittai pas des yeux pendant toute sa performance. Son jeu était d'une rigueur sacerdotale que contredisaient ses yeux clos et sa bouche tendue vers un improbable baiser. Elle frémissait d'un manque insondable. L'envoûtement d'un coup d'archet semblait la porter vers une jubilation empreinte de souffrance qui s'évanouissait dans le silence d'un soupir. Ce qui était confus devenait limpide, comme si son interprétation menait l'œuvre vers un territoire inconnu, que son compositeur lui-même n'avait jamais exploré *ni même soupçonné. Le charme qui émanait de sa personne jouant à cet instant un morceau entendu mille fois, mais que je ne reconnaissais plus, acheva de me terrasser. Elle incarna immédiatement ce que suggéraient ses lettres et cette soirée transforma mes espoirs déjà si minimes en un sanglot qui resta en moi jusqu'au lendemain. Je devais la rencontrer un mois après, mais ma peur devint à cette occasion très concrète. Comment plaire à cette femme-là ? Dans les jours qui suivirent, j'essayai plusieurs fois de lui écrire la vérité, cette simple vérité : que je l'avais vue et que j'en étais encore ébloui, mais rien ne me venait et je fis pour la première fois ce que je ne serais jamais plus capable de faire. La seule réponse à cette écoute, je la cherchai dans les malles de mes partitions personnelles. Je pris une œuvre courte que j'examinai longtemps avant de la glisser avec ce mot d'accompagnement dans une grande enveloppe blanche : « Une petite pièce composée par un ancêtre à moi. J'espère qu'elle vous plaira. » Quand je sortis pour la poster, il avait plu et le soleil brillait sur l'asphalte mouillé. Mon enveloppe resplendissait et j'entendais la musique écrite sur ma partition en la glissant dans la boîte, une partition que j'espérais désormais jouée par le violoncelle de cette Émilie à laquelle j'écrivais depuis huit mois, sans jamais lui avoir dit que j'étais chef d'orchestre, que je faisais de la musique et à plus forte raison qu'à mes heures perdues, je composais. Pendant plusieurs jours, je tâchai de revivre ce vibrato inconnu que je ressentis en la voyant pour la première fois, nimbée de lumière, ses jambes serrant le* bois de son instrument, concentrée mais assez rêveuse pour que je puisse l'imaginer en nuisette, calée dans son lit blanc, mâchonnant un stylo pour réfléchir à ce qu'elle allait bien pouvoir me répondre. Elle était musicienne. Je lui avais seulement raconté que je vendais des disques dans un magasin, que j'adorais la musique classique, le jazz. Pourquoi lui avoir uniquement parlé de ces petits boulots alimentaires ? Je ne voulais pas qu'elle sache. Mon nom était connu dans le monde de la musique classique maintenant. Tout était encore fragile mais en France pas mal de musiciens me connaissaient. Avec le recul, je n'en suis plus si sûr, mais c'était ce que je croyais à l'époque et je craignais qu'Émilie ne sache qui j'étais. D'ailleurs la suite me prouva que je n'avais pas tort. Ta mère connaissait la plupart des interprètes de sa génération, les maîtres de l'époque précédente et un nombre impressionnant de chefs d'orchestre qu'elle allait voir sur scène, n'hésitant pas à se rendre jusqu'à Berlin, Londres ou Rome pour assister à un concert qui l'intéressait. Naturellement, nous ne venions pas du même milieu social et ses ressources financières étaient bien supérieures aux miennes, comme tu le sais. Pour aller voir Celibidache à Stuttgart, il me fallut travailler comme veilleur de nuit, en plus de mon boulot habituel, mais cet épisode figurait dans mes lettres à ta mère, comme si pour moi aussi, c'était un simple événement. Ce voyage datait de dix ans, époque à laquelle j'ai commencé à prendre des cours avec le maestro. Depuis, je l'assistais, le remplaçais parfois et il m'avait adoubé auprès d'orchestres de renommée internationale. Émilie disait avoir trente-huit ans, moi presque cinquante et je ne voyais pas bien comment je pouvais passer d'une tendre correspondance où nous flirtions gentiment à une rencontre révélant l'homme que j'étais. Je ne lui avais pas menti sur mon âge. Mes précédents succès ne pouvaient que m'insécuriser sur la réalité d'une relation authentique entre un maestro et une mélomane éperdue, si facilement cueillie au sortir d'un concert. Mais voilà que la première à laquelle j'écrivais ressemblait à la femme que je n'avais jamais osé imaginer. Celle que je croyais toujours destinée aux autres. En tout cas, elle ne fit aucun commentaire sur la musique envoyée et même quand nous nous rencontrâmes, elle ne voulut pas m'en parler. Elle la joua sur scène, à l'improviste, des années plus tard.

Passe me voir si tu veux. Le jardin est magnifique ; on se croirait au début du printemps. Je ne sais plus le nom de ces fleurs qui viennent tard dans la saison. Grégoire fait des merveilles comme s'il avait compris que seule la nature arrive à m'apaiser, à m'intéresser, à me donner des sensations de vie, de couleurs, de chaleur et de parfums. Oui, je sais, il y a la musique. Je l'entends, mais je n'en écoute pas. Si tu viens, j'aurais plaisir à t'écouter toi, simplement au piano, pour ce petit moment que nous passerons ensemble. J'aurais dû t'écrire cette lettre bien plus tôt mais je n'en avais pas le cran... Je préférais, mais ce n'est pas le bon mot, disons que c'était plus simple de taire le plus difficile. Sans être vraiment ma fille, tu me ressembles trop pour ne pas me comprendre. Tu le sais, depuis que *j'ai parcouru tous ces lieux de souffrance, je me suis juré de ne jamais me plaindre. Notre vie est tellement plus douce qu'ailleurs. La perte de ta mère est cependant une déflagration émotionnelle dont le niveau sonore m'a déchiré le tympan. Je suis un homme qui erre, sans amour et sans oreilles. Voir m'apaise. Alors je pose mon regard sur le vert du jardin avant qu'il ne soit rouge et or, et je tente de me soulager avec des questions que personne ne peut résoudre. Mon problème du jour fut : « Qu'est-ce qu'il y a dans la perception de l'équilibre d'un* do *majeur ? Rien. » Et ce vide me repose, me donne de l'espoir même. Je ne voudrais pas découvrir que l'absence, la perte brutale, la mort peuvent avoir un sens qui échappe à la musique et donc à l'essence même de notre être libre. Ce qu'on ne peut expliquer reste le plus rassurant. Je me contente donc de l'éprouver, sans y mettre aucune pensée qui vienne parasiter ce temps qui s'écoule et peut-être me répare. T'écrire a couché sur cette lettre quelques-unes de mes pensées secrètes. Je t'espère en joie et en forme. Embrasse l'homme qui t'accompagne et viens me voir bientôt.*

Ton plus que vieux père.

Nous prîmes la mer un soir de concert, nous avancions dans la brume comme si quelque danger nous guettait au détour d'un rocher. Puis ce fut le plein océan. À perte de vue je ne voyais que le contour de leurs mains, un rivage de futurs noyés. Quelque chose sombrait alors même que nous voguions en toute tranquillité. Je finissais par oublier l'inquiétude contenue dans toute envolée, dans tout sillage abandonnant son écume au fil de l'eau. Des tourbillons se formaient çà et là, préparant la venue de cet imprévu dont je ne pouvais être dupe puisque je l'orchestrais. Mais j'étais emporté dans ce que déclenchaient mes gestes, inexorablement. Le silence dévoilait un nouveau scintillement, le reflet pâle d'un rêve, l'ombre d'un raffut assourdi par l'insouciance d'un chant de flûte. De temps à autre, de gigantesques roulements laissaient présager l'extravagante volonté d'un compositeur mort depuis, mais qui avait laissé en héritage le chaos harmonique de son désarroi terrestre. Des averses occasionnelles de croches changeaient l'ambiance. Sur le charnier des cordes, les bois montaient à l'assaut et déchiquetaient des colonnes entières avant que le mur infranchissable des cuivres ne s'élève et déborde l'horizon. Pas un ne pouvait s'échapper de ce vertigineux voyage qui s'accélérait, mêlait le rythme fou des éléments naturels. La tempête faisait rage. Elle gagnait du terrain avec le grand vent. Chaque navire, mâture en flammes, se reflétait sur l'eau noire, tentant de fuir l'implacable main du destin. Pas de doute, nous étions dans une bataille dirigée par un fou dont le gouvernail endommagé ne voulait plus obéir. La salle, happée par l'abîme d'une irréversible fin, glissait lentement vers nous. Puis le ciel redevint lumineux pour reprendre son souffle et dans le premier silence qui suivit, on eut la sensation de s'être retenu depuis une éternité. Toute la tension disparut ; il n'y avait plus rien à entendre.

J'écoutai distraitement les applaudissements, incongrus et déplacés dans un monde dont nous ne connaissions plus l'origine. Ils ne s'adressaient pas à nous, mais à cette alchimie créée par l'orchestre, parce que chacun d'entre eux avait pris part à cette bataille navale comme un engagé volontaire, déroulant la plus élémentaire des libertés, celle de l'âme.

Ce soir-là, j'enveloppai mon corps exsangue d'un drap blanc et quand je fus allongé dans cette luxueuse chambre et que la lumière qui éclairait le lit ne fut plus qu'un frêle rayon de lune, je sentis frissonner en moi la caresse des violons, l'emportement subtil de ce que suggère la musique à notre cœur quand elle lui rend son innocence, et je me mis à pleurer doucement dans le noir.

18 septembre 2015

Aujourd'hui, Léa m'a demandé comment j'ai rencontré Émilie. Je pensais que je ne pourrais pas lui raconter, mais cette partie heureuse de ma vie est revenue à la surface comme une onde bienveillante, sans tristesse, sans nostalgie excessive. On a tort de penser que le bonheur vécu avec les disparus peut, dans l'évocation du souvenir, générer du désespoir. Tout au contraire, je me sentais joyeux d'avoir vécu cette incroyable histoire.

Depuis pas mal de temps, je réfléchissais à ce paradoxe entre ma vie amoureuse de maestro et la précédente. Il était clair que j'étais passé de l'état de cloporte quémandant un baiser, une nuit, voire plus si affinités, car ce n'était pas à moi de choisir, à l'expression sublime d'un intérêt croissant, conséquence directe de mon ascension sociale. Perché sur mon estrade et dirigeant des orchestres de plus en plus prestigieux, voilà qu'on me créditait d'une possibilité d'orchestrer une nuit amoureuse avec autant de dextérité. J'avais donc connu cette époque où je me contentais de ce que l'autre voulait bien m'accorder, tant il était rare qu'une femme se dirige vers moi spontanément pour expérimenter mon corps si peu glamour et peu fait pour des ébats intimes. Même en rivalisant d'humour et de bienveillance, je déclenchais bien plus la fibre soignante des femmes que leurs pulsions érotiques. Tandis que soudain, il m'avait suffi de monter une marche, de tourner le dos et de m'en sortir plutôt bien avec cent quarante musiciens pour avoir le droit de désirer moi aussi, de choisir, et même de refuser les nombreuses propositions de femmes qui s'offraient au maestro et ne regardaient apparemment plus les tares dont il était affligé, tant elles espéraient qu'il leur accorderait un regard et peut-être une nuit. Pour tout dire, c'était grisant. C'était comme si subitement, j'étais devenu normal. Le danger, c'était évidemment de le croire, mais bien entendu je ne pouvais passer à côté d'une aussi splendide revanche sur la vie. Avec le recul, tournant ce problème dans tous les sens, je ne vois pas comment j'aurais pu éviter de tomber dans ce panneau merveilleux. Dans mes rêves les plus fous, je n'avais jamais espéré cueillir les femmes comme des fleurs, les embrasser sans aller plus loin, sans leur donner aucune explication et sans même prendre une baffe ; décider d'étendre l'une à vingt et une heures sur le bord du canapé de ma loge pour dîner avec une autre vers vingt-deux heures, puis finalement dormir avec une troisième qui me servirait de compagne douce et comestible au petit-déjeuner. Je papillonnais ! J'étais devenu une sorte de dandy au comportement volatil, mais bien sûr je n'en avais ni l'aspect, ni la démarche, ni même l'intérieur. Je jouais à être un autre parce que mon statut m'accordait cette possibilité et qu'à mon âge et dans mon état, c'était inespéré. Pour l'heure, je n'en retirais que la satisfaction. Néanmoins, on ne peut gommer ce que l'on est depuis des années, et parfois mes complexes et mon passé de cloporte me jouaient des tours. Je me précipitais tête baissée dans les pièges tendus par les plus malignes de mes belles. Et j'y aurais vite retrouvé mon statut de ver de terre amoureux d'une étoile si une puissante impulsion de liberté ne m'avait immédiatement précipité vers une autre belle qui passait à ma portée et, comme la précédente, me témoignait une admiration sans bornes. J'évitais de trop penser à ce que générait en moi cette situation de toute-puissance amoureuse, car je n'étais pas devenu assez naïf pour croire qu'elle fût éternelle, et surtout que je ne m'en lasserais pas. Comme me l'avait dit l'une d'entre elles, plus lucide que les autres en me citant Louise de Vilmorin : « Je vous enlace, vous vous en lasserez ! » Je retins la formule qui s'appliquait bien à toutes ces amours éphémères. J'essayais au maximum d'éviter les relations avec les musiciennes de mes orchestres, mais parfois je ne pouvais ignorer la courbe d'un sein, une nuque gracile, un port de tête, le coup d'archet du destin. Un visage emporté par la musique était plus sûrement qu'une paire de fesses un argument irrésistible auquel je me laissais prendre. Je les appelais mes papillons, ces belles filles que je prenais dans mes filets. Mon amour n'était guère plus long que le temps de vie de ces coléoptères. J'étais aussi léger en amour que profond dans ma conception de la musique. Autour de moi, l'indulgence de mes proches ou de mes musiciens n'arrangeait rien. Même un type qui se faisait piquer sa femme par un handicapé n'était pas inquiet. Tout au plus un peu vexé. En tout cas, c'était ce que j'imaginais à l'époque. J'en étais donc là quand une brusque lassitude de rencontres multiples et de dévotions outrancières me fila la nausée. Je réalisai un soir que je ne possédais aucune famille, et, pire encore, que je n'avais probablement jamais eu une histoire d'amour telle que je l'entendais dans les œuvres que je dirigeais. Mon expérience de l'amour était dans la musique. Je donnais énormément, je recevais tout autant, mais mon corps amoureux était absent de ce partage. À cinquante ans, je ne caressais que l'espoir de l'amour, et dans mon lit, quand nous y étions deux ou plus, je demeurais seul.

Au cours d'une conversation anodine avec un musicien, j'appris qu'il avait rencontré sa femme par le biais d'un organisme très spécial en Allemagne. Pas vraiment une agence matrimoniale mais plutôt un cabinet de mise en relation comme seuls les Allemands pouvaient le concevoir. La performance, la précision et l'organisation mises à la disposition d'un désir d'amour et de romance à long terme. Il s'agissait de remplir un très long questionnaire, je crois qu'il contenait près de trois cents questions assorties de précisions sur nos goûts, nos conceptions de la vie, de l'amour et du bonheur. Méthode qui permettrait peut-être de passer outre l'aspect physique ou l'aura du maestro. Je décidai de mentir sur ces deux points. Je me rendais bien compte qu'en faisant cela je ne jouais pas le jeu, mais comme sur tout le reste j'étais parfaitement sincère... Je marquai donc *non* à la question : « Avez-vous un handicap ? » Et *non* encore à la question : « Êtes-vous connu dans votre domaine professionnel ? » Et je sautai allègrement : « Êtes-vous célèbre ? Au-delà de votre domaine ? » Je me fis vendeur de disques et cinquantenaire attirant... Ce qui pouvait être éventuellement le cas quand je ne parlais pas en tordant ma bouche. Je ne pouvais malheureusement pas joindre une photo à mes lettres, ce qui pour quelqu'un qui n'était soi-disant pas connu était suspect. Le cabinet « matrimonial » conseillait d'éviter l'envoi trop prématuré des photos qui éclipsaient, selon eux, la rencontre épistolaire. Évidemment, ça m'arrangeait. Mes images de maestro de l'époque me faisaient ressembler à un acteur hollywoodien des années cinquante. Elles furent le premier étonnement de ma vie professionnelle publique. Être photographié par un vrai photographe de star permettait donc d'être soi en mieux ! Mais comme chacun le sait, être un jeune premier va de pair avec « se sentir un jeune premier » et adopter l'attitude qui convient à cette certitude. Quand je les regarde aujourd'hui, ces photos, j'y vois un jeune innocent qui pose pour la première fois et ne sait pas du tout qu'il a une once de beauté que pourrait capter l'objectif.

Considérant que je mentais deux fois sur l'essentiel de ma vie, il me fallait être plus précis qu'honnête, et concentré sur l'exactitude des seuls propos qui étaient vrais. Je n'étais pas tout à fait conscient que ces deux énormes impasses conditionneraient aussi des dégâts collatéraux dans d'autres questions. À celle par exemple de la pratique des sports, je répondis que j'adorais nager, mais le temps infini que je passais dans une piscine à gagner péniblement l'autre bout n'avait rien d'athlétique. Or nager tous les deux jours, on me demandait la fréquence dans ce sport, devait signifier que j'étais doté d'un corps d'Apollon et de pectoraux à la hauteur ! Je fus étonné du nombre de questions qui tentaient de circonscrire l'image qu'on peut avoir de soi et ce que les autres en disent. La question sur la relation aux parents me gêna beaucoup. Cependant, je ne me défilai pas. Sans bien sûr en révéler la raison, je dévoilai que je m'étais enfui à ma majorité pour voler de mes propres ailes et je ne cachai pas mon obstination à fréquenter le Conservatoire. Je ne détaillai pas trop les noms de mes professeurs car ici ou là, il traînait quelques articles sur ma vie. En revanche, je fus parfaitement honnête sur mes récents succès amoureux, décrivant avec application que ma vie de relations en relations sans suite me déplaisait fortement, et que malgré l'euphorie de plaire dans un premier temps et d'être vu comme un séducteur, il me manquait l'amour. Quand je portai ma lettre, je me sentis comme un prince charmant, empreint de la certitude qu'une princesse qui m'était destinée existait quelque part et que ma lettre allait lui parvenir. Les dix jours de silence qui suivirent atténuèrent un peu cette perspective. Je commençai à angoisser dès le quinzième jour. Mon profil n'allait pas trouver preneuse et je serais condamné à être un maestro adulé bien plus qu'un homme aimé ! Mais trois semaines après mon envoi, je reçus une courte liste de six jeunes femmes correspondant à mes aspirations et désirs et pour qui, selon les critères établis, je devais probablement représenter un homme idéal. Étrangement, tenir en main ces feuillets de femmes possibles eut un impact négatif sur mes sentiments. J'avais tant fantasmé ce que j'allais avoir à portée de désir que ces papiers où s'étalait la correspondance parfaite entre ces femmes et moi me rendirent triste. Tout d'abord je fus surpris, et pour tout dire déçu, que plusieurs femmes correspondent à mes souhaits. Peut-être avais-je secrètement pensé sans en avoir conscience que seule une femme pourrait être la bonne. J'aurais pourtant dû me réjouir d'avoir plusieurs prétendantes qu'il me serait agréable de rencontrer, sachant qu'une partie du boulot était déjà fait et qu'elles connaissaient déjà beaucoup de choses sur mon caractère. Je n'avais pas lésiné sur mes défauts, mes côtés colériques, mon désir de perfection, mon sens de l'indépendance, mes brusques poussées de mélancolie. J'en oubliais presque que mon manque de sincérité et ma peur me léguaient à présent la plus grosse partie à assumer, celle d'en venir à mon handicap. Mais avant cela, je pouvais maintenant découvrir les réponses des jeunes femmes à ces questions auxquelles j'avais moi-même répondu, car le questionnaire était le même. Une petite note m'informait qu'elles disposaient également de mon profil auquel s'ajoutaient cinq autres hommes et que peut-être je recevrais une ou plusieurs lettres. Je pouvais écrire moi aussi à une ou plusieurs femmes et si le début de cette mise en relation encourageait à une certaine polygamie, la suite de l'histoire nous apparte-nait. Il était clairement dit que si nos contacts nous menaient à une impasse, nous pouvions revenir vers l'agence pour que d'autres contacts nous soient envoyés.

J'allais donc devoir dire la vérité à des femmes qui pensaient que je tenais le mensonge en hor-reur. C'était quand même noir sur blanc dans mes réponses, tout en essayant de le nuancer avec des circonstances atténuantes. Peut-être que je commençais à me rendre compte de l'erreur faite en mentant sur l'essentiel, et ce qui m'attendait maintenant pour redevenir sin-cère. Quoi qu'il en soit, après avoir feuilleté les quelques profils reçus, je glissai l'ensemble dans un tiroir. Dans un premier temps, le cour-rier passait par le *cabinet matrimonial*. Ainsi, pas de tentation de débarquement à l'impro-viste, une relation épistolaire pouvait s'installer. L'idée de protéger chacun, en laissant le désir fragile d'une âme sœur courir dans les mots, me paraissait follement romanesque, un peu surannée, mais ça me plaisait. Je ne passai pas à l'acte pour autant. J'aurais même complètement oublié cette démarche pour rencontrer une femme si, un matin, je n'avais reçu cette jolie lettre qui me poussa à la respirer, tant l'écriture délicate semblait vouloir quitter la feuille pour s'envoler. Un parfum de vanille me fit sourire. Sur un papier à lettre bleu pâle, les mots réguliers d'une petite écriture bleue racontaient combien mes réponses étaient touchantes et intrigantes parfois. Elle y pressentait des aspirations et même des blessures qui n'étaient pas racontées mais qui, elle en était sûre, étaient la preuve de ma pudeur dans l'omission. Son père était allemand, sa mère française. Après avoir vécu une partie de sa vie à Francfort où elle était née, elle était venue à Paris vers l'âge de vingt ans. Elle était violoncelliste et jouait principalement dans des orchestres, mais elle officiait également dans un quatuor qui visitait d'autres genres de musique, car elle estimait que le monde du classique était trop sérieux, trop ampoulé, et qu'il définissait avec trop d'autorité ce qui était de la musique et ce qui n'en était pas. Elle finissait sa lettre par cette information sur les cinq autres candidats, mais était-ce le bon mot – elle en plaisantait – dont les profils ne l'avaient pas convaincue. J'étais donc le seul auquel elle écrivait. Deux lettres lui étaient parvenues sans qu'elle éprouve l'envie de poursuivre une correspondance. Elle déclarait d'avance qu'elle ne m'en voudrait pas de ne pas lui répondre, puisqu'elle imaginait que moi aussi, je disposais de plusieurs femmes dans mon dossier et que la réciprocité était suffisamment mystérieuse pour qu'on acceptât qu'elle puisse ne pas exister. Elle ressemblait à son écriture et je répondis immédiatement. Je lui avouai que je n'avais écrit à personne et que je ne l'aurais pas fait si sa lettre n'était pas arrivée. Au début de nos échanges, ce que je redoutais un peu n'arriva pas. Elle ne proposa pas de rencontre. Chaque fois que je recevais son courrier, mon cœur battait, mais tandis que je parcourais sa lettre en espérant qu'elle ne soit pas la première à me proposer un rendez-vous, je m'inquiétais ; peut-être attendait-elle que ce fût moi. Je sus plus tard qu'elle n'attendait rien du tout. Elle se régalait de mes lettres et elle savait que nous serions à un moment inéluctable dans l'obligation de nous découvrir vraiment. Certes, elle avait moins de raisons que moi d'avoir peur. Elle me raconta plus tard que sa peur à elle était dans l'éventualité de ne pas me plaire. Que je sois repoussant ne lui avait pas effleuré l'esprit ! Ce fut seulement quand elle fut assise au premier rang, attendant ce concert de Mozart donné par le Philharmonique de Munich, et voyant l'heure du début du concert se rapprocher et la place à côté de la sienne toujours vide, qu'elle envisagea une laideur possible qui m'aurait finalement empêché de la rejoindre pour ce concert de rencontre que je lui offrais. Elle fut la première à m'en parler, de ce chef d'orchestre d'origine espagnole qu'elle adorait. Elle me vanta sa sensibilité, son émotion, sa perception si fine dans la direction de chaque instrumentiste. Elle m'écrivit même que ce bras gauche hémiplégique donnait à sa gestique *une personnalité de branche d'arbre.* (Elle aussi y avait pensé.) Et comme je me vis dans l'obligation de mettre un bémol à son enthousiasme, elle me répondit mi-figue mi-raisin qu'un chef d'orchestre allait peut-être être notre premier sujet de discorde. (Elle ne croyait pas si bien dire.) Je lui citai d'autres grands *conductors* que j'admirais, mais dans la missive suivante, elle m'expliqua qu'ayant joué sous sa direction à Paris, là-dessus elle détenait l'avantage pour le juger. Après tout, je n'étais qu'un mélomane qui avait fréquenté une classe de clavecin du Conservatoire en dilettante ! Mais elle, c'était son chouchou, son préféré ; pour elle, aucun maestro ne surpassait Luis Nilta-Bergo ! Et c'est là qu'elle me proposa d'aller avec elle à son prochain concert qui aurait lieu à Munich. Pendant le mois qui précédait, elle jouait chaque soir à Berlin, mais elle projetait d'aller l'écouter et m'invitait à revoir en direct mon jugement. Je ne pouvais rien répondre à cette assommante nouvelle : lutter contre moi-même était au-dessus de mes forces. Je souris bêtement en me souvenant de cet appel à cet organisme de rencontre pour échapper à la malédiction d'une idylle avec une fan ! Mais soudain je fus pris de panique en me souvenant de ce qu'elle écrivait. Elle avait joué sous ma direction. Je fouillai immédiatement dans mes affaires pour retrouver le programme de ce concert parisien et tenter d'y dénicher la photo des violoncellistes. Mais elle n'appartenait pas à cet orchestre parisien. La seule violoncelliste était trop âgée pour être Émilie.

C'était très probablement un remplacement. Je restai donc sur ma faim.

Le jour suivant, je récupérai rapidement deux places pour le concert et lui en envoyai une avant de me décider à consulter les programmes pour savoir quel était ce quatuor qui se produisait pendant un mois à Berlin. Après quelques appels téléphoniques, je découvris assez facilement une Émilie en quatuor. Comme je devais me trouver à Munich dix jours avant afin d'assurer les répétitions de notre concert, je décidai de me rendre d'abord à Berlin, pour l'écouter elle. Voilà, je commençais à me conduire comme un homme amoureux et ma joie en était intense.

Quant à mon concert, auquel nous devions *assister ensemble*, j'hésitais encore sur la conduite à suivre. Devais-je lui révéler qui j'étais par lettre juste avant le concert, ou la laisser croire que je n'étais pas venu et dans ce cas, lui offrir le meilleur de ma musique pour la consoler ? Cette solution cruelle ne me convenait pas. De toute façon je ne pouvais m'empêcher de penser que le *Requiem* pour une rencontre était de très mauvais augure, fût-il de Mozart !

Après avoir longuement hésité, ce soir-là, je lui fis porter une lettre pour lui dire que j'étais dans la salle, et que je la rejoindrais à la fin du concert. Et cette fois je ne mentais pas !

Les sons suintent, les bois dégoulinent, les cuivres s'ébrouent, alors les cordes déploient leurs ailes à la surface de sa peau et les frissons s'enchaînent, soulevant un à un tous les pores. Le pincement part de la base de sa nuque et descend jusqu'en bas de son dos. Des muscles se réveillent, qui n'avaient jamais existé. Il sourit en pensant qu'après le concert, il ne boitera plus comme un canard, son déhanchement hémiplégique aura disparu. Il évoluera dans une normalité réveillée par les roulements des timbales et les puissantes harmonies qui jaillissent d'un lieu, inconnu aux répétitions, mais dont la béance vient de se créer quelque part entre lui, les spectateurs et l'orchestre. C'est là qu'il se précipite, sans ses oreilles dont il n'a plus besoin car l'écoute n'est plus de ce monde intérieur. C'est autre chose qui s'entend. À l'intersection de cette perfection et de ses émotions, il étouffe un sanglot. Puis l'oreille aux aguets, laissant retomber le bras vengeur, Luis ne dirige plus, il guette le bruissement sauvage du final et tandis que tout suffoque, les voix s'élèvent une dernière fois pour saluer l'arrivée triomphale au bord du monde, là où se tient la vie après la mort. C'est un doux retour à l'immatériel, à l'intemporel. Ce n'est qu'à la fin de ce voyage, car il ne s'agit plus d'une œuvre ou d'un morceau, que Luis se demande si les autres ont été pris comme lui dans la mélopée ondulatoire qui vient de le rejeter sur la plage, comme une vague abandonne un objet en se retirant avec la marée. Un long silence, trop long, semble pétrifier la salle. Face à lui, les musiciens semblent incertains, l'archet en l'air, le regard hagard. Puis la première salve d'applaudissements leur déchire les oreilles comme un assassinat programmé. Elle a failli ne pas avoir lieu, tant fut grande la stupeur magistrale de l'achèvement qu'a engendré ce dernier mouvement. Les clameurs incongrues du public en délire s'élèvent derrière lui. On se croirait dans un concert de rock, à la dernière représentation d'un chanteur à la mode. Luis se retourne, sourit, salue, lève son bras gauche. Pour la première fois, il a eu le sentiment de le faire goûter charnellement : un requiem n'est pas une œuvre morose. Pourquoi faudrait-il tout expliquer, tout comprendre ? Le miracle réside essentiellement dans son impossibilité à se reproduire. Ce soir-là, il a esquissé un rêve sur le fragile esquif des voix du cœur. Sachant qu'on ne peut survivre à la morsure du temps, nul n'ose sortir de cet espace enchanteur où l'orchestre a clos le monde et les rêves engloutis du présent. Tous veulent rester blottis dans le vertige de cet anéantissement. La musique a transmis ce qui se tient à la lisière de la prédiction ; elle a ramené à la lumière du présent un futur dont la noirceur prétend nous apprivoiser. Et tous n'en savent rien, mais lui n'a joué que pour Émilie.

À la fin du concert, me retournant pour saluer, je fixai Émilie avec toute l'intensité que je pouvais mettre dans un regard. Mon cœur galopait sous mon smoking et il me semblait qu'il allait jaillir de ma poitrine sous une forme insolite. Les applaudissements ne s'adressaient plus à la magnifique interprétation de ces musiciens et de ces choristes prêtés pour une soirée par Celibidache, mais à l'occasion unique et offerte de jouer pour rencontrer celle qui, je l'espérais, deviendrait ma femme. Nous obtînmes trois rappels durant lesquels je ne la quittai pas des yeux. Lançant un bras incertain vers les balcons pour éviter d'avoir à les regarder, je n'arrivais pas à savoir si elle comprenait mon regard. Elle me confia plus tard que l'idée que ce Louis qui lui écrivait depuis neuf mois puisse être Luis, ce chef qu'elle admirait, l'avait traversée, mais qu'elle n'avait pas voulu y croire. Quand, passé ce court échange de regards que j'aurais voulu révélateur, elle se retourna pour chercher celui qu'elle attendait vraiment, mon assistante se présenta devant elle et lui demanda de la suivre afin de retrouver l'homme de son rendez-vous. Intimidée par ce protocole, un peu ennuyée aussi par son manque de simplicité, elle la suivit et débarqua dans ma loge. Je m'avançai vers elle et lui demandai avec beaucoup de timidité si elle me pardonnait de lui avoir menti pendant neuf mois et elle se mit à pleurer. Je fus très surpris de sa réaction car les larmes jaillissaient de ses yeux et illustraient l'expression même « éclater en sanglots ». Je ne savais pas que les larmes pouvaient se projeter si loin. J'étais pétrifié, attendant un autre verdict dont je pus aisément tirer une conclusion plus positive. J'avais soudainement très peur que nos échanges ne soient pas assez solides pour lui permettre de quitter cette situation d'adoration professionnelle. Peut-on aimer d'amour celui qu'on admirait mais qui n'a jamais représenté pour soi un quelconque attrait physique ? Sans le savoir, je m'étais précipité dans un piège. En voulant cacher à la fois mon handicap et ma notoriété, j'avais détruit plus de la moitié de ce qui faisait finalement mon identité. Quand elle se fut calmée, je lui proposai timidement d'aller dîner. Elle paraissait perdue et plus inquiète que moi encore. Je lui demandai la permission de me changer et elle réalisa qu'il fallait qu'elle sorte de ma loge. Elle s'excusa et je regrettai d'être entouré de fleurs et de ne pas avoir sous la main une bouteille de whisky pour me donner du courage. Quand je sortis, elle n'était plus là et je fus foudroyé par l'idée qu'elle était définitivement partie. Je marchai à petits pas lents, plus encore que d'habitude, jusqu'à la sortie des artistes. Le *Requiem* rythmait encore mon sentiment intérieur. Ma sensation était d'avoir provoqué l'enterrement bien avant la naissance de notre histoire, si bien que mon drame personnel avait l'air de se prolonger. Je revivais le concert et mon état émotionnel était à son comble. C'est dans cette absence, dans l'étendue cruelle de mon mensonge que je réalisai que j'étais vraiment amoureux. Quand je sortis du théâtre avec l'espoir de la trouver dehors, elle n'y était pas, et la symphonie continua à se dérouler, comme si je l'entendais vraiment. J'étais planté au milieu de la rue, ne sachant que faire, regrettant presque d'avoir éliminé tout dîner officiel, quand j'entendis soudain une voix de femme crier : « Luis ! » C'était une des musiciennes de l'orchestre, une hautboïste, qui m'informa qu'une jeune femme m'attendait devant les caisses du théâtre. Elle n'était tout simplement pas sortie par la même porte. Je la rejoignis aussi vite que possible et l'entraînai vers le restaurant recommandé par des musiciens, où une table nous attendait. Je dus plusieurs fois la faire ralentir afin qu'elle s'adapte à mon pas. Elle s'en excusa à chaque fois, ne parvenant jamais tout à fait à se déplacer lentement. Je la sentais tendue à l'extrême. Elle n'était pas partie, mais je devinais qu'elle en avait eu envie. Le dilemme, c'est que je représentais aussi un maestro qu'elle respectait et que sans doute elle ne voulait pas froisser. Quoique le maestro, son héros, prît un coup dans l'aile, ce dont j'étais, non sans perversité, assez content. Je me sentais à la fois électrisé par sa présence, d'une timidité extraordinaire, et d'un embarras croissant devant la situation ubuesque engendrée par mes mensonges. En guise de préambule, je lui avouai mon trouble. Tant d'idées me traversaient. J'étais déstabilisé par tout ce que je pensais de nos échanges qui étaient devenus au fil des semaines à la fois tendres et un peu amoureux, en attente d'une relation plus charnelle à laquelle nous consentions parfois, non sans le regretter. Mais il était trop tard. La lettre était postée et nous attendions avec un peu d'angoisse ce que l'autre allait en penser. Je n'oubliai pas de lui dire combien sa dévotion manifeste m'avait dérangé, embarrassé dès que nous avions abordé ce qu'elle pensait de ce chef d'orchestre, et combien j'avais mesuré à ce moment-là dans quel guêpier je m'étais fourré. Cela lui arracha un sourire – mon Dieu qu'elle était belle quand elle souriait – et elle me balança gentiment que c'était bien fait ! Malgré tout, je la sentais flottante. L'homme auquel elle écrivait n'était pas moi ! C'est ce qu'elle réussit à m'expliquer et je devins jaloux de cet autre auquel elle vouait déjà son amour, sans parvenir à nous unir en un seul et même être. Ce premier dîner frôla la rupture à plusieurs reprises. Maintenant qu'elle savait qu'il l'avait trahie, elle haïssait Louis et malgré tout, s'interdisait d'engueuler Luis. Et pour moi qui étais face à une seule et unique Émilie, c'était comme si le sort me mettait sous les yeux la future femme de ma vie tout en me traçant clairement un chemin de solitude, puisque j'étais en train de la perdre, par ma faute. Je refusais d'admettre ce qui était en train de m'arriver et j'étais trop nerveux. Je regardais son visage, je mangeais ses yeux, les bruits de la salle me parvenaient comme s'ils rythmaient notre conversation : le tintement d'un verre, le rire d'une femme à la table voisine, l'appel d'un garçon en cuisine, le ballet des serveurs autour de nous. Maintenant qu'une table minuscule nous séparait et que je la voyais de plus près, je notai que sa chevelure châtain dorée ne possédait jamais les mêmes reflets. Quand je la quittais des yeux et la regardais à nouveau, elle me semblait plus irréelle encore. Trop belle pour moi, me disais-je. Elle était infiniment trop raffinée. Ses mains que j'avais mille fois imaginées sur son archet étaient longues et fines et ses ongles étaient vernis d'un brun foncé. Son nez étrange, aquilin, pas forcément dans les règles esthétiques, lui donnait un profil incroyable. Plus que tout, j'observais ce qui se dégageait d'elle et ressemblait à ses lettres. Son petit col blanc, sa robe noire en soie, l'ovale émouvant de son visage. L'angoisse me torturait, m'empêchait de respirer. C'était un dîner unique. Le premier et le dernier, me disais-je. Je n'étais pas celui qui lui écrivait, et maintenant elle se prenait de plein fouet quelqu'un d'autre. Aucun argument ne me permit de négocier avec l'émotion qui me submergeait. Avec le recul, je suis sûr qu'elle en était consciente et que mon désarroi lui servait de pauvre vengeance. Bien qu'elle n'en soit jamais convenue par la suite. Elle termina la soirée en me demandant un délai. Il fallait qu'elle réfléchisse, qu'elle comprenne ce que son corps lui murmurait, et que je ne voulais pas entendre. Je devais rentrer à Paris. Elle restait à Munich puis retournait à Berlin pour une audition qui allait peut-être lui permettre d'intégrer le Philharmonique. C'était une consécration pour un musicien. Même si, après avoir réussi cette entrée, il lui faudrait encore deux ans pour être titularisée. Je connaissais une musicienne qui, ayant démissionné de l'orchestre dans lequel elle jouait, n'avait finalement pas été confirmée à ce poste. Il lui manquait, paraissait-il, ce petit plus indispensable pour faire d'elle une vraie musicienne du Berliner et j'avais passé la soirée à essayer de la consoler sans succès, de ce qu'elle vivait comme un affront doublé d'un drame. Cet orchestre-là, mondialement réputé, possédait ses lettres de noblesse, bien au-delà des maestros qui le dirigeaient. Comme dans tous les plus grands orchestres du monde, chaque musicien était porteur d'une telle conscience de sa part et de son rôle dans l'unicité du groupe qu'il aurait pu se passer du chef pendant un concert entier. À la question, posée au cours de mes apprentissages, de ce qui différencie les plus grands orchestres du monde des autres, tous les grands maestros répondaient : « Les plus géniaux sont excellents tout le temps ! Et ça demande un savoir-faire immense. » Je savais pour avoir beaucoup parlé avec les musiciens de ces orchestres-là que la pression était folle, inhumaine, au moins aussi cruelle que celle que vivaient les chefs.

Le monde des orchestres était un espace de meutes sauvages, dégageant une parfaite harmonie qui n'était qu'inversement proportionnelle à ce qui se jouait en leur sein.

Il était donc inutile d'ajouter du stress amoureux à ce que vivait ma future belle. Il fallait qu'elle se consacre à cette audition et je le comprenais très bien. J'en étais d'autant plus désolé que je devinais qu'elle aurait pu l'emporter facilement si elle avait disposé d'une paire d'ailes d'amoureuse accrochée à son dos, mais tout était cassé. Il fallait qu'elle se répare, qu'elle se rassemble… Je ne sais plus quels mots encore elle employa ce soir-là. Je ne savais quoi dire pour la consoler et l'encourager. Herbert von Karajan était le chef de cet orchestre philharmonique, élu contre Celibidache par les musiciens. Autant dire que si j'admirais sa carrière, je détestais l'homme. Je ne trouvai donc aucun argument pour sa défense ni pour me réjouir de voir Émilie si pressée d'entrer dans l'orchestre de ce concentré de testostérone symphonique. Après le dîner, je lui fis porter un énorme bouquet de roses blanches avec ces quelques mots : *Je suis celui des lettres, et profondément malheureux de ne pouvoir être pour toi Luis et Louis en un seul. Je te souhaite de réussir ton entrée au Philharmonique si c'est ton vœu le plus cher.* Un seul élément constituait pour moi un immense espoir. Pendant ce dîner, dont je ne savais pas encore s'il fallait que je le nomme regret, catastrophe, premier dîner, rencontre ou naufrage, un homme entra avec un bandonéon, et joua *Mi tentación* et *Luz y sombra*.

Ces morceaux n'étaient pas les plus connus d'Astor Piazzolla, mais ils figuraient dans le disque qui avait déterminé ma vie et ma carrière, je pris cela comme un clin d'œil du cosmos à mon égard. Je redevins plein d'espoir et considérai que j'étais désormais lié à cette femme pour la vie. Et s'il en était autrement, j'allais en être affecté pour le restant de mes jours.

Une semaine s'écoula sans nouvelles. J'espérais qu'elle relisait nos lettres dont je ne possédais pas le double, ce qui était à la fois une sottise et un bienfait. Les relisant, j'aurais passé mon temps à peser mes chances de la convaincre à nouveau. Quand commença la deuxième semaine, je lui écrivis une longue lettre qui resta sur ma table durant trois jours. Le quatrième, je me décidai enfin à la glisser dans une enveloppe et je sortis la poster. Entretemps, la sienne était arrivée. Elle me parlait de ce concert extraordinaire dans lequel elle avait voyagé, rêvé, portée par la musique et par la perspective de croiser enfin son amoureux épistolaire en chair et en os. Un concert magique… C'était le mot, jusqu'à sa rencontre avec le maestro. Elle évoquait ce long regard échangé à la fin du concert. Il était troublant, mais c'était bien de moi, Louis qu'elle était amoureuse, et elle continuait ainsi sur plusieurs pages à écrire à Louis comme pour lui signifier qu'elle allait le quitter pour un autre qu'elle n'aimait pas. Jamais je n'avais connu un tel suspense en lisant une lettre qui ne semblait pas vouloir finir. Je compris sa tentative seulement à la fin de ma lecture, quand je reposai cette missive sur la table. Elle essayait d'éliminer Luis. Elle racontait à Louis ce qu'elle avait vécu. Sa rencontre, ce dîner où elle ne pensait qu'à moi en dînant avec l'autre. La lettre que je venais de poster n'était qu'un tissu d'excuses vaseuses, d'embarras circonstanciés. Alors je repris ma plume et écrivis cette fois ce que j'aurais dû lui dire dès le début. Dès la première lettre, j'aurais dû avouer mon identité. Je choisis de tout dire, mon attirance pour ces belles jeunes femmes qui courtisaient le maestro que j'étais devenu, la perversité de ces relations, ce que ça déterminait dans ma relation aux femmes. Dans un premier temps mon charme toujours en alerte, ma fierté d'être flatté, mon alanguissement, mon désir effréné de plaire. Puis ma froideur, mon manque d'amour, mon aigreur, ma cruauté parfois... Je décrivis par le menu tout ce qui m'avait poussé à rechercher une compagne d'une autre façon. Si cela n'excusait pas mon mensonge, et j'en étais maintenant conscient, ça lui donnait une raison d'être. Je finissais ma lettre en lui demandant de me dire sincèrement si mon handicap était un obstacle, je la suppliais presque de me dire la vérité. Elle me répondit très vite que mon plus gros handicap était de considérablement compliquer les choses, ce qui était, selon elle, une caractéristique totalement féminine. Elle-même se trouvait trop compliquée parfois. Néanmoins, elle commençait à s'accoutumer doucement à l'idée que Luis et Louis ne forment qu'un seul être. Ils avaient tous les deux en commun d'avoir sérieusement baissé dans son estime. Luis pour n'être pas seulement ce maestro qu'elle imaginait, de la racine des cheveux aux orteils comme un ange, reflet de sa musique, et Louis pour lui avoir menti aussi effrontément depuis neuf mois. Finalement, elle était poussée par les circonstances à s'interroger sur son besoin de fantasmer les hommes et les musiciens lors de la véritable rencontre auquel était soumis tout être dans une relation vraie. Cette histoire était en train de lui révéler une facette de sa personnalité. Elle n'avait pas réussi son entrée au Philharmonique et ma phrase était perturbante : *Je te souhaite de réussir ton entrée au Philharmonique, si c'est* là *ton vœu le plus cher*, écrivais-je. Elle découvrait que ce n'était pas ça, son vœu le plus cher. Par cette réussite, elle espérait en imposer auprès de ceux qui refusaient de croire en elle. Pour ma part, je pensais également à sa fille dont je connaissais l'existence par ses lettres, mais qui ne fut jamais évoquée durant notre dîner, car Émilie était trop perturbée sans doute par ce qui venait d'arriver. Je n'avais pas eu d'enfants. Les femmes que j'avais côtoyées n'émettaient jamais le désir d'en avoir avec moi, ce qui aurait dû quelque peu m'alerter sur la normalité de nos relations. Mais je ne m'étais pas attardé à ce qui était un détail dans ma vie dissolue, et de toute façon, je leur aurais dit non. J'étais terrorisé à l'idée d'engendrer un être qui me ressemblât, et sans me l'avouer, plus encore de mettre au monde un père semblable au mien. Je m'étais accordé le temps d'y réfléchir. Devenir le père d'une jeune fille déjà grande qui s'intéressait beaucoup à la musique, elle était pianiste, me donnait très envie d'explorer une fibre dont je me croyais dépourvu. Pour l'heure, ce ne fut pas de cet aspect de notre relation que j'entretins Émilie. Il me fallut quatre mois et plus d'une dizaine de missives pour la convaincre de me revoir. Dans la dernière lettre, je la demandai même en mariage, même en ayant conscience que cette démarche était totalement incongrue et surannée dans les années quatre-vingt. Est-ce racontable maintenant qu'elle a disparu et que nous avons vécu trente ans ensemble ? Trente ans, c'est jeune pour une personne, mais le début d'un temps vénérable pour un couple. Je n'ai jamais voulu comptabiliser nos deux années de séparation, comme si nous avions vécu alors séparément notre vie commune. Parce qu'en quelque sorte, je vécus ces deux années plus proche d'Émilie que je ne l'avais jamais été jusque-là. Loin d'elle, je fus le plus malheureux des hommes. Même aujourd'hui, alors que je ne la serrerai plus jamais dans mes bras, je suis moins effondré. Que la femme de ma vie ne veuille plus de moi et par ma faute a été ma plus grande douleur. Si je n'étais pas parvenu à redonner vie à cet amour, j'aurais cessé de diriger un orchestre. Voilà. Je voulais savoir si j'en étais capable, mais je crois bien que je peux l'évoquer sans éclater en sanglots. Je crois que je vais raconter à Léa ma rencontre avec Émilie. Je n'omettrai rien cette fois, ni mon mensonge, ni la difficulté de ce début de notre relation, ni la beauté de ce qui suivit pendant dix ans, jusqu'à ce que je devienne le maestro réclamé partout, mais peut-être un peu aigri et qui n'avait d'autre but que celui de quitter des ovations toujours plus extraordinaires, pour les mêmes, dans une autre ville. J'ai toujours gardé la lettre de mon ex-voisine, Victoire, que j'ai reçue à ce moment-là. Je la sais presque par cœur. *Je vous ai suivi*, disait-elle, *je vous ai regardé monter comme une étoile nouvelle. J'étais fière de vous, fière d'avoir connu ce petit coléreux dans sa chambre minable qui était déjà la graine de ce magnifique chef d'orchestre. Votre émotion ne vous servait à cette époque qu'à vous cogner les poings contre les murs. Mais je l'ai vu s'épanouir, je vous ai vu nous offrir cette vérité qui nous rend heureux et libres. Un jour, en vous écoutant lors d'une interview, j'ai compris que vous ne l'étiez pas, heureux. J'ai à nouveau entendu le petit jeune homme en colère. Je suis, comme les autres, impressionnée par le parcours sublime de ceux qui luttent. Et vous avez raison. Les applaudissements ne peuvent suffire quand on vient de ce monde dont nous venons. Il faut faire mieux et plus petit à la fois ; plus discret et surtout plus utile. Arrêtez de torturer votre entourage, car vous le faites souffrir, n'est-ce pas ? Cherchez, vous aussi. Vous finirez par trouver ce que vous êtes venu faire au-delà de la musique. Ne vous perdez pas. Vous me ferez plaisir. Victoire.*

Ce fut posté sans aucune adresse au dos, ni à l'intérieur de l'enveloppe. Sa lettre n'appelait pas de réponse. Elle devait être très vieille maintenant, ou peut-être pas. On faisait déjà

251

si vieux dans ma jeunesse. À quarante ans à peine, on affichait la maturité d'un vieillard. Maintenant c'est l'inverse, et je vois des amis de mon époque se nipper comme des adolescents et parler comme eux. Moi je n'ai pas changé de langage. J'ai toujours bien aimé l'argot. Quand je m'encanaillais dans les bouges de Paname, je faisais nuit blanche avec les jazzeux du coin. Depuis, la musique classique m'a quand même un peu guindé. Je n'ai retrouvé ma liberté qu'en faisant route dans une direction qui ne plaisait pas aux bourgeois de la Grande Musique. En marge des mélomanes sincères, il faut savoir que la grande musique est fréquentée par de petites gens. Ils causent, plus qu'on ne peut jouer. Je ne sais plus quel chef me disait : « Vous savez, les musicologues sont à la musique ce que les gynécologues sont à l'amour ! » Ils n'ont pas d'oreilles, comme disait mon très cher maître Sergiu Celibidache. Ah, comme je regrette ces conversations à bâtons rompus que nous avions dans son jardin ! Je suis maintenant plus vieux que lui à l'époque. Avec le grand âge, j'imagine qu'on finit toujours par naviguer de disparitions en disparitions. On arrête de regarder ses albums photos dans lequel on est le seul survivant. Celui qui tient la baguette ne dirige pas grand-chose.

« Le chef que je voulais devenir n'existait peut-être pas. Quand je me revois au tout début, je me fais peur. J'ignorais absolument toutes les subtilités musicales que ce poste requiert. J'entendais sublimement et distinctement chaque instrument. J'entendais aussi ce qu'il aurait pu jouer. Je n'étais que dans l'écoute. Il me restait à découvrir l'immense mission que chaque compositeur confie à chaque partie instrumentale. Peu à peu, j'ai appris à comprendre le travail sur table, puis à récupérer mon intuition, à faire la part des choses entre la pensée et le ventre. Cette force intrinsèque qui émane de la justesse avec laquelle une trompette va s'emparer de la mélancolie d'un Ravel ou de l'esprit océanique d'un Debussy n'est pas mesurable. Convoqués de façon différente par les compositeurs suivant les œuvres, les instrumentistes s'en remettent au chef pour organiser la cohésion souveraine des vagues orchestrales. Et cette confiance que l'on doit gagner par la connaissance de la partition, une intuitive prise en charge de tous ces instruments, se trouve bien vite confrontée à la tentation d'une ambition despotique pour magnifier cette exigence. C'est là qu'il faut devenir diplomate, car ils sont redoutables face à celui qui se croit grand sur sa petite estrade. Leur évaluation est sans appel. Un chef ne tâtonne pas, il transmet le message du compositeur et ce message doit être clair. Pour en arriver là, il faut "avoir le bras". Si jamais le chef faiblit, se laisse ballotter par ce qu'il entend, n'affirme pas avec conviction ce dont il est sûr, ne donne pas une battue régulière, n'indique pas la bonne levée... bref, tout ce qui constitue la grammaire ordinaire de la gestique, il est mort ! Et il n'y a aucune indulgence pour un possible cadavre. Un chef voué à la mort doit souffrir. Il est mené à l'humiliation, au mépris, à l'accusation légitime, dans le cas où il s'est avéré incapable, de trahir la musique. Il est dissous, déchu, et plus il a usé d'un désir d'autorité, plus la mort est lente. J'appris très vite les blagues les plus dégradantes qui circulaient sur les chefs d'orchestre : "Quelle est la différence entre un chef d'orchestre et un préservatif ? Aucune, c'est beaucoup plus agréable sans, mais c'est plus sûr avec."

J'ajoutais à la difficulté habituelle de ce métier une élocution parfois difficile, même si je m'appliquais énormément. La compréhension difficile de certains mots en allemand ou l'ambiguïté de la traduction qui pouvait faire passer une expression pour une injure se rajoutaient au reste. De nombreuses fois, mon humour me sauva d'une catastrophe possible. J'avertissais avant des difficultés que je pouvais rencontrer dans mon expression, tout en précisant que ça ne me vexait pas qu'on me fasse répéter si je n'avais pas été compris. Par ailleurs, je possédais un grand respect pour chacun des musiciens de chaque orchestre et je m'adressais à eux courtoisement. Et c'est même la réflexion de l'un d'eux, quand Émilie me quitta et que je me retrouvai cette année-là dans un doute terrible et un total désarroi, qui me fit réaliser que j'étais en train de sombrer. Un violoniste, ayant déjà joué sous ma direction quelques années plus tôt, vint me voir et avec beaucoup de douceur m'expliqua que je ne parlais plus de la même façon aux musiciens. Avec une délicatesse infinie, il dénonça ma nouvelle arrogance, bien que le mot ne fût jamais prononcé. J'étais en train de devenir ce que j'avais fui et détesté le plus. Ce que mon handicap m'interdisait d'être depuis que j'avais rencontré la musique. Un type revanchard et aigri qui ne porte plus d'attention aux autres et cesse d'être aimable. Muet de consternation, je le pris d'abord assez mal, et comme c'était un homme sage et beaucoup plus âgé que je ne l'étais à ce moment-là, il ne s'en émut pas. Il acheva tristement son petit discours un peu moralisateur en me demandant d'y réfléchir.

"Maestro, nous vous respectons parce que votre vision de la musique est si puissante qu'elle emporte nos humeurs et nos mépris, mais vous aviez bien plus que notre admiration autrefois ; une forme d'amitié était née à votre égard. Et cette amitié, je ne crois pas que vous en vouliez encore aujourd'hui." Puis il se tut et quitta ma loge. Je ne m'adressai à aucun des musiciens jusqu'au lendemain. Avant de démarrer la dernière répétition, je les regardai chacun, longuement, en silence, et sans doute purent-ils comprendre dans mon regard que quelque chose avait changé. Le violoniste qui était venu me parler la veille me glissa très discrètement en fin de séance : "Merci, maestro." Ce soir-là, je filai me coucher sans parler à personne. J'étais si malheureux que je faillis appeler Émilie. Mais la prudence, l'orgueil ou les deux m'en empêchèrent. Quand je repense à tout ça, il y eut des jours peu faciles, mais jamais le gouffre ne se trouvait où je l'aurais attendu.

Par exemple, tout me soufflait au départ d'être sobre. Nos maîtres nous l'avaient répété mille fois : "Les musiciens d'orchestre n'aiment pas les hommes bavards." Avec mon handicap qui m'interdisait une parole fluide, j'aurais dû me réjouir de ne pas avoir à détailler mes intentions. Mais, bien que sachant que ceux qui s'étalent finissent par se ramasser, je pris l'habitude dès le début de communiquer avec l'orchestre en utilisant des métaphores et de ne pas tenir compte de ce qui m'empêchait d'exprimer mon désir d'interprétation comme je l'entendais. Ce fut ma première entorse aux principes de mes professeurs, une prise de liberté de chef. C'est également à ce moment que je pris le parti d'abandonner la peur pour la confiance. Notre cause était commune, nous devions offrir de la musique ensemble. Je pensais que mener son monde à la baguette était l'impression que pouvait donner un maestro, et même si c'était une illusion, je trouvais de toute façon malvenu de vouloir en faire un objectif. On ne respectait, on n'accordait le droit d'être chef qu'à celui qui faisait la conquête du cœur, de l'âme et de l'esprit de ses musiciens d'une part, et des mélomanes qui venaient l'écouter et le portaient aux nues d'autre part. Il suffisait donc d'observer les chefs les plus respectés et de tout faire pour être auprès d'eux. Je pris le parti de leur écrire personnellement et de leur demander de l'aide. Les chefs qui m'accordèrent ce privilège immense de travailler à leurs côtés m'offrirent un peu de leur savoir-faire, et je dirais mieux, beaucoup de leur savoir-vivre en orchestre. Claudio Abbado, Carlos Kleiber, Carlo Maria Giulini et bien sûr Sergiu Celibidache. Tous étaient d'immenses chefs, capables de laisser de l'espace aux musiciens, tout en les tenant non pas au bout, mais au creux de leurs bras.

Finalement, on pourrait dire que j'ai eu de la chance. Certes, je suis handicapé, mais je n'ai jamais vraiment été malade dans ma vie. La seule fois où je me suis retrouvé de longues heures à l'hôpital, c'était auprès d'Émilie qu'on opérait d'une sciatique assez grave. Comme elle était partie en salle d'opération, je ne savais pas si je devais rester ou m'en aller. Je travaillais donc dans sa chambre pas si désagréable, assez calme, où personne ne venait puisque l'occupante était inexistante pour quelques heures. La fenêtre donnait sur un parc et le ciel lui offrait un horizon voyageur. J'avais souvent visité des amis, des musiciens, mais il était rare que leur fenêtre ne donne pas sur un mur, une cour intérieure ou les tuyauteries sales de l'établissement. Là, seul dans ce lieu dont j'aurais pu m'enfuir, puisque je n'étais pas le malade, je repoussais de hideuses pensées qui me venaient sur les risques de l'anesthésie générale. Mais surtout, je pensais au spectacle long et fastidieux qu'on impose à celui qu'on aime quand quelque chose commence à se dégrader dans nos corps. Je ne pensais qu'à moi. Je n'avais aucun doute sur le fait qu'un handicapé devait sûrement plus mal vieillir que les autres.

Maintenant que je suis vieux, cette pensée erronée me fait sourire. Ce qui tue l'homme vieillissant, c'est son handicap nouveau et soudain, mais moi, j'étais déjà habitué à cela et je n'ai donc jamais ressenti cette difficulté dans la vieillesse. Je ne pouvais même pas la considérer comme injuste. Au contraire. Tout me semblait plus facile qu'aux amis de ma génération qui s'accommodaient mal d'être moins autonomes. Là où il eût été facile de s'en dépêtrer, je les trouvais empotés, prêts à abandonner la sacro-sainte liberté qui fait que chacun est responsable de lui-même. Mais je manquais d'indulgence. J'avais moi-même mis toute une vie à conquérir cette pensée et même à exceller dans l'exercice de sa réalisation. Quand Émilie revint dans la chambre, après avoir passé deux heures dans la salle de réveil où l'on ne m'autorisa pas à entrer, j'étais à la fois soulagé et désemparé. Elle me demanda de lui mettre Mozart. La tête posée sur l'oreiller avec son casque sur les oreilles, le regard cerné presque mauve, elle esquissa un sourire et ferma les yeux tandis que de temps en temps son visage grimaçait de douleur, puis revenait à cette expression extatique que procure l'écoute de la musique. Je compris alors pourquoi elle s'était battue pour introduire la musique à l'hôpital et principalement pour entrer avec son violoncelle dans les salles de réveil. Elle ne limitait d'ailleurs pas sa présence aux seules salles de réveil ; non contente d'avoir mis un pied à l'hôpital, elle convainquit la chef du service des prématurés de lui accorder quelques jours par semaine avec les bébés en boîte de conserve, comme je les appelais, ce qui avait le don de la faire hurler. Les résultats étaient spectaculaires et j'avais beau me moquer d'elle, je ne pouvais que constater qu'il y avait encore beaucoup à accomplir pour sortir la musique des salles de concert et l'amener au milieu de la vie des humains, en commençant par leurs premières heures. Pour l'heure, je voyais la musique s'incarner sur son visage et elle me paraissait dans cet instant réunir toute la fragilité et la force de la vie.

J'ai souvent repensé à cette opération, à la façon dont j'ai laissé mon esprit vaquer ce jour-là. Existait-il en ces lieux où les humains n'allaient pas bien des effluves de souffrance, des suggestions de soulagement, une sorte de lot commun qui voguait dans l'air ambiant ?

J'avais croisé peu de temps avant le chef d'orchestre Hugues Reiner. Nous nous étions rencontrés pour qu'il me parle de ce qu'il faisait auprès des handicapés. C'était un chef humaniste, en marge des autres, un de ces hommes rares dont les projets dépassent le désir aigu d'une carrière prestigieuse. J'appris qu'en novembre 1993, il s'était rendu à Sarajevo pour rassembler les musiciens de l'Orchestre de la Radio dispersés par la guerre et faire jouer tous ensemble ces musiciens bosniaques, serbes et croates. Après avoir répété malgré les bombardements incessants et les boulevards qui abritaient des snipers embusqués, quelques semaines plus tard, au milieu des ruines, s'était élevée majestueusement la *Symphonie héroïque*. Son récit me bouleversa et je compris soudain que j'approchais de ce que je voulais faire. Un orchestre aux multiples nationalités qui voyagerait, accueillerait également les musiciens désirant nous rejoindre sur place, mais surtout, amènerait la musique dans des endroits improbables. Je tenais cette idée puis elle s'est évanouie. Purement et simplement. Je l'ai abandonnée dans l'empressement de la vie, dans les voyages et dans ces concerts somptueux qui m'emportaient dans le tumulte de mon propre étourdissement. Et ce fut pire après le départ d'Émilie, j'oubliai complètement qu'il y avait eu une époque où je voulais offrir la musique. »

21 septembre 2015

On dit que les raisons de la séparation d'un couple sont nichées dans leur rencontre. Ainsi cette femme éblouie par un artiste, son air rêveur, sa poésie du quotidien, va quelques années plus tard le trouver inadapté à la vie à deux, bordélique et incapable de s'assumer seul. J'ignore si Émilie aurait pu dire ça de moi, mais je sais que la façon dont je gérais ma célébrité grandissante, les honneurs qui m'étaient faits et les sollicitations toujours plus valorisantes dont je faisais l'objet ont précipité notre relation dans le chaos. Dans mon aveuglement, je crois que je lui ai même reproché – j'en ai tellement honte avec le recul – d'être jalouse. « Tu as le problème classique du musicien d'orchestre qui aspire à une carrière de soliste », lui avais-je sorti avec méchanceté un jour de dispute. J'oubliais que c'était elle qui mettait un terme à sa carrière parallèle de soliste pour m'accompagner plus souvent et développer son association, L'Âme au Corps, qui proposait la venue de violoncellistes en salle de réveil à l'hôpital.

Je ne compris pas qu'elle était fière de moi et que, pendant un temps, sa fierté, le bonheur de me voir accéder enfin, après des années d'efforts pour contrer les préjugés, à la place qui m'était due avaient occulté son jugement, falsifié son évaluation de ce que j'étais en train de devenir. Et puis un soir, embrumé dans les flagorneries des uns et subjugué par l'adulation d'une femme que je trouvais éblouissante et qui m'enveloppa dans une séduction à couper le souffle, j'oubliai purement et simplement Émilie au restaurant et ne rentrai qu'au matin. Une fois ses valises bouclées, elle était partie, très tôt. Et quand, affolé, je rentrai chez nous à Paris, ce fut pour constater que, là encore, elle m'avait devancé. L'appartement ne contenait plus que mes affaires. Elle ne m'accorda aucune possibilité d'excuses, pas de mots, pas de lettres. Son numéro n'était plus le même et son agent tout comme ses amis les plus proches refusèrent de me permettre de l'approcher. Fallait-il que je sois devenu si toxique pour que tout le monde me fermât ainsi les portes ? Je me réfugiai chez un ami commun qui avait d'abord été le mien, et qui m'accueillit avec une mine consternée, tout en me précisant que lui non plus ne me donnerait rien qui m'aide à la retrouver. Mais en tout point, il fut parfait et attentionné avec moi. Il comprit le retour de toutes mes douleurs, certaines, restées dans un coin de mon corps depuis l'enfance, refirent surface avec une allégresse caricaturale. J'étais perclus, transpercé, foudroyé par les conséquences de ma propre bêtise. Je ne m'étais vengé de rien du tout. J'avais tout simplement perdu le sens de la vie. Et je me targuais de diriger cent quarante mecs sur scène pour en faire quelque chose d'harmonieux ? Il y avait de quoi rire ! Tant d'efforts pour en arriver à ce gâchis ! Je me trouvais lamentable.

Après cet éclair de lucidité, je m'enfonçai doucement dans le jeu sournois de l'ego et je repris du poil de la bête. Une petite voix perverse était au rendez-vous de chaque matin difficile et faisait office de propagande pour mon salut. Elle ne me servait qu'une version corrigée de mon histoire d'amour qui ne devenait plus qu'une rencontre ayant assez duré, celle d'un couple pris dans les affres de la quotidienneté, du travail en commun et d'une lassitude qui éclipsait singulièrement ce que j'avais fait endurer à Émilie. Si j'étais encore admiré par les musiciens, c'était pour des raisons qui m'échappaient ; parce qu'ils trouvaient dans mes répétitions ce don rare d'une écoute personnalisée, dont je n'étais aucunement responsable. Il avait pu croître grâce à mes études, dans la mesure où elles étaient venues expliquer et mettre en théorie et démonstration ce que je possédais sans le savoir. On continuait donc à me respecter pour mon ouvrage musical, mais comme je n'étais pas à prendre avec des pincettes, il se disait dans les couloirs, je le sus bien après, que malgré mes grandes qualités musicales, il ne faisait pas bon suivre mes répétitions et jouer sous ma direction depuis le départ de ma femme. Finalement, on m'avait préféré arrogant et triomphant qu'aigri et défaitiste.

L'agressivité remplaçait la colère revancharde, et, à l'intérieur, je n'étais qu'infiniment malheureux, chevillé à la musique comme un noyé saisit une bouée dont il n'est même pas sûr qu'elle va flotter assez longtemps pour le sauver. Et quand je laissais mes souvenirs heureux faire surface, j'en étais dévasté.

« J'adorais refaire pour elle l'histoire, lui raconter comment nous aurions pu nous connaître si nous n'étions pas passés par notre cabinet matrimonial. Je lui décrivais comment j'aurais pu la rencontrer plus jeune. Elle serait entrée dans un orchestre que je dirigeais, je l'aurais aperçue pendant un concert. J'aurais soudain rêvé de me glisser à la place de son violoncelle au lieu d'être sur mon estrade. Une fois là, si près d'elle comme par miracle, j'aurais respiré son parfum attendant le coup d'archet tandis qu'elle scrutait d'un air anxieux l'estrade d'où devait partir le signal de mon chorus. Alors, elle aurait soudain aperçu son violoncelle posé sur le pupitre de ma partition, tandis que je la regardais amoureusement, coincé entre ses jambes serrées. Elle me traitait d'idiot, me balançait ce qui lui tombait sous la main, tandis qu'en m'enfuyant, je criais avec beaucoup de conviction : "Au secours, je suis victime d'une *handicaphobe* !" »

Léa se souvenait bien de cet entretien. Il riait en lui racontant cette histoire et un peu de ce couple était là, au milieu de ce bureau où tant de belles discussions se déroulaient sur la musique. Se rendant compte qu'il était allé trop loin dans les souvenirs, il était revenu sur la musique, très vite. Léa ne l'avait pas interrompu. Elle comprenait. C'était classique quand on restait trop longtemps. L'autre oubliait la caméra, il parlait à celui qui était là comme s'il lui faisait une confidence. Il entrait à son insu dans une intimité presque gênante. Léa vivait cela de nombreuses fois dans un portrait qui demandait un peu de temps. Elle considérait que c'était normal, que ça témoignait de la confiance accordée, mais que c'était à elle ensuite de gérer avec retenue cet abandon plein de tendresse. Là se trouvait la dérive de la plupart des reportages depuis quelques années. On cessait de protéger les témoins, d'être en curiosité, d'être des humains qui racontaient à d'autres humains ce qu'ils étaient ou ce qu'ils ignoraient d'eux-mêmes. On avait perdu l'élégance de l'empathie et de la discrétion. Les intervieweurs étaient devenus ces vautours silencieux qui reniflaient l'oubli des autres, utilisaient les pleurs, l'émotion, capitalisaient sur l'absence de méfiance et, sans aucune pudeur, avec leurs montages pervers, transformaient les spectateurs en voyeurs, et non plus en amis qui se reconnaissent en l'autre. Mais Luis avait senti le bord du gouffre. Il était un homme d'image, doté d'une sensibilité peu commune et d'un grand professionnalisme aussi. Il avait bien perçu comment cet instant de joie, éprouvée en faisant rejouer dans le petit théâtre des souvenirs les moments heureux avec Émilie, risquait de le mettre en danger. Il avait habilement embrayé sur une discussion qui revenait sans arrêt, entre Émilie et lui : la lutte incessante de la technique et de l'émotion dans l'interprétation. Le virtuose et l'amoureux... La pensée et les tripes, la sensualité de l'intuition et la brillance du savoir-faire. La suite de son discours était si éloignée de ce qui venait de se passer que Léa, tout en mesurant ce qui se jouait là, s'était demandé comment elle pourrait rendre crédible le fait que cette séquence n'était pas montée ; si toutefois elle décidait de la laisser intégralement.

Dans les enregistrements où Luis parlait de sa femme, Léa voulait également sélectionner ce jour où il lui confiait les raisons pour lesquelles Émilie avait fui l'Allemagne dans les années soixante. C'était une histoire personnelle dans la Grande Histoire. Émilie avait dix-neuf ans quand s'était ouvert le procès de Francfort, où pour la première fois la justice ouest-allemande jugeait des nazis et leur implication dans le camp de concentration d'Auschwitz. En cette Allemagne qui se reconstruisait dans une ambiance d'expansion et de jazz, Émilie ainsi que la plupart des gens de son âge, ignoraient tout des camps de la mort. Cela paraît bien sûr étrange aujourd'hui où sont diffusés tant de documentaires, mais à l'époque les jeunes Allemands allaient découvrir des événements soigneusement tenus dans le déni. Les premiers procès avaient eu lieu à la fin de la guerre en Pologne en 1946, où une cinquantaine de nazis seulement avaient été jugés, mais c'était déjà loin. Les officiers SS arrêtés pour ce nouveau procès étaient redevenus respectables et s'étaient depuis fondus dans le peuple ordinaire, exerçant toutes sortes de métiers innocents. Ils furent jugés au terme d'un procès qui dura un an et demi, en présence de plus de trois cents témoins. La plupart étaient des survivants qui vinrent même d'Israël pour raconter leur vécu dans les camps, nommant précisément les atrocités commises par ces hommes assis là devant eux, qui ne témoignèrent pendant tout le procès aucune émotion, aucun regret. Le procureur général Fritz Bauer s'était appuyé sur cinq années de travail et de recherches effectuées par son cabinet pour pouvoir faire justice. Émilie avait assisté à de nombreuses séances, car le procès était public. Elle fut bouleversée en voyant chaque jour ces hommes arriver tranquillement et librement au procès, en constatant leur froideur, leur haine, leur impassibilité alors que tous les autres pleuraient pendant les récits des témoins. Elle comprit aussi, contrairement à ce qu'écrivaient les journaux qui nommaient ces monstres *des êtres à part*, que cette terrible histoire ne s'était pas faite sans le concours passif et complaisant d'une population très antisémite, la même qui aujourd'hui ne trouvait rien à redire à la *réinsertion* de ces bourreaux. Comme la plupart des jeunes Allemands de son époque qui habitaient à Francfort, elle intégra cette donnée terrible : n'importe lequel d'entre eux pouvait être le fils ou le petit-fils d'un nazi. Elle n'en revenait pas. Elle n'en dormait plus la nuit. Un grand nombre d'hommes de ce pays détenaient une part de responsabilité dans cette horreur, qu'ils avaient connue, contrairement à leur famille, et ils survivaient sans être inquiétés. Désormais, quoi qu'il arrive, plus aucun Allemand ne pourrait ignorer le fonctionnement systématique du programme génocidaire qui avait eu lieu là, et dont elle estimait que chacun devait être conscient. Elle se fâcha avec son père en posant des questions gênantes sur sa place dans cette histoire, et avec sa mère qui, bien que française, faisait tout pour se fondre dans cette amnésie commune à cause de son mariage avec un Allemand, en pleine guerre. L'ambiance lui parut si lourde en cette fin d'été 1965 qu'elle décida de fuir en France pour réfléchir à tout ça et prendre de la distance. Au moment même où Luis qui ne la connaissait pas, se battait avec lui-même, c'était avec toute une mémoire, tout un peuple qu'elle luttait.

Quand Léa demanda à Luis ce qu'il pensait de cette histoire, il esquissa un sourire doux et lui répondit que tout musicien ne devait jamais perdre de vue que le peuple des plus grands mélomanes du monde est capable d'élire un tyran quand il a faim, et de cautionner ses monstruosités quand il prétend éradiquer les causes de sa souffrance.

« Chaque tempo est défini par la richesse d'expression, et non par la vitesse. Cette relation entre le geste et le son est-elle de nature interprétable ? N'est-elle pas juste vécue ? Je garde dans ma main gauche, fermée, un peu de cette douceur que j'ai l'illusion de retenir. La nostalgie n'en est que plus belle puisque je sais que dans les notes suivantes, planeront les notes enfuies. Mais si la technique étincelante prend le pas sur l'essentiel, comme un retour de bâton, l'œuvre se venge. Qui se perd dans le détail et son cynisme, court le risque d'y laisser la souveraine langueur d'un voyage. Qui pourrait prétendre faire de l'art une expérience technique, à potentiel universel ? Les plus grands maîtres le disent toujours : je peux tout te montrer, mais je ne peux rien t'apprendre, et c'est là le secret de l'enseignement. Entraîner l'autre dans la joie pure, tel un passeur de rive qui n'agence rien, pas même l'engouement de son élève. Juste lui faire toucher du doigt une jubilation d'être dans l'action et de le savoir. L'art ne peut être le porte-parole d'aucune pensée, n'est jamais que liberté et réalisation de l'être. Vous me demandez ce que j'ai appris avec toutes ces années, eh bien je crois qu'on ne peut pas diriger avec son passé l'avenir des autres et celui de la musique. Les œuvres du passé que nous revisitons sont immenses dans le présent. Elles sont là maintenant, et tout au plus, le passé d'un homme chef d'orchestre impulse à l'émotion quelques touches subtiles qui l'aident à se mettre au service de l'instant. Quand elle est juste, justement jouée devant le public, la musique devient ce que nous sommes. Elle est la peur, l'inquiétude, l'apaisement, la joie. Elle épouse par je ne sais quel miracle l'humeur du jour dans cette salle-là, avec ce public-là. Je ne sais pas si vous imaginez bien notre position, j'entends d'un point de vue strictement légitime. Un chef ne peut pas avoir la vanité d'un virtuose, ni celle d'un créateur ; nous nous situons dans l'espace de la re-création... Comme à l'école. Rien de sérieux, en somme. Nous avons le nom de chef, mais ce qui nous différencie des autres, c'est que nous devons être choisis par les musiciens et par le public aussi souvent que nous jouons sur scène. Néanmoins, on peut tromper tout le monde, sauf la musique et soi-même. Vous savez ce qu'est le TGV, que par ailleurs nous prenons si souvent ? Le Tempo Grande Vitesse... On monte dans le *train-train* et avec un peu de savoir-faire, on s'y maintient et on arrive à l'heure. Mais rien n'a changé. On est passé à travers la musique mais elle n'a traversé personne. Aucune âme ne s'est libérée à son contact. Après ce genre de concert, quand les spécialistes déblatèrent, on cause ampleur, virtuosité, implacable menée, battue exemplaire ou somptueuse. Mais ces jugements me procurent un grand malaise. Parce que d'un vrai concert de musique, on sort chancelant ! Comme si on avait franchi le mur du son, comme si on s'était promené sur un fil, avec le funambule Philippe Petit, entre les tours jumelles de New York. On ne peut sortir intact de la vraie musique. On s'en extrait difficilement. Elle nous lâche, mais nous sommes alors en soif de questions dangereuses. On s'en échappe libéré, assoiffé d'azur. C'est pour cette raison qu'aucun grand chef n'a la prétention de se substituer à la musique. Au contraire, il veut la servir jusqu'à disparaître en elle. Un grand chef n'a pas le droit de se mettre en pilotage automatique, de conduire sans se demander si l'autoroute est la meilleure solution et d'ailleurs aucun grand chef ne prend l'autoroute ! Il bifurque, il explore des chemins inconnus qui le mettent en danger tout en laissant de l'espace à ses musiciens. Il s'oblige à instaurer la confiance pour nous emmener à l'aventure.

— Est-ce que vous pensez être un grand chef ?

— Je pense avoir donné à la musique ce qu'elle exigeait de moi. Au plus près de ce qu'elle est en chacun de nous. Est-ce que j'avais le choix ? »

Luis était un équilibriste, un chat, et son habileté dans l'art de mener son monde était vérifiable tout au long de ces semaines passées avec lui. Tout en parlant de ses proches, de la musique, de la virtuosité et de l'émotion, Léa comprenait qu'il s'adressait à elle, à ce qu'elle ferait du film, à son travail de documentariste, aux raisons profondes qui pointaient leur nez dans cette aventure. Même si Luis ne savait pas tout, il interprétait et se laissait aller à son savoir-faire de virtuose de la vie.

Les jours où elle ne devait pas le voir, Léa continuait à mener son enquête. Elle récupérait des images, cherchait des interviews plus anciennes. Elle était toujours étonnée de le découvrir si multiple, si foisonnant. Elle décelait parfois une amitié prestigieuse dont il ne parlait pas car il n'attachait aucune importance à ce que pouvaient représenter les êtres pour le public. Qu'un musicien soit connu ou pas, qu'un chef soit l'idole d'un public de mélomanes lui importait peu. Seul comptait son avis musical, son évaluation d'un être humain. Il lui décrivait combien il avait aimé travailler avec André Previn, parce qu'il lui rappelait Lalo Schifrin et qu'il était, comme lui, ouvert à tous les styles, grand musicien de jazz et compositeur de musique de films. Ce fut par son intermédiaire qu'il rencontra Yo-Yo Ma, avec lequel il fit ensuite plusieurs concerts. C'était aussi grâce à lui qu'il devint l'assistant de Claudio Abbado. Léa découvrait toujours des choses nouvelles qu'il avait faites et dont il ne parlait pas. Quand elle lui posait la question, lui qui se plaignait sans arrêt de sa lenteur, de son manque d'autonomie, il lui répondait que « dans un sac rempli de pommes, on peut encore mettre beaucoup de grains de riz. » Tout à fait par hasard, sur des images de 1989, elle le découvrit silencieux, avec Émilie, aux côtés de Rostropovitch à Berlin, quand le Mur était tombé et que ce grand violoncelliste voulut jouer les *Suites pour violoncelle* de Bach tant il était heureux d'imaginer que peut-être il allait pouvoir revenir dans son pays natal. Quand elle lui en parla, Luis sourit de son étonnement. Il connaissait bien Slava qu'il avait rencontré chez lui à Paris, tout simplement. Il était arrivé à dix-huit heures avec une très bonne bouteille de vin espagnol, car il savait que Rostropovitch aimait les grands crus. Luis préparait un grand hommage à Chostakovitch et sachant que ce grand maître du violoncelle avait été son élève et son ami, il voulait lui poser des questions. Luis n'était reparti qu'à trois heures du matin. Mstislav Rostropovitch lui avait raconté son enfance dans la musique, ses maîtres, Pablo Casals, Charles Munch. Il s'était confié, évoquant sa tristesse une fois déchu de sa nationalité soviétique, les moments où tentant de se battre contre la répression, il hébergeait Soljenitsyne dans sa datcha... Il lui avait aussi raconté ses extraordinaires virées en Sibérie avec des musiciens, quand il se déplaçait en traîneau de village en village, jouant dans des isbas mal chauffées. Il faisait une description magique de ces concerts improvisés pour le peuple sibérien, des paysans, des pêcheurs que les musiciens quittaient toujours avec une grande émotion. Puis plus tard, avec le grand chef Seiji Ozawa au Japon, puis en Chine, et en Corée il avait refait ce même genre de voyage musical, avec une trentaine de musiciens, passant dans les hôpitaux et les écoles. Est-ce que ces récits mûrissaient dans la mémoire de Luis, laissant la trace d'un désir de reproduire ces miracles à plus grande échelle ? Partout des musiciens donnaient de leur temps et tentaient de faire voyager la musique auprès des plus démunis, mais jamais personne ne créait un orchestre dont ce serait la vocation.

Les images visionnées par Léa dataient du 11 novembre 1989. En entendant ce qui était en train de se passer à Berlin, Rostropovitch avait pris le premier avion dès le lendemain. Luis, de son côté, était à Berlin pour revoir Claudio Abbado, et discuter avec lui d'un prochain concert où il avait l'intention de l'inviter pour diriger le Philharmonique dont il devenait le chef titulaire. Luis était venu avec Émilie. Ils se rendirent ensemble devant le Mur, car c'était un moment incroyable, un mouvement irrépressible dans toute la ville. Ils avaient d'abord été fascinés par ces jeunes qui n'avaient jamais connu autre chose que ce mur qu'on ne pouvait franchir sans se faire descendre, et qui maintenant, pioche à la main, attaquaient le béton pour ouvrir des brèches, et gardaient symboliquement quelques débris, arrachés à la destruction du mastodonte. Puis au loin, ils entendirent la performance d'un violoncelliste jouant une suite de Bach. Émilie, tout comme Luis, était curieuse de mettre un visage sur cette musique si spontanée, mais dont la finesse révélait un interprète au toucher délicat. Et quelle ne fut pas leur surprise en reconnaissant Slava assis, entouré d'une petite foule qui l'écoutait silencieusement. Derrière lui, un Mickey tagué comme une arrogance du monde américain et libre et cette inscription nouvelle, *Charlie's retired*, Charlie a pris sa retraite, ce célèbre check-point, point de mire et fantasme depuis vingt-huit ans de ceux qui essayaient de s'enfuir ou réussissaient à être échangés. Depuis la veille toute la soirée et toute la nuit, Émilie et Luis avaient erré dans les rues, parlé avec des Allemands de l'Est, goûté avec eux la joie de se savoir libres, compris leur peur que la frontière ne se referme le lendemain, quand ils seraient rentrés chez eux après cette promenade incroyable dans les rues de Berlin-Ouest.

Et maintenant, ils retrouvaient leur ami qui, après avoir interprété Bach, interrompit les applaudissements pour offrir ce moment à ceux qui étaient morts pour la liberté. Ils passèrent le reste de la soirée ensemble à parler de la joie de ce peuple à nouveau réuni, et sans doute des problèmes que ça poserait très vite. Luis ne se souvenait plus très bien mais, il lui restait la sensation extraordinaire d'avoir vécu un moment historique avec son ami Slava.

« Une rencontre a changé complètement ma vie et le cours de ma carrière de chef d'orchestre. Sans doute n'avais-je accompli ce grand parcours que pour arriver à ce sentiment d'exaspération. Parfois j'aurais voulu qu'un concert ne fût pas quelque chose qui pouvait se regarder, mais bien un moment rare et précieux qui ne puisse que s'écouter, tout en étant face à l'orchestre. Nous aurions peut-être pu ainsi dépasser le prestige, la grandeur, l'impressionnant déploiement des instruments et de leurs virtuoses. Nous aurions pu organiser notre monde sonore en toute modestie, nous réjouir dans les pleurs de nos perceptions. Nous aurions distribué des masques pour cacher nos yeux et nous nous serions installés tout autour de cet âtre musical où nous aurions déployé toutes nos facultés pour entendre la poignante mélancolie des œuvres, sans être troublés par le spectacle de l'un ou de l'autre, ni même par les effets de manche du chef d'orchestre. Ce raffinement aurait peut-être protégé la musique classique de son snobisme le plus naturel, ne se donner en spectacle qu'à certains. Ce qui induisait également la façon dont on avait tendance à recruter les musiciens des orchestres : un peu trop loin des quartiers sensibles... Tout cela générait l'engrenage des cases dans lesquelles on rangeait les différentes musiques. À commencer par les musiciens classiques eux-mêmes, qui avaient du mal à sortir de leur monde pour s'encanailler dans un autre genre. Et d'ailleurs les mots mêmes le disaient : Conservatoire, lieu pour conserver... Ça sonnait comme le laboratoire où ne s'élaborent que les plus conservateurs. Rien ne me fit plus plaisir que ces musiciens qui quittèrent le sérail comme ceux du Quatuor, ou d'autres qui les suivirent, pour se retrouver en queue-de-pie et caleçon, jouant Mozart tout de même de temps en temps, pour partir ensuite dans un rock endiablé à la grande joie des spectateurs. Mais ce fut au Venezuela que je rencontrai l'homme qui allait donner raison à ma réticence concernant notre apprentissage compassé de la musique en Europe.

Je venais de passer une année difficile, sans Émilie, face à mes démons, invité dans toutes les villes d'Europe ou des États-Unis. J'avais fait quelques concerts en Argentine ou au Chili mais je n'avais jamais eu de tournée réelle en Amérique du Sud. À mon grand regret, car j'aurais voulu passer du temps dans une de ces villes où j'aimais tant retrouver ma langue maternelle. Un jour, je reçus l'invitation d'Antonio Abreu. J'avais vaguement entendu parler de son travail. C'était un économiste vénézuélien, chef d'orchestre qui depuis les années soixante-dix offrait des instruments de musique aux enfants des quartiers défavorisés. Ils avaient été d'abord une quinzaine à apprendre la musique en même temps que le solfège, tout en pratiquant ensemble. Il les faisait donc jouer en orchestre, dès le début de leur apprentissage, si bien qu'au bout de quelques années, ils devenaient des musiciens d'orchestre tout à fait étonnants... Dès leur plus jeune âge, ils passaient tout le temps libre en école de musique. De cette façon, ils échappaient à la délinquance et très souvent à la misère. La grande intelligence d'Antonio Abreu avait été de faire financer ce projet par le gouvernement de son pays. Je ne savais pas grand-chose de plus. Je ne connaissais pas le niveau de ces très jeunes musiciens qui avaient formé l'Orquesta Sinfónica Simón Bolívar de Venezuela qui commençait à faire des concerts à l'étranger. Antonio Abreu me proposa de les rencontrer à Washington puisque nous y serions en même temps.

Chez nous, les enfants commencent par le désir discret ou parental de savoir jouer d'un instrument, puis ceux qui suivent la voie royale vivent les affres de l'inscription au Conservatoire. Très vite vient l'agonie de la détestation musicale, fortement renforcée par la technique rébarbative de l'apprentissage. En principe à ce stade, ils s'en vont et ne touchent jamais plus un instrument qu'ils ont pourtant mis longtemps à caresser, après avoir franchi quelques mois de solfège pur... Ou alors, ils sont très motivés, très doués, et ils restent. Chez ceux-là, les promesses mensongères d'une vie de soliste font souvent place à la réalité d'une descente dans la fosse d'orchestre. Pas de quoi pavoiser mais surtout, comment trouver chez ceux qui ont vécu ce parcours l'expression d'extase d'un musicien épanoui ? Cela, me direz-vous, est schématique ou caricatural. Vérifiez par vous-même, il y a peu d'exceptions à ce que je vous raconte, tout du moins sur le sol français. Je l'avais moi-même entendue, cette phrase lancée par certains professeurs du Conservatoire : "Continue comme ça et tu finiras dans un orchestre !"

Autant dire que ma rencontre avec les musiciens d'El Sistema fut un choc. Le premier à m'en avoir parlé fut Claudio Abbado. Il estimait que ce phénomène qui avait d'abord grandi discrètement au Venezuela, puis s'était rapidement propagé aux pays voisins, prouvait combien la musique sauvait les êtres. Mais il ne me parla jamais du niveau de ces orchestres. Je ne crois pas qu'il était déjà allé au Venezuela quand il évoqua ce projet la première fois devant moi. Plus tard, quand il les dirigea, je me souviens d'avoir entendu son émerveillement. Au bout de deux ans, la plupart des élèves avaient le niveau d'un musicien ayant chez nous dix ans de Conservatoire, avec une habitude du jeu d'orchestre nettement supérieure. Leur interprétation était jouissive et dégageait une vraie joie. Dès le premier morceau, *Danzón n° 2*, une œuvre d'Arturo Márquez, un compositeur mexicain, je fus ébloui par la profondeur et la justesse du plaisir qu'ils éprouvaient et qui étaient une sorte de transe communicative. Comme si rien d'eux-mêmes n'oubliait jamais, à aucun instant, d'où ils venaient. Chaque mesure racontait ce que la musique avait fait de ces êtres qui auraient pu être la proie d'une enfance aléatoire dans un environnement défavorable, et suivre le chemin d'une criminalité annoncée. Et pour moi qui avais momentanément perdu cet émerveillement au contact des musiciens, cette rencontre fut comme un bienfait. Une sorte de honte aussi. Antonio m'expliqua que la plupart de ces enfants n'avaient aucun avenir social, pas forcément l'envie de jouer d'un instrument – comment leur serait-elle venue cette envie ? –, il prétendait à juste raison que la pauvreté engendre la tristesse, l'anonymat, alors qu'un orchestre est un lieu de joie, de motivation, de travail en équipe et d'ambition. Là où chez nous, bien des musiciens estimaient être descendus, eux ne faisaient que s'élever, et ils en retiraient une allégresse omniprésente dans leur interprétation. Plus de vingt ans après sa création, El Sistema avait essaimé dans tous les pays d'Amérique du Sud et même en Europe. Des milliers d'enfants issus de cette formation étaient devenus professionnels et ceux pour lesquels la musique était demeurée un passe-temps avaient quand même échappé à la grande criminalité et découvert une autre voie. La clairvoyance d'Antonio le poussa à négocier avec le pouvoir en place pour que, dès le début, les financements ne viennent pas du service culturel, mais du service social. Il devait à cette pertinence politique de ne pas avoir fait les frais des changements gouvernementaux. Et désormais, les statistiques étaient formelles, la musique faisait baisser la délinquance, obligeait les familles à être plus concernées par l'avenir de leurs enfants, changeait les mentalités de chacun. De plus, El Sistema avait enfanté un chef d'orchestre très talentueux et charismatique, Gustavo Dudamel, qui était à la tête de l'orchestre quand je les rencontrai, et n'allait certainement pas s'arrêter là. C'était ce que je pensais quand je l'ai vu la première fois, en 1997. On pouvait déjà imaginer qu'il allait diriger un de ces grands orchestres internationaux. Il est aujourd'hui à la tête du Philharmonique de Los Angeles. Bref, il émanait de cet orchestre une joie pure et c'était une vraie jouissance de les diriger. J'aurais voulu vivre ça tous les jours avec les musiciens aguerris de n'importe quel orchestre philharmonique. Je découvrais enfin ce que j'avais toujours su : l'art ne devrait être confié qu'à des âmes d'enfants ou à ceux qui ont voulu ou su la garder. Je partis sur-le-champ quelques semaines à Caracas pour découvrir les différentes formations enfantées par l'idée d'Antonio Abreu et j'en revins quelques semaines plus tard, euphorique. Cela faisait bien longtemps que je n'avais pas été aussi heureux en dirigeant un orchestre, car Antonio Abreu m'offrit cette joie. »

Ce jour-là, le chant de la clarinette a ouvert un périple nostalgique dans la matière. Dès que le hautbois a rejoint le dialogue, je suis entré dans la densité d'une étoile filante. Les cordes ont tendu l'arc ultime de notre périple astral et sur les visages extasiés des jeunes musiciens que je dirigeais, j'ai compris qu'ensemble nous nous étions échoués à des milliards d'années-lumière puis projetés dans la voie lactée. Sur la toile cosmique, nous croisions des embryons de nuées aussitôt englouties par des trous noirs. Mais jamais nous n'étions assez proches pour assister à leur effondrement. Un moment, j'ai cru que le piano serait précipité dans cette spirale inquiétante, peuplée de poussières luminescentes. Les bordures du trou noir brillaient de mille feux rayonnants comme un leurre irréversible. L'entrée des cuivres a ôté toute circonstance atténuante à notre balade dans l'espace. Le ballet des archets s'est dressé, comme pour faire obstacle à quelques collisions. De vieilles étoiles fatiguées, ramassées en un halo de jupon démodé, fuyaient l'emportement stellaire de notre jeunesse. Le vent solaire s'est mis à souffler en rafales, éparpillant la queue des comètes aux milliers de particules glacées. D'immenses rideaux de lumière semblaient s'évanouir pour laisser passer notre majestueux équipage, telle une nébuleuse planétaire prête à fusionner en se mêlant aux nuages interstellaires. À la fin de cette alchimie surréaliste, l'onde de choc du final fit exploser notre ciel imaginaire. Et nous nous retrouvâmes sous les huées et les applaudissements sans savoir s'ils s'adressaient à ce *Danzón nº 2* que nous venions de jouer, ou à ce chant du cosmos né d'un émerveillement musical rare.

Nous achevâmes le concert avec quelques morceaux de *West Side Story*, à travers lesquels ces jeunes musiciens me racontèrent, sans un mot, combien ces histoires de bandes rivales, de combats de rue et de destinées tragiques avaient été les leurs.

« La journée qui suivit, je déambulai dans les rues de Caracas et j'y rencontrai par hasard cette courte phrase de Krishnamurti : "La beauté est cet amour où le mesurable n'est plus." J'étais bouleversé. Trouver une phrase aussi belle, en espagnol, dans le petit papier dérisoire d'un bonbon offert par un enfant de la rue, une phrase qui prenait tellement de sens par rapport à ce que je venais de vivre et d'entendre, me parut surnaturel. C'était bien au-delà de ce que pouvait être un signe charmant du destin. J'avais trouvé le début d'une idée comme si j'avais entrevu le fil doré qui allait me mener vers le projet de ma vie. Je ressentis enfin ce même petit frisson qui m'avait accompagné quand j'avais suivi Astor et Lalo après l'enregistrement de leur disque de tango en 1955. Cela faisait si longtemps que je n'avais plus éprouvé cette caresse parcourant mon échine du bas de ma colonne vertébrale jusqu'en haut de ma nuque… Quelque chose se cachait là. Dans cette rencontre avec Antonio Abreu, avec son orchestre et dans cette petite phrase qui parlait de l'amour incommensurable. Depuis qu'Émilie était partie, je faisais souvent ce rêve : j'étais poursuivi par des ombres et seule la musique que je pouvais faire sortir en dirigeant des musiciens repoussait les noirs fantômes, mais petit à petit, l'ombre couvrait les musiciens tandis que je continuais à les diriger en tremblant. Les envolées de notes fabriquaient une structure dense qui me rassurait. Les lumières revenaient et je pouvais sentir les modulations, les nuages de croches, les successions d'arpèges, déployer autour de l'orchestre une sorte de couverture scintillante qui tournoyait. Puis l'exaltation des moments les plus euphoriques s'affaissait, une sorte de roulis faisait tanguer l'orchestre et d'autres ombres naissaient, qui nous mangeaient littéralement. Toute clarté disparaissait dans cette noirceur qui me terrifiait et regagnait le terrain que j'avais reconquis. Je m'éveillais toujours juste avant d'être englouti, trempé de sueur, un cri étouffé au fond de la gorge, le cœur accéléré par un tempo trop rapide. Et je ne me sentais pas forcément sauvé par mon réveil. Je restais longtemps allongé, yeux grands ouverts dans le noir, essayant de trouver un sens à ce cauchemar récurrent. »

12 octobre 2015

J'avais parlé avec les petits musiciens d'El Sistema. Certains m'avaient raconté qu'ils se droguaient avant de faire de la musique, tout comme leurs petits frères. L'un d'entre eux jouait maintenant du hautbois et quand il avait mal au ventre, il se mettait à jouer chez lui, seul, et se calmait ainsi. La douleur s'en allait. « C'est magique, la musique », disait-il en ouvrant de grands yeux noirs, comme s'il découvrait son propre pouvoir. Je lui avais caressé la tête en riant. On pouvait dire ça oui, c'était magique. La nuit qui suivit, je ne dormis pas. Même pas cinq minutes. J'étais trop excité. Je sentais bien que je devais faire quelque chose, mais l'idée se dérobait. Peut-être même que je n'étais devenu chef d'orchestre que pour cela. Pour réaliser cette mission qui se cachait encore, mais prenait sa source dans tout ce que je voyais autour de moi depuis que j'étais arrivé au Venezuela. L'anecdote du petit Luis n'en était qu'un mince exemple. En réalité, tout se mettait en place comme le font les musiciens quand ils s'accordent au début du concert. Au moment voulu, je lèverais les bras et j'accueillerais ce qui m'était offert. Et finalement, je n'avais jamais mesuré tout ce qui m'avait été accordé jusque-là. Je l'avais pris comme une consolation, le sauvetage d'un être déchiré par son handicap. Mais rien n'était jamais dû. Être handicapé ne m'obligeait pas à découvrir une compensation quelque part. Je repensai à Victoire qui me le disait déjà, mais je l'avais oublié dans mes victoires à moi ! Cette révélation me bouleversa. J'y découvris que l'offre perfide de nos rêves est un tourbillon de mensonges. En tant qu'immuable écorché, j'avais cru mériter la musique, mais j'avais le bonheur hargneux et je m'étais enfoncé dans une évaluation sournoise de ma propre vie. J'étais en train de changer, et maintenant j'allais comprendre et suivre une autre voie. Je retrouverais Émilie, j'en avais la certitude. Parce que la musique ne pouvait ni s'affadir ni s'étioler, comme la passion amoureuse. La musique était comme l'amour, le vrai. Elle restait intense, elle pouvait se reproduire sans avoir jamais perdu de cette intensité. La limite de l'émotion, c'était son épuisement. La source, le renouvellement, l'éternité de l'émotion se trouvaient dans la musique, dans son intemporalité. Elle était ce qui échappait à nos âmes chevillées à notre corps, notre liberté d'être nu, d'être immatériel, enfin libre. Et moi aussi, j'allais être enfin libre.

« Je suis revenu comme si j'étais encore ailleurs, et pendant plusieurs jours, je ne pus rien faire d'autre que penser à ce voyage, à ces jeunes musiciens, à ce que j'aurais pu vivre à leurs côtés si j'étais né dans une favela de Caracas, quelques années plus tard. J'errais dans mon appartement du dix-septième arrondissement. Je passais la nuit endormi sur un des fauteuils de ma terrasse, jusqu'à ce que le petit jour et sa rosée glacée me poussent à rentrer dans ma chambre.

Je comprenais soudain ce qui était au-delà de ce que j'avais vu au Venezuela. La musique ne condamne pas, ne compare pas, n'émet pas de jugement. Elle est dans les choses telles qu'elles sont. Hors de la pensée. C'est ce qui la rend si précieuse, si implacable et si réparatrice. C'est d'ailleurs ce pour quoi certains voudraient la conditionner, la dompter, voire l'interdire et faire taire ce qu'ils croient y percevoir. Mais ce serait l'aveu même de leurs crimes. Ils voudraient détruire ce qu'ils croient qu'elle raconte, ce qui les rend furieux. Alors qu'on est si bien en son sein, dans ce refuge plein d'amour. On ne peut rien exiger de la musique car elle est totale liberté. Elle n'a même pas besoin d'offrir une explication, de proposer une signification. Et c'est d'une insolence effroyable de pouvoir toucher cette liberté, de s'y baigner dans une joie pure. Et ça sauve de tout. Il fallait faire éclater les carcans qui nous enfermaient, remettre en cause tout ce que nous avions reçu. Les personnes, les territoires légitimes de la musique devaient bouger, se rencontrer, danser sur d'autres fronts, porter ailleurs le trésor que nous avions enterré dans un tombeau, de peur d'en être dépossédé.

Puis il me fallut reprendre le cours de mes engagements.

À Paris, j'ai eu quatre adresses, et m'en souvenir me projette dans une époque différente, un peu comme si j'avais eu plusieurs vies : pauvre et tellement candide dans ma chambre minable de Saint-Germain, jeune chef ébloui dans mon premier appartement du Marais, maestro adulé dans un deux cent cinquante mètres carrés au Champ-de-Mars. Comme j'étais seul et riche ! Dans le salon, trônait un grand piano de concert, dont j'effleurais les touches chaque matin… J'ai à peine souri quand un vieil ami m'a dit en sifflant : "Tu dois mettre au moins une demi-heure à le traverser, ton appartement !" C'était sa manière à lui de s'assurer que je n'avais pas perdu l'humour de mon handicap. Que j'étais encore le même... Il avait intuitivement compris. Non, je n'étais plus le même. J'avais gagné une légitimité. J'étais là où j'avais rêvé d'arriver. Je n'entendais pas qu'on rie de ce décalage entre mon statut et ma situation de handicapé, dont j'avais été le premier à me moquer autrefois. J'avais perdu l'essentiel, une certaine aptitude à l'autodérision. J'étais devenu ce maestro qui ne possédait plus d'indulgence pour les amis qui me renvoyaient à la place humiliante que j'avais occupée autrefois. C'était ainsi que je le pensais à cette époque. Pas un seul n'osa me le dire franchement et ceux qui s'en aperçurent attendirent que je redevienne humble pour me serrer dans leurs bras en murmurant qu'ils avaient eu très peur, mais qu'ils avaient toujours eu confiance en ma lucidité.

À quelques rues de celui-ci, se trouve mon quatrième appartement, celui de l'entre-deux. Mon refuge quand Émilie est partie, treize ans après notre rencontre. Beaucoup plus modeste, il a été une coquille, un lieu où je me suis un peu reconstruit. Je l'ai peu habité ; cette année-là, j'ai fait plus de deux cents concerts. Je ne faisais que passer. Quand je m'en souviens, je me vois assis ou debout devant mes partitions avec une barquette à la main, un repas tout fait, acheté chez un traiteur chinois, juste au pied de l'immeuble. Dans le petit jardin du rez-de-chaussée, je me reposais, je regardais les fleurs quand il y en avait, et je repartais pour l'aéroport. Je ne pensais qu'à une chose : je me faisais des films dans lesquels Émilie revenait. Chaque fois, le scénario était différent. Elle était avec son violoncelle dans mon orchestre, elle remplaçait quelqu'un. Je ne dirigeais que pour elle. Je la sentais sans la regarder, je comprenais qu'elle allait me revenir. Ou alors je la rencontrais par hasard dans la rue d'une capitale lointaine. Songeuse, elle mangeait une pomme sur un marché. J'ai toujours trouvé qu'Émilie avait un potentiel érotique incroyable quand elle s'attaquait à une pomme. La classe d'Ève perdant le paradis et ne le regrettant absolument pas ! Mais ce n'est pas du tout ainsi que j'allais la retrouver. Ce fut beaucoup plus simple. Presque deux ans exactement après son départ, après des jours d'errance, de concerts, de dépression, m'apparut soudain clairement – c'était quelques semaines après mon retour du Venezuela – ce que j'allais faire désormais au lieu de jouer au maestro avec les plus grands orchestres du monde. Et ça, je ne pouvais le faire sans elle. Alors j'ai demandé à un ami commun de l'appeler et elle a accepté de me rencontrer dans un café où je lui ai raconté notre avenir. »

14 octobre 2015

Jamais je ne pourrai parler à Léa de ce que j'ai ressenti ce jour-là en la revoyant, en effleurant sa joue de mes lèvres... Tout ne peut se décrire ou·se raconter. Elle a emporté dans la tombe l'autre moitié de ces instants qui ont refait de nous un couple. Je garde ma part secrète. Seule une musique peut-être, à pas légers, en indiscrète... Je me souviens de mon angoisse en l'attendant au bar Hemingway du Ritz. J'essayais de me concentrer sur les détails qui m'entouraient, le chic à la fois suranné et hors d'âge du lieu. Les portraits de l'écrivain accrochés au mur, en tenue de baroudeur avec ses jumelles, les fauteuils américains en cuir, le bar et ses transparences, les mains agiles du barman préparant des cocktails. J'étais ce glaçon qu'il venait de glisser dans son shaker et qui, ballotté par son mouvement énergique, ignorait tout du résultat final de cette opération. Mille fois dans les quinze minutes qui me séparèrent de son arrivée, je faillis me lever, partir et ne pas m'exposer à son refus. J'essayais de repasser ce que je pourrais bien lui dire, et de m'entraîner mentalement, comme je le faisais faire à mes musiciens pendant certaines répétitions depuis des années. Mais rien ne venait. Que des souvenirs joyeux avec elle, le Harry's Bar de Venise, l'Hemingway Bar d'Hollywood, celui de Prague et celui de La Havane. Émilie était une lectrice passionnée d'Ernest et je repensais à son livre fétiche, *Pour qui sonne le glas*, ce que je me demandais effectivement ce jour-là. La première fois que j'étais allé chez elle, elle m'avait expliqué qu'elle mettait ses auteurs préférés sur les radiateurs de son appartement. Il y en avait donc un pour Ernest Hemingway, un autre pour Romain Gary, un pour Friedrich Nietzsche et Gabriel García Márquez. Ceux qui restaient appartenaient à des femmes, Nina Berberova, Doris Lessing, Virginia Woolf, Gabrielle Roy... Émilie me faisait lire tant de livres, comme si elle parsemait mon chemin de ces mots que je m'efforçais de dire, mais qui n'auraient jamais la fluidité d'une pensée. Elle me manquait, oh ça oui, mais je m'étais appliqué à ne jamais m'arrêter à tout ce qui s'était perdu depuis qu'elle avait disparu de ma vie. Nous étions le 12 juillet 1999. Michel Petrucciani était mort en janvier, Yehudi Menuhin en mars, Joaquín Rodrigo venait de nous quitter le 6 juillet, à presque cent ans. J'avais donné un concert en son honneur en Espagne, faisant rejouer à Madrid son grand succès, le *Concerto d'Aranjuez*, tandis qu'à tous les coins de rue, on entendait l'album de Manu Chao, *Clandestino*... J'étais venu rencontrer Joaquín Rodrigo quelques années plus tôt, à mes débuts de chef d'orchestre, parce que j'aimais sa musique qui incarnait l'Espagne que je ne connaissais pas, mais que je ressentais. Je voulais le voir parce qu'il avait connu Ravel et peut-être secrètement, parce qu'il était aveugle depuis l'âge de trois ans et que ce monde intérieur qui passait dans sa musique m'était familier. Pourquoi est-ce que je repensais à tout ça dans ce café, à la gentillesse de Vittoria, sa femme, qui m'avait reçue comme un fils en m'invitant à rester quelques jours dans leur maison ? Vittoria était l'évidence de Joaquín, comme Émilie la mienne...

Quand elle est arrivée, je ne lui ai pas parlé de ma peine, du manque ou de l'émotion que j'avais en la retrouvant. Je lui ai exposé mon projet avec passion et je crois que je l'inventais en le lui racontant. Je rajoutais des désirs, des destinations, des idées de financement. J'en faisais des tonnes car je voyais qu'elle était aussi passionnée que moi par cette idée folle. Au bout d'une heure, je compris qu'il fallait que j'en vienne à ma proposition. Je voulais que nous puissions construire ce projet ensemble. Je voulais que nous ne concrétisions pas notre divorce prévu cette année-là. Je n'avais d'ailleurs pas signé les papiers envoyés par son avocat. Je voulais qu'elle me pardonne et qu'elle sache que je n'étais plus le même et qu'une ferme intention de le lui prouver m'animait. Mais bien sûr, la connaissant un peu, j'avais quand même déjà vécu presque quatorze ans avec elle, je ne m'attendais pas à ce qu'elle me dise oui tout de suite. Je crus d'ailleurs dans un premier temps qu'elle disait oui seulement au projet, mais pas à la seconde partie de ma proposition. Mais je m'étais trompé. Au bout de tant d'années, je pouvais avoir une petite idée du vécu d'Émilie avec moi, mais pas de son désarroi dans cette séparation imposée par mon attitude stupide, mais qu'elle n'avait jamais souhaitée. Si bien que le soir même de notre rendez-vous, nous nous retrouvâmes dans le même appartement, le mien, qu'elle ne connaissait pas. Le lendemain soir, elle m'invita chez elle et je découvris d'où venait son rire de la veille en découvrant les pièces de son petit lieu. Nous avions sensiblement les mêmes goûts et les univers de nos appartements se ressemblaient beaucoup, avec quelques petites touches dues au fait qu'elle était femme et que j'étais homme. Nous vécûmes les semaines suivantes dans une euphorie totale, élaborant notre projet et nous racontant ces deux ans où nous ne nous étions plus jamais croisés. Au bout de six mois, Émilie organisa une grande fête pour que tous nos amis nous revoient ensemble. Je n'en revenais pas d'être si heureux, de partir diriger des orchestres à l'autre bout du monde en sachant que j'allais la retrouver en rentrant. J'avais peur que les avions ne tombent, que quelque chose de la vie me punisse d'avoir été si stupide, si orgueilleux, si aveugle. Je l'embrassais passionnément quand elle allait chercher du pain, comme si elle n'allait jamais revenir, comme si elle devait être cueillie par la mort en traversant la rue ! Je tremblais de la perdre à nouveau et je crois qu'elle ressentait la même chose. C'était ce que me racontait son regard quand elle me conduisait à l'aéroport ou qu'elle venait m'y chercher. Je lui laissais des mots fous que je glissais dans ses poches de manteau ou dans son sac : *Chère Mademoiselle, je vous ai aperçue et j'aimerais beaucoup vous revoir, alors si vous en êtes d'accord, nous pourrions nous retrouver chez moi afin de causer d'intensités sonores et d'amplitudes vibratoires. L'ébranlement qui s'ensuivra pourrait être phénoménal...* Je lui chantais la chanson des Frères Jacques, *La Violoncelliste*, « Elle imaginait du bonheur / avec six jeunes gens en fleurs / *si si* mineur, la violoncelliste / aux bras musclés, aux cheveux blonds / six éphèbes au corps d'Apollon / *si ré do si* / la violoncelliste ».

J'appris qu'elle était venue me voir deux fois diriger pendant ces deux ans et qu'elle suivait ce que je faisais. De mon côté, au terme de moultes hésitations, je n'étais pas allé à ses concerts, trop terrorisé par l'idée de la croiser au bras d'un autre, et convaincu qu'on me reconnaîtrait et qu'elle s'apercevrait de ma présence. J'avais néanmoins acheté son disque et vu sa fille en secret.

Pour son anniversaire, le mois suivant, j'organisai un mini-concert sous ses fenêtres et nous jouâmes l'adagio de la *Symphonie n° 2* de Rachmaninov avec soixante musiciens. Je lui offris deux bouteilles de son parfum, le *Numéro 5* de Chanel, pour dessiner 55 sur sa table ! Que ce fut beau, cet amour qui renaissait, et comme elle avait bien fait de me quitter pour que je comprenne que notre couple m'était essentiel. Si elle était restée, elle m'aurait détesté, me l'aurait fait payer très cher, et j'aurais fini par la quitter sans espoir de retour.

« "Prenez vos instruments, aujourd'hui nous allons répéter au vert !" Emmener mes musiciens à la campagne, je l'avais déjà fait, c'était même devenu ma réputation. Si bien que dans un premier temps, ils ne furent pas surpris.

Mais c'était une tout autre partie de campagne que je leur réservais. Il s'agissait de mon premier essai pour ce futur orchestre que je voulais fonder. Un bus réservé par mes soins nous mena dans une banlieue de Lyon et nous déposa sur un terrain vague charriant quelques détritus. Bien sûr, je ne vous cache pas que la mine des musiciens à notre arrivée était plutôt – comment dire ? – perplexe. Entre l'hostilité et l'inquiétude. Je regardais Émilie qui avait accepté de revenir à mes côtés à cette occasion et qui me souriait, confiante. Nous avons débarqué les instruments sur cette pelouse sauvage, entourée d'immeubles sales et gris. Chacun portait ses vêtements du jour, car je n'avais pas encore décidé quelle tenue nous porterions lors de ces concerts-là. J'hésitais entre la tenue officielle de nos cérémonies – j'essayais d'imaginer la réaction des habitants en voyant un orchestre symphonique débarquer en robe longue noire et en queue-de-pie – et la blancheur. Je disposais d'une centaine de chemises blanches, à tout hasard, pour essayer. Symboliquement, je voulais leur faire jouer d'abord *Libertango*. Nous devions faire un concert en l'honneur de l'Argentine et deux ou trois pièces d'Astor Piazzolla étaient à notre programme, dont celle-ci, qu'il m'avait symboliquement offerte en 1974, alors qu'il venait de l'enregistrer à Milan. Entré au Conservatoire quelque vingt ans plus tôt grâce à lui et Lalo, j'avais été par hasard invité à diriger l'Orchestre de Florence, ville où nous nous étions retrouvés. Il m'offrit la partition de *Libertango* en me disant : "Hé *guapo*, tu te souviens de ton handicap qui n'était que la pensée triste que tu croyais ne jamais pouvoir danser ?" Nous passâmes une excellente soirée avec ses musiciens, allant même jusqu'à appeler Lalo aux États-Unis, qui était en pleine écriture d'une musique de film. Devenu célèbre à Hollywood, il était resté drôle et humble ; et s'il n'avait pas eu une grosse production musicale à terminer, je l'aurais bien vu prendre l'avion pour nous rejoindre la semaine suivante. Astor me conseilla de me rapprocher de Zubin Mehta, chef d'orchestre indien, qui conduisait l'Orchestre philharmonique d'Israël, un homme que j'admirais beaucoup. Il émanait de lui une grande sérénité et puis je l'avais entendu dire un jour : "Le problème de Karajan, c'est que la musique ne lui a jamais suffi." Et je sentais bien ce qu'il voulait dire par là. Moi-même je m'interrogeais sur cette phrase qui menait tout droit à l'égotique carrière d'un flamboyant maestro, à l'inutile gesticulation qui s'apparentait soudain à un désir de reconnaissance. On le gravissait comme une pente, on pouvait aussi le dévaler, mais l'autorité qu'il conférait était un piège dont on ne pouvait sortir indemne. Il m'était arrivé de croiser Herbert von Karajan, à la barre de son grand voilier en Méditerranée, quand il passait ses journées à gratter quelques places pour être le premier sur l'eau, à la tête de son équipage comme s'il s'agissait d'une armée. Un grand chef pourtant, à ce qu'en disaient les critiques...

Regardez-moi, perché sur mon estrade, moi qui tutoie les dieux, moi qui fais descendre sur vos têtes les âmes symphoniques des plus grands musiciens morts. Je suis le gardien de ces anges et je tiens au bout de ma baguette la virtuosité du monde musical !

Voilà pourquoi j'étais là. En ce jour d'automne qui hésitait entre blanc et gris clair, il ne faisait pas froid, il ne pleuvait pas. C'était un jour ordinaire à Lyon. Mais peut-être pas dans cette banlieue où depuis quelques jours régnaient des nuits d'affrontements entre policiers et jeunes des cités. Je n'avais pas voulu avertir les musiciens avant d'être sur place. Mais quand le bus s'arrêta devant notre terrain vague et future scène, je leur expliquai mon idée. Nous allions jouer. Chaque mouvement entièrement, et je leur ferai mes commentaires à la fin de cette répétition générale, afin de ne pas interrompre la musique. Notre travail allait avoir lieu là où d'autres attisaient la peur et la haine des habitants depuis une semaine. Je comprenais qu'ils m'en veuillent ou qu'ils refusent de jouer. Ils pouvaient rester dans le bus, repartir s'ils le désiraient. J'avais été un peu lâche en choisissant de les informer une fois sur place, parce que ma crainte qu'ils déclinent était la plus forte. Pour ceux qui choisiraient de rester, je disposais d'une centaine de chemises blanches. J'attachais de l'importance à la couleur de notre groupe. D'une certaine façon, je les avais mis devant le fait accompli, mais je leur laissais maintenant le choix de me quitter et de refuser cette expérience. Autour de nous, des groupes s'étaient formés à distance respectable du bus. On nous observait. J'essayais de percevoir sur les visages tendus des musiciens ce qui allait se décider. Je les sentais presque soulagés de savoir enfin ce que nous avions manigancé. Certains échangeaient des regards comme pour s'interroger sur la conduite à tenir. Émilie continuait à m'observer avec un léger sourire. Ses yeux racontaient sa confiance en ce que j'appelais désormais, notre projet. Mon ami guitariste, Raphaël, se leva le premier et harangua le groupe. "On va enfin savoir si la musique adoucit les mœurs !" À ce moment-là, je savais qu'il fallait que j'emporte l'adhésion des cordes. Si l'unicité d'un orchestre est impressionnante lors des concerts, elle est loin d'être évidente dans un autre contexte.

— Vous voulez dire qu'il y a des différences entre l'obéissance des cordes et celle des cuivres ou des bois ?

— Non, mademoiselle, je veux dire par là que l'origine sociale des instrumentistes aurait pu déterminer ce jour-là leur décision. Les cordes représentant la partie issue d'une origine sociale plus élevée, ils pouvaient suivre l'aversion d'un seul et décider que jouer dans le terrain vague d'une banlieue en effervescence représentait un effort, ou du moins une démarche consciente et réfléchie qu'ils n'avaient pas envie d'assumer. Je me retrouvais donc en pleine exploration de ce que je vivais au jour le jour avec des orchestres, mais sans pouvoir le vérifier sur le terrain. Vous savez, cette tradition est historique. Les cordes, le piano appartenaient autrefois à la lignée de ces instruments précieux dont on a longtemps perpétué l'écoute dans les salons bourgeois. Par tradition, les cuivres viennent plutôt de la fanfare. Cette situation a dès le départ imprimé des clivages dans les orchestres. Aux enfants des milieux plus bourgeois, l'apprentissage du piano, du violon, du violoncelle, aux autres issus de milieux plus modestes, les bois et les cuivres. Même s'il y a eu une tendance à la démocratisation récemment, certains musiciens des orchestres restent encore aujourd'hui regardés de haut par les cordes. Pourtant, je dois admettre que ce jour-là fut magique. Peut-être que notre intention désintéressée fut immédiatement perçue par les habitants de cette banlieue. Nous nous sommes retrouvés très rapidement entourés d'une foule bigarrée et intergénéra-tionnelle et les musiciens impressionnés ont rapidement enfilé leur chemise blanche. Nous avons commencé le concert dans une grande concentration et nos spectateurs sont restés debout ou assis dans l'herbe jusqu'à la fin. Ils ont applaudi très chaleureusement. Beaucoup sont venus remercier les musiciens, peu ont osé s'approcher de moi, comme si le statut de chef les impressionnait. Seul un jeune homme en fauteuil a insisté auprès de sa mère pour qu'elle le pousse vers moi. Sa première phrase était en forme de surprise : "Ils vous ont laissé faire ça ? Devenir un chef d'orchestre ? Même en étant IMC ?" J'en aurais pleuré. "Tu as le droit de faire tout ce que tu désires, mais ce sera plus dur et plus long ! lui ai-je répondu. Mais ça n'a pas d'importance si tu veux accéder à quelque chose qui te remplit de joie chaque jour. Et à propos, IMC ça veut dire Immense Monde à Conquérir ! Note bien ça dans ta chambre et regarde ce papier tous les jours, OK ?" Ensuite il n'y a plus eu de mots, seule-ment un regard, très long. Certains musiciens m'ont rapporté des phrases tellement émou-vantes du style : "Comment vous savez qu'on a besoin de ça ici ? C'est vous qui avez composé cette musique pour nous ? Qui vous a dit de venir ? Vous êtes sûr que la police ne va pas vous arrêter ? C'est qui, le mec qui a payé pour qu'on ait un concert de riches ? J'avais jamais entendu ça. Je ne croyais pas que c'était si beau, la musique qui coûte cher !"

Je peux revoir tous ces instants comme s'ils s'étaient déroulés hier. J'en ai noté chaque détail comme le départ d'une nouvelle vie dans laquelle je n'aurais plus jamais soif d'être ce que je ne serais jamais. Tous les musiciens ont joué d'une façon un peu raide au tout début, puis ils se sont détendus. Ils ont eu un petit rictus coincé quand le public s'est mis à applaudir à tout rompre à la fin du premier mouvement, puis ils ont franchement ri quand ils ont hurlé et sifflé à la fin de tous les mouvements suivants... Quelle importance pouvait bien avoir ces us et coutumes des salles de concert ? Nous avons vu tant de choses bien plus surprenantes, ensuite, en parcourant le monde, en interprétant des œuvres que nous aurions crues à des millénaires de ce qu'il fallait jouer dans tel ou tel endroit, dans une situation de guerre, de famine, ou d'après-catastrophe... Et bien sûr, je savais que ce n'était pas avec ceux-là que j'allais partir, puisque le système de recrutement se ferait sur cette base, être l'Orchestre du Monde. À la suite de cet essai, les musiciens les plus enthousiastes se présentèrent pour nous accompagner dès l'année suivante, quand nous leur exposâmes notre projet international. J'avais la ferme intention de prendre de nombreux jeunes sortant d'El Sistema, car ils possédaient l'âge, le talent, le goût pour l'aventure et une certaine expérience de ce que la musique peut illuminer quand elle s'immisce dans la souffrance et les ténèbres. »

Combien de fois Léa avait-elle installé la caméra pour l'interroger ? Dans le jardin, dans le salon-bibliothèque, dans son bureau, et même une fois dans la cuisine où il confectionnait une salade de crevettes. Elle pensait souvent en le questionnant qu'il existait une certaine similitude entre sa gestuelle et le soin qu'il prenait dans le décorticage des crevettes, sa façon de peler et de couper les légumes. L'attention qu'il accordait à chaque geste et la difficulté que lui rajoutait son bras hémiplégique le rendaient émouvant. Elle se culpabilisait énormément quand elle lui demandait de recommencer un geste pour refaire un plan plus serré. Elle regrettait de ne pas pouvoir enregistrer les odeurs qui donnaient plus de sens encore aux mots prononcés, au propos musical de ces descriptions. Léa s'en souvenait encore, l'entretien de ce jour-là portait sur l'enfance. Et de façon plus générale, sur la manière dont l'enfance intervenait dans l'œuvre des musiciens et des compositeurs. Elle avait déjà posé la question à des interprètes. Disposaient-ils d'une plus grande compréhension de l'œuvre quand leur passé se rapprochait de celui du compositeur ? Et pour un chef, fallait-il que sa propre vie s'enlace à celle de celui qui avait composé les œuvres pour qu'il puisse entrer pleinement dans la direction d'un phrasé qui n'appartenait qu'aux initiés ? Il n'en était pas sûr. Il lui raconta qu'enfant, quand il entendait un morceau, il pouvait le retenir en entier. Il s'amusait alors à le repasser dans sa tête, le soir, dans son lit. Il pouvait passer des heures à rejouer ainsi des morceaux avec sa seule mémoire auditive pour boussole. À l'époque, il ne savait pas qu'une telle aptitude était rare, qu'il était le seul à réaliser ça dans son entourage. Lors de son apprentissage tardif du solfège, cet exercice était devenu encore plus simple. Mais là encore, et même au Conservatoire, il s'était aperçu que la musique ne coulait pas de source pour la plupart des élèves musiciens. Il avait alors pensé qu'il possédait cette aptitude parce qu'il ne jouait d'aucun instrument. Cette mémoire musicale était sa façon à lui de jouer... Partageant cette expérience avec un des élèves, pianiste, il s'était pris dans la gueule, c'était le terme qu'il employait, cette remarque : « Mais toi, tu ne joues rien. Tu ne peux pas t'entendre. Bien sûr, tu ne peux pas connaître la joie d'interpréter une œuvre, mais surtout, tu ignores le désespoir que nous connaissons tous dans l'imperfection, le rabâchage, la frustration de l'impossible niveau à atteindre. » Comme Luis n'était pas encore à ce moment-là intégré aux cours de direction d'orchestre, ni même dans une classe de clavecin, il n'avait pas su quoi répondre. Il ne désirait pas s'entendre jouer mal, interpréter de façon insatisfaisante. Il jouait toujours juste avec cette mémoire-là. Il pouvait même changer la cadence, le phrasé de l'un des instruments, ou d'un groupe entier. Il pouvait accélérer les cordes, se rapprocher du timbalier. Parfois il était triste de ne pouvoir faire éprouver aux autres la joie que lui procurait cette aptitude particulière. Ce fut seulement quand il commença à diriger qu'il put offrir ce partage aux spectateurs et qu'il comprit mieux les paroles de son camarade, quelques années plus tôt. Mais cette joie d'une musique en silence ne s'effaça pas pour autant. Il avait remarqué quelque chose de très curieux. Quand il pratiquait seul cette lecture particulière sur les partitions d'orchestre, les jours suivants, lors des répétitions avec ses musiciens, l'orchestre jouait mieux. Il osa, quelques années plus tard, proposer cette expérience à l'une des violonistes de l'Orchestre de Chicago. Parce qu'elle était jeune et qu'il sentait qu'il n'obtiendrait pas exactement ce qu'il souhaitait, il lui avait demandé de répéter certains passages mentalement et sans toucher l'instrument. Si elle fut surprise, elle n'en souffla pas mot et simultanément, ils tournèrent les pages ensemble, lui entendant ce qu'il voulait qu'elle joue, et elle, il l'espérait, écoutant dans le murmure de la pièce ce qui lui était suggéré. Réussite totale de ce qu'il désirait lui transmettre. Elle avait pu lui jouer impeccablement le passage répété mentalement. À la fin de l'exercice, elle était si surprise du résultat qu'elle voulut rejouer le passage une deuxième fois, mais il refusa.

À partir de là, Luis fit toutes sortes d'expériences avec le son, y compris plus tard sur les nouveaux terrains de ses concerts où il découvrait que cet ensemble de fréquences balancées au cœur même de la souffrance humaine changeait le cours de l'existence de ceux qui les recevaient. Il s'était intéressé aux travaux du physicien allemand Ernst Chladni qui avait prouvé que les vibrations d'un archet de violon organisaient du sable en motifs géographiques sur une plaque de métal. Il s'arrangeait toujours, au cours de ses voyages aux États-Unis ou au Japon, pour rencontrer discrètement des scientifiques qui travaillaient sur les champs magnétiques émis par les êtres vivants. Il était profondément convaincu que la musique entrait en harmonie avec les vibrations d'un être humain et lui permettait de se soigner, de traiter la peur en lui. Les sons des tambours n'étaient-ils pas à l'origine de tous les états modifiés de conscience, menant dans un nombre incalculable de textes ancestraux les vibrations du monde et de sa naissance ? Les recherches et la collaboration entre musiciens et scientifiques pouvaient ouvrir ce champ immense, mais pour l'heure, Luis en était à l'urgence d'offrir ce réconfort sans pouvoir le quantifier ou même le qualifier. Il évitait d'en parler pendant les interviews, mais il comptait bien s'en préoccuper plus tard. Pour l'heure, ça marchait, c'était le plus important et il se foutait pas mal que quelqu'un vienne lui dire comment…

Léa savait qu'il lui faudrait extraire une explication, quelques mots dont la justesse serait aussi forte que la musique qu'il engendrait. Mais un homme qui pratiquait, dirigeait, était et vivait la musique comme lui pouvait-il pour autant décrire cette sarabande intime, cette obéissance au doigt et à l'œil qui ne possédait aucune autorité comme finalité, mais seulement la perception d'un son démultiplié et pourtant unique ? Souvent, Luis évoquait la perception de l'orchestre et signalait à Léa qu'elle était infiniment différente pour celui qui le menait. Lui n'entendait pas une œuvre, et pendant le concert, ne dirigeait pas un orchestre. Lui était doté de plusieurs oreilles greffées en une seule écoute ; il était le berger de musiciens ayant leur âme blottie comme un trésor au cœur de leur instrument. Il était dans une dimension astrale. Par ailleurs, il avait une relation personnelle avec chaque flûtiste, hautboïste, corniste, trompettiste, violoniste, violoncelliste, contrebassiste, mais également avec le timbalier dont la plupart des spectateurs ignoraient qu'il fût la personne la plus importante de l'orchestre après le premier violon. C'était ce timbalier qui faisait face au maestro, au même étage que lui, portée mythique de l'édifice et assujetti au bras du chef, afin que toutes ces individualités se calent sur un chemin commun. Combien de fois avait-il partagé cette particularité de l'écriture musicale, ce cœur battant dont Beethoven était le père initiateur ? Ce qui se déroulait pour le chef avec chaque instrumentiste était unique. À l'intérieur de cette histoire, il devait les tenir, mais aussi leur laisser un espace vital. Léa savait que toutes ces subtilités, qui, lorsqu'on s'immergeait dans l'histoire foisonnante de l'orchestre, étaient innombrables, devaient apparaître afin que le portrait de cet homme surprenant soit plus complet et mieux compris. Et s'il se prêtait avec plus de grâce qu'elle ne l'aurait présagé à l'exercice de l'exploration de sa vie, Luis la dardait souvent de son regard où perçait une interrogation qui la faisait frissonner. Parfois il la fixait tandis qu'elle installait les lumières et quelque chose brillait dans son œil, comme s'il devinait pourquoi elle faisait ce film, au-delà des raisons formulées. Quand elle le quittait après avoir passé la journée avec lui, elle se demandait ce qu'il faisait. Au début, il ne lui proposa jamais de rester pour déjeuner, dîner et demeurer là un moment après le travail. Quand ils ne se voyaient pas pendant plusieurs jours, il lui manquait. Elle avait même mis un certain temps à se l'avouer. C'était contraire à la déontologie du métier. On interrogeait, on se passionnait pour un sujet, pour un homme ou une femme dont on faisait le portrait, mais il était bon de garder ses distances, de rentrer chez soi en déposant à la porte les humains qu'on filmait. Elle s'en était aperçue en haussant les épaules. Sa motivation première revêtait déjà un caractère d'interdit, alors pour la suite… Bien sûr elle était allée vers lui parce qu'elle voulait raconter la vie d'un chef d'orchestre atypique. Mais d'autres raisons plus personnelles, autres que documentaires, se nichaient dans son désir de faire ce film sur Luis. La limite professionnelle était déjà franchie. Depuis qu'elle le connaissait mieux, elle était de plus en plus sûre qu'il lui faudrait avouer la vérité à un moment ou un autre. Elle lui avait tendu récemment, avec une légère honte, le papier qui constituait son garde-fou pour qu'il n'interdise pas la diffusion ou la publication. Ça cadrait si mal avec le personnage, ce contrat signé ! Elle aimait sa sensibilité, et il possédait des côtés si touchants. Il lui avait confié la peine ressentie le jour où, décidant d'en savoir un peu plus sur chaque membre de son orchestre, il avait découvert combien dans cet univers musical qu'il pensait privilégié, le gâchis était le même qu'ailleurs. Là, comme dans d'autres sphères professionnelles, on conditionnait des êtres dès leur enfance afin qu'ils obéissent à un désir parental incongru et inadapté. Si le naturel de chacun de ses musiciens s'était exprimé, sans doute n'auraient-ils pas traversé cette jungle inextricable pour rejoindre la musique, et peut-être même qu'une partie d'entre eux ne seraient pas devenus musiciens. Il aurait parié que certains soirs, quelques-uns de ses musiciens étaient incapables de se souvenir de ce qu'ils avaient joué, tant ils étaient tombés dans une routine mortifère, un abandon d'eux-mêmes, par dépit de n'avoir pas pu choisir leur voie professionnelle. Heureusement, ce n'était pas la majorité. De cela aussi, il était sûr. La musique n'était certes pas le seul domaine professionnel où s'exerçait ce désarroi, mais Luis qui s'était battu avec les moyens du bord pour défendre son impulsion artistique, était tombé de son estrade en découvrant que dans la musique et dans d'autres domaines culturels sans doute, vivaient des êtres profondément malheureux de n'avoir pas pu ou su trouver un épanouissement personnel qui était peut-être à des kilomètres de l'univers artistique. Finalement, ceux qui voulaient absolument avoir des enfants artistes étaient aussi terrifiants que ceux qui hurlaient que la musique n'était pas un métier !

Léa n'était pas la seule à diriger les opérations de son film. Par ses suggestions et parfois ses questions insidieuses, Luis influençait le cours de son documentaire. Léa s'en rendait bien compte, il la prenait doucement par la main pour l'éloigner des révélations qu'il ne voulait pas lui faire ou des thèmes qu'il avait peur d'aborder. Mais ce fut lui un soir, alors qu'elle repliait ses notes, qu'il lui glissa : « Il faudra peut-être un jour qu'on aborde le problème financier… » Elle sursauta : « Quel problème financier ? » Il sourit comme s'il s'amusait de l'ambiguïté de sa déclaration. « Celui du financement de l'Orchestre du Monde ! Ce n'est pas tout de jouer à travers la planète pour des publics qui ne payent pas leur place, il faut voyager, se loger, se nourrir… La vraie vie d'un orchestre, pas tout à fait logé et nourri comme un orchestre classique. Il n'empêche, le fonctionnement de cette machine musicale, a un coût et pas des moindres. » Elle soupira. Quelle était sa peur ? « Connaissez-vous le prix annuel du fonctionnement d'un orchestre ? » Elle rougit. Elle s'était plongée dans les livres, avait écouté de la musique, lu des entretiens avec les chefs d'orchestre, étudié le fonctionnement intense de ce corps si particulier, puis à mesure qu'elle l'interrogeait voulait comprendre, avoir d'autres sources d'information, et pourquoi ne pas le faire, vérifier ce qu'il disait, en recoupant ses récits avec ceux de musiciens l'ayant connu. Mais dans toute cette somme d'informations, elle n'avait jamais cherché à savoir ni combien gagnait un chef, ni combien coûtait son orchestre. Dès le lendemain, après s'être un peu renseignée, elle revint sur le sujet. Il souriait de la voir en élève appliquée suivre ses directives, comme s'il continuait à diriger même quand il ne s'agissait pas de la musique. Elle en était un peu agacée, mais elle devait en convenir, le problème des fonds était primordial. Il s'était cruellement posé dès le moment où Luis avait eu l'idée de fonder l'Orchestre du Monde avec des musiciens de multiples nationalités, et ce cahier des charges si particulier : aller jouer partout où les humains souffrent, où la musique n'a pas sa place, où ceux qui viennent en renfort subviennent aux toutes premières nécessités, les soins médicaux et la nourriture, mais pas à celles qui amènent l'apaisement de l'âme. Ainsi, il le savait au départ, un tel projet ne pouvait se construire sans avoir plusieurs appuis financiers très sûrs, et pour cela il fallait frapper aux portes des riches mal vus, de ceux qui auraient besoin de redorer leur blason avec un peu de compassion. C'était pervers mais efficace. Au début, il prévoyait de s'attaquer aux sociétés d'assurances, aux laboratoires pharmaceutiques, aux grands complices du mal-être humain ou des effets secondaires de son amélioration... En bref ceux dont on sait que l'argent qu'ils possèdent a des côtés coupables. Son principe allait être simple : soit ils devaient tous participer, soit leur refus serait montré du doigt. Quelle entreprise voudrait qu'on médiatise son refus d'être au cœur d'un projet si noble, si philanthropique et si culturel ? Offrir de la musique classique à tous les déshérités de la vie, faire s'élever cette noble musique sur les lieux de guerre, de famine, de misère grâce à l'argent de ceux dont on sait qu'ils s'en désintéressent... Quelle cause plus bienveillante pouvait-on bien leur offrir ? Comme Luis l'avait espéré, pas un des mécènes pressentis ne voulut être exclu du projet. Il engagea une jeune femme chevronnée qui tira magnifiquement parti de ceux dont elle possédait déjà la signature et l'accord. Dès le début Luis y avait cru. L'Orchestre du Monde aurait autant de mécènes que de musiciens et la musique médiatique que ferait entendre cette splendide collaboration inédite entre la souffrance et l'argent pour la combattre, ressemblerait à une partition menée par la baguette d'un maestro. Son intuition était bonne. L'Orchestre du Monde eut autant de financiers de nationalités différentes que cet orchestre symphonique atypique comptait de musiciens d'horizons différents, et tous furent flattés d'être engagés dans ce grand projet international. Chaque année, on élisait « un premier violon », à savoir le donateur le plus généreux, et ainsi se présentaient une flopée de partenaires un peu moins riches, suivis d'un groupe de mécènes individuels toujours plus nombreux.

Ensuite Luis s'était doté d'une sacrée dose de talent et de volonté pour assumer des concerts auxquels s'ajoutaient les reportages faits sur le vif, dans ces endroits où la souffrance était difficilement montrable ou racontable. Léa venait de récupérer l'intégralité des films tournés à La Nouvelle-Orléans, trois mois après l'ouragan Katrina, mais aussi dans les camps de réfugiés de Jordanie, à la frontière syrienne, au Rwanda, au Nigeria, en Turquie, en Inde, et en Algérie après les séismes. Dans les images qu'elle visionnait chaque jour, Léa, médusée, mesurait la difficulté de ces voyages où Luis et Émilie jonglaient entre la sécurité de leur orchestre, le nombre des musiciens, le programme des concerts, l'intendance d'un orchestre normal en situation de spectacles exceptionnels.

Depuis son visionnage des films de certains concerts, Léa ne se demandait plus comment un homme de son âge et de surcroît handicapé pouvait tenir, affronter la fatigue et la douleur. Elle avait remarqué qu'après cette arrivée boiteuse et misérable, où, à pas lents, et parfois aidé d'un membre de l'équipe, il rejoignait l'estrade, il se redressait, son visage s'éclairait. Une énergie particulière s'infiltrait en lui dès la minute qui précédait le commencement de l'œuvre. Sa force était immense, il devenait plus grand, ses bras s'élevaient et il n'avait plus l'air ni fatigué, ni amoindri, ni même vieux. À la fin du concert où il inclinait légèrement la tête sur le devant, comme pour signifier qu'il recevait l'hommage mais que ce n'était pas à lui de s'incliner parce qu'il n'avait rien joué, c'était presque comme si on le débranchait. Quelques minutes après le concert, il s'était comme dégonflé. Il ne restait alors que sa carcasse abritant ce cœur, étroitement relié au lumineux regard qui irradiait son visage.

Avant la mort de son orchestre, Luis disposait d'environ trois cents musiciens de cent cinquante nationalités différentes, qui offraient leurs disponibilités au maestro trois mois par an et faisaient régulièrement partie de l'Orchestre du Monde. Une centaine étaient morts en Syrie et, depuis, six cents musiciens s'étaient inscrits afin de participer aux tournées des trois Orchestres du Monde qui s'étaient reconstitués, sous la baguette de jeunes chefs prometteurs qui avaient forcé la porte de Luis afin de lui proposer d'étendre son œuvre. L'un d'entre eux, Antonin Tardy, raconta à Léa son extraordinaire expérience quand avec Luis, en Afrique, la nuit venue, la musique de *Libertango* s'était élevée en plein désert, puis Mozart et Debussy. Une autre musicienne lui raconta que la centaine de choristes qu'ils étaient à la frontière de la Tanzanie voyait chaque jour dans ces camps des hommes, des femmes et des enfants venir s'étendre devant l'orchestre, pour mourir en musique sur le fil de leurs voix, apaisés, libérés, reconnaissants. Durant toute une soirée, ils avaient chanté des pièces de Rachmaninov, *Nuit*, *Les vagues commençaient à sommeiller*, *L'Ange*, accompagnés seulement de quelques violoncelles et contrebasses... Une sorte de paix intime et douce s'était posée sur le camp, comme si les mystères de la vie, les sordides souffrances injustes n'exigeaient plus d'explications, de raisons valables. Tout était devenu à la fois léger et profond, la grâce d'un monde ancien et proche les avait envahis.

Au début, elle pensait qu'elle ne pourrait jamais plus chanter pour un public qui payait sa place, dans l'ambiance cotonneuse d'un monde à l'abri. Puis elle s'était rendu compte, au bout d'un an passé avec l'Orchestre du Monde, qu'elle en ressentait le besoin, qu'on ignorait tout du profond mal-être dans un monde civilisé, et que chaque humain devait bénéficier de la musique, même s'il était absent de ce qu'elle lui procurait vraiment. Eux, les musiciens de cet orchestre à part, détenaient maintenant ce savoir. La musique guérissait, bien au-delà de ce que l'on pouvait penser. Mais comme beaucoup d'autres musiciens de l'Orchestre du Monde, cette choriste n'avait plus jamais cessé de penser à eux là-bas, victimes de catastrophes naturelles ou humaines, alors qu'elle chantait pour ceux qui, sans aucune raison valable, possédaient une chance insolente et la plupart du temps ne le savaient pas.

« Luis Nilta-Bergo est un directeur photo. Il éclaire différemment l'œuvre qui a toujours été plus ou moins exécutée de la même façon. Il le fait particulièrement avec Mahler, Rachmaninov, Stravinski... Il interprète la partition dans un esprit tout à fait nouveau, en réinstrumentant l'œuvre. On pourrait presque dire qu'il improvise, parce qu'il donne une proportion différente à chaque pupitre, la couleur devient âpre, gluante, puis resplendit suivant la façon dont il atténue les nuances. Il lave les ombres, comme on le dit en photographie, et soudain la crudité du jeu de certains instrumentistes qu'on n'entendait même pas, qui se fondait dans la masse, ressort avec éclat. Un simple coup de cymbales devient démoniaque, la valeur de chaque note se joue dans l'infinité des gestes si précis, si mesurés de ce maestro. Aucune phrase musicale n'est banale. Il n'y a plus de soliste qui tienne sans le soutien nerveux, jouissif, de ceux qui le secondent et qui étaient des laissés-pour-compte depuis toujours. On ne nage pas dans une symphonie dirigée par Luis Nilta-Bergo, on glisse à la surface de l'eau ou on regagne ses profondeurs. On ne peut pas juste écouter, subir, être ailleurs, on respire en rythme et, capté par ces lumières sonores que le maestro semble sortir de sa gestique de magicien, tout humain est transporté dans un monde enchanté où la musique est un langage inné, maternel et pour chacun. »

Léa posa l'article qu'elle venait de lire et nota le nom du critique qui en était l'auteur dans son carnet de route. Puis elle revint à son ordinateur, remit le curseur un peu en arrière, régla à nouveau le son trop faible en écoutant sa question, et se positionna sur la réponse de Luis. Après quelques semaines, Luis se saisissait d'une question et ensuite, elle laissait tourner la caméra, l'écoutant parler comme s'il n'y avait eu aucun outil entre eux. Il s'était complètement affranchi de l'enregistrement. Il racontait...

Luis Nilta-Bergo / Interview filmée le 12 juillet

« Il est difficile de vous répondre sur ce point. Chaque mission préparée avec soin apportait son lot de surprises. Nous avons fonctionné avec des organisations humanitaires, mais également avec notre instinct. Quand nous avons décidé d'aller dans le bidonville de Kibera, à Nairobi, on disait qu'un million de personnes y vivaient. Sur les cartes, on ne voyait qu'un espace vide, une forêt, alors qu'au moins deux cent mille personnes, selon l'estimation plus juste de la plupart des ONG, vivaient là dans un dénuement total. Trente pour cent des enfants y mouraient avant l'âge de cinq ans et je ne pourrais pas vous décrire l'odeur qui y régnait, ni l'état des quelques sanitaires complètement insuffisants. C'était le camp le plus ancien et un des plus grands d'Afrique. Nous y sommes restés un mois en 2006. Certains journaux nous ont accusés d'y être lors du passage d'Obama, dont nous ignorions tout quand nous y sommes partis. De façon générale, et ce fut une surprise de le constater durant les quinze ans où j'ai dirigé l'Orchestre du Monde : quand vous décidez de donner votre temps, vos convictions, et tout ce qu'il y a de meilleur en vous à l'humanité, il se trouvera toujours quelqu'un pour vous soupçonner, vous accuser de vous faire mousser ou essayer de détruire ce que vous faites. Il ne faut pas en tenir compte, il ne faut même pas répondre. Pour ma part, j'ai cherché pendant longtemps avant de comprendre qu'être au monde et pouvoir se considérer comme un être humain digne de ce nom était lié au fait de construire quelque chose qui laisse le monde dans un meilleur état que celui où on l'a trouvé. Produire quelque chose qui le dépasse devrait être le but de tout humain. Alors pour en revenir à votre question, je n'ai pas de hiérarchie, de préférence, de lieu qui ait plus qu'un autre révélé un secret sur la vie des hommes, ou leur écoute de la musique. J'ai toujours été étonné de la tendance des humains à pousser l'horreur toujours un peu plus loin. C'est ce qui se profile sur toute la planète et continue sûrement à grandir au moment même où je vous parle. Je crois que ça va s'accentuer, ces populations immenses, qui migrent, jetées sur les routes par la guerre ou les catastrophes naturelles, et qui deviennent des exilés dans le plus complet désarroi. Il y a une surenchère mondiale dans le domaine de la survie. Partout et même au cœur de nos villes dites civilisées. Il nous est arrivé de nous diviser en plusieurs groupes de musiciens, afin de donner de petits concerts sur quelques centaines d'hectares, pour nous retrouver ensuite au complet et suivre le programme initialement prévu.

Nous avons assisté à des scènes surprenantes où des familles venaient s'asseoir autour de nous, puis timidement sortaient à la fin du concert leurs propres instruments pour nous montrer qu'elles détenaient elles aussi leur musique, et souvent nous avons joué ensemble. Ce phénomène était bien plus prévisible quand nous étions à La Nouvelle-Orléans, où de la moindre maison en ruine sortait un jazzman tellement heureux de se joindre à nous, pour jouer au milieu des maisons encore suintantes, comme si la gaieté pouvait repousser la boue, faire oublier l'eau à peine retirée de la ville détruite. Or nulle part dans le monde, nous ne sommes restés sans croiser un musicien local voire plusieurs. Nous entendions que notre célébration sonore réveillait, là où nous étions, le désir de refaire de la musique chez ceux qui avaient abandonné, dans la dureté des circonstances, ce qui justement allait leur permettre de tenir. Nous ne l'avions pas imaginé avant, mais cet aspect est devenu fondamental dans chacun de nos voyages, car il racontait qu'après notre départ, quelque chose allait continuer. Certes, nous avions juste ranimé une flamme, mais celle-ci ne s'éteindrait plus. Et quelque chose s'est joué là de plus subtil et de plus merveilleux encore. Car la plupart des musiciens de l'Orchestre du Monde n'étaient jamais sortis de leurs partitions, à quelques exceptions près pour certains cuivres, qui faisaient partie de groupes de jazz. Ils ne possédaient aucune habitude de l'improvisation, ils ne soupçonnaient même pas qu'ils étaient capables de jouer avec d'autres que ceux de leur formation, en écoutant tout simplement leur cœur, même quand ces nouveaux venus jouaient sur des instruments étranges qu'ils n'avaient jamais entendus. Certains, au début n'osèrent pas et ne firent qu'écouter ces concerts improvisés. Puis de pays en pays, le miracle de ces rencontres se reproduisant, ils laissèrent leurs complexes, leurs peurs du regard des autres et chacun s'y essaya. En général, je me joignais au groupe en faisant des percussions, toujours avec l'instrument du lieu dans lequel nous nous trouvions, *zilli masa*, *angklung*, *kalangu*, sistres... Je vis des violonistes et des violoncellistes découvrir la *vina*, le *yueqin*, se passionner pour le *kamanche*, qui est une sorte de vielle qu'on pivote autour de l'archet. Une technique inverse à celle qu'ils utilisent sur leurs violons ou leurs violoncelles. J'ai vu un clarinettiste échanger sa clarinette contre un *zummara*, cette sorte de clarinette double en roseau qu'on trouve en Iran ou dans certaines autres contrées du Moyen-Orient, une hautboïste apprendre à jouer de la *zurna* en Turquie... Je voyais des membres de l'orchestre on ne peut plus conservateurs s'ouvrir, et parfois me demander la permission de laisser ces inconnus se joindre à nous, y compris pendant nos concertos ou nos symphonies. Alors Beethoven ou Bruckner vibraient d'harmonies orientales et, fermant les yeux, nous avions la sensation d'être sur l'arche de Noé, fuyant le déluge d'un monde trop cruel. C'était fou et complètement extraordinaire parce que la musique que nous faisions n'existait nulle part ailleurs ; elle naissait de la rencontre, de l'espoir, de notre désir de paix et de réparation. Dans la dévastation du grand tsunami indonésien de 2004, dans le tremblement de terre d'Haïti, dans les camps africains, dans les ruines des immeubles dévastés par les bombes, nous tissions dans l'espace la paix des âmes et le concert universel de notre amour à la vie.

En Syrie, dans le camp palestinien de Yarmouk, à quelques kilomètres de Damas, nous avons rencontré Ayham Ahmed ; il jouait du piano au milieu des ruines et faisait chanter les enfants. C'était surréaliste de le voir avec ce piano à peine accordé, monté sur un chariot à roulettes, en plein milieu de la ville dévastée, avec ces gens qui le rejoignaient et qui étaient à nouveau souriants malgré la guerre et les tirs qu'on entendait au loin. J'ai su que, quelques jours après notre passage, un guerrier de Daesh a brûlé son instrument sous prétexte que la musique est interdite dans leur code religieux. Depuis, il a pu s'enfuir et gagner la Grèce puis l'Allemagne. Il a vingt-sept ans et je crois qu'il a laissé ses deux enfants et sa femme derrière lui. Ce qu'il disait de son rôle de musicien dans la guerre allait dans le sens de notre mission. Même quand on a faim, la musique peut apporter de l'espoir. Presque partout, nous avons compris que notre venue pouvait redonner l'envie de rejouer à des musiciens, et nous avons souvent laissé des instruments classiques à ceux qui avaient perdu les leurs dans un bombardement ou une fuite. Combien de larmes ai-je vues dans leurs yeux quand ils pouvaient de nouveau se saisir d'un violon, d'une trompette, d'une flûte… Nous avons pris l'habitude de partir avec plus d'instruments que nécessaire, afin d'en laisser quelques-uns. Nous avons même récupéré deux musiciens en route, qui sont ensuite entrés dans l'Orchestre du Monde. Je ne pensais pas qu'il était possible de rire autant, de partager autant, de s'aimer autant, simplement en étant là, sans aucune autre raison que celle d'offrir de la musique à ceux qui en avaient tant besoin et parfois l'ignoraient. Même la nourriture qui leur manquait tellement, ils voulaient la partager, offrir le peu dont ils disposaient, nous faire connaître des plats typiques, manger avec nous, alors que nous nous efforcions d'amener le nécessaire afin de ne pas peser sur leurs réserves. Aucun voyage ne nous a épargnés, nous n'avons jamais pu revenir intacts de ces plongées en profonde humanité. Nous n'avions d'ailleurs pas de mots pour les nommer. Mission ? Voyage ? Expédition ? Tournée ? Rien n'a jamais raconté ce que nous faisions, sauf peut-être la musique…

— Qu'avez-vous joué à Yarmouk ?

— La *Symphonie nº 9* de Dvořák, dite *du Nouveau Monde*. »

Luis a posé sa tête entre ses mains et s'est mis doucement à pleurer…

« Je suis trop vieux… Et je suis le seul qui puisse se souvenir de ce que l'Orchestre du

Monde a vécu dans tous ces pays... Je n'avais jamais pensé à ça avant de vous raconter ces aventures merveilleuses de musiciens. »

Léa a éteint la caméra. Elle s'est approchée de lui et ne sachant quoi faire, elle l'a serré dans ses bras. « Il y a tous ces musiciens, a-t-elle murmuré à son oreille, partout dans le monde, ceux que vous avez rencontrés et qui ont vécu ces moments avec vous. Eux non plus ne l'oublieront pas. Eux aussi, le raconteront comme vous le faites aujourd'hui. Vous n'êtes pas seul, Luis. Vous avez vécu ces instants et d'autres Orchestres du Monde, ceux qui sont nés depuis presque deux ans, vont continuer et vivre encore des rencontres merveilleuses. À eux aussi, il faudra le dire. C'est à ça que servira notre film. Peut-être qu'ils croiseront un jeune joueur de luth dans le désert qui leur dira qu'autrefois son père a joué avec vous... Et n'oubliez pas que certains musiciens de l'Orchestre du Monde qui n'étaient pas en Syrie sont toujours vivants, et qu'ils ont vécu une partie de ce que vous venez de me raconter. »

Ils burent un armagnac ce soir-là, et Léa alluma un feu dans la cheminée. Dehors, une tempête avait pris possession de la falaise et une humidité hors saison s'était infiltrée dans la maison. Luis paraissait mélancolique et silencieux, mais de temps en temps il esquissait un bref sourire en la regardant. Elle sentait qu'il allait mieux. La perspective d'une transmission grâce au film qu'ils étaient en train de faire avait paru faire naître sur son visage une lueur d'espoir. De son côté, Léa s'était promis de faire des recherches sur Internet. Elle était sûre que des extraits de ces concerts improvisés devaient se trouver sur la Toile. Comme de petites étoiles du passé de l'Orchestre disparu. Elle allait les chercher, dans toutes les langues, elle retrouverait ces films, et elle échangerait avec leurs auteurs, elle se le promettait. Elle les montrerait à Luis et elle les intégrerait dans le documentaire, si leurs propriétaires étaient d'accord. Elle aurait tellement voulu ne plus sentir le gouffre de sa souffrance. Parfois, quand elle le quittait le soir, le bref regard qu'il lui lançait la dévastait. Elle ne savait plus si le film lui faisait du bien ou l'enfonçait dans une nostalgie inguérissable. Elle s'en voulait beaucoup. Est-ce que revoir toute sa vie permettait de s'en affranchir ? Rien n'était moins sûr.

Tandis qu'elle rangeait la caméra, Luis se tenait debout, appuyé à la porte, et la regardait faire. C'était la première fois qu'il semblait lui accorder une attention toute particulière après une interview. Elle en était troublée et s'y reprit à plusieurs fois pour dévisser les blocages du pied et le remettre dans sa housse. Bien sûr, il n'était pas distant en général, de nombreuses discussions parsemaient leurs journées et ils échangeaient beaucoup à propos du livre et du film, mais cette fois c'était différent. Elle se dit que ce devait être le ton intime de la conversation, ces questions qu'elle avait osé lui poser aujourd'hui parce qu'elles voletaient autour d'eux comme des papillons, et surtout parce que ne le voyant pas froncer les sourcils ou haussé les épaules comme les autres fois, elle s'était risquée sur ce qu'elle appelait *ses sables mouvants*. Quoi qu'il en soit, il n'était pas sorti de la pièce à la fin de l'interview comme il le faisait souvent, lui donnant l'impression qu'il fuyait la caméra, de peur qu'elle ne se ravise et ne continue à l'interroger après lui avoir dit que c'était terminé. Comme son regard pesait sur elle, prenant son courage à deux mains, elle le considéra avec un sourire qu'il lui rendit aussitôt.

« Vous avez conscience que nous allons faire un livre et un film qui auront un lointain rapport avec la vérité ? » demanda-t-il.

Elle fronça un sourcil et lui demanda de préciser ce qu'il voulait dire par là.

« Vous le savez bien, puisque c'est votre métier. Il y a votre vérité, la mienne, et la vérité, comme disent les Africains, et cette distinction vaut pour chaque tentative de raconter une histoire qui colle au plus près. »

Elle s'énerva un peu sur le compartiment des piles du micro qui lui résistait.

« Je n'aurais pas fait ce documentaire et ce livre si vous n'aviez pas accepté de participer. Même si je n'ai pas la prétention de raconter la vraie vie du maestro Luis, j'en aurais une version, celle qu'il a bien voulu me donner et que j'éclaircirai comme je pourrai par d'autres témoignages.

— Vous en avez beaucoup ?

— Beaucoup de quoi ?

— D'autres témoins, pour éclairer, comme vous venez de me le dire ? »

Elle tira la fermeture éclair du sac de reportage un peu brusquement. Elle ne voulait pas de ce qu'elle sentait se profiler dans le tour dangereux que prenait la conversation. Elle répondit évasivement qu'elle en avait vu quelques-uns, mais que ce n'était pas fini, et qu'elle en verrait d'autres. Elle préférait lui donner les noms en fin d'enregistrement, voire en fin de montage. Elle ne voulait pas risquer de lui fournir une liste de témoignages, dont certains disparaîtraient durant la construction du film, tout simplement parce qu'ils étaient moins pertinents, une fois mis ensemble. Elle regretta presque d'avoir cru qu'elle s'approchait de lui et de son intimité. Comme si les questions personnelles posées durant l'heure qui venait de s'écouler lui avaient donné le droit de s'immiscer doucement dans le film, de le contrôler. Elle croyait l'avoir apprivoisé, mais ce n'était que dans un échange à la proximité illusoire, un instant éphémère. Il fallait qu'elle se méfie. Et puis non. Qu'est-ce qu'elle allait imaginer ? Il était inquiet, c'était tout. Il ne fallait pas qu'elle oublie que c'était un vieux monsieur de quatre-vingts ans qui était soumis à une exploration de ses souvenirs de vie depuis plusieurs semaines. Tout ça devait le remuer. Il lui faisait confiance. Elle devait respecter ce pacte et ne pas croire à ce que lui soufflait sa peur qu'il ne lui échappe. Il paraissait pourtant heureux ce jour-là, abordant ses amours parallèles, cette période où il n'était plus avec Émilie, les musiciennes qui avaient défilé dans ses bras, consolatrices ou admiratrices, hasards d'un soir ou tentatives de quelques semaines. N'était-ce pas ce qu'elle était venue chercher au final ? Sa parole d'homme, le récit de ces femmes séduites pour quelques heures ou quelques jours ?

Mais c'était vrai, comme il lui semblait qu'il existait des blancs dans sa compréhension du personnage, elle rencontrait des musiciens qui le connaissaient bien. Dans sa logique initiale, celle de le maintenir à distance, elle ne désirait pas qu'il la mette en relation avec des amis musiciens de ses orchestres. Elle s'était renseignée seule. Une violoniste, un chef de pupitre, un timbalier désormais à la retraite, un hautboïste plus jeune, quelques choristes. Certains l'avaient connu à ses débuts, d'autres beaucoup plus tard. Elle s'attendait bien sûr à ce que les musiciens ne tarissent pas d'éloges sur son compte, mais ce que les témoignages apportèrent à ce qu'elle savait déjà de lui fut capital.

Les musiciens interrogés avaient été unanimes. Luis connaissait chaque instrument comme s'il le pratiquait depuis de nombreuses années. Beaucoup de musiciens d'un très haut niveau avaient expérimenté dans leur vie la rencontre avec un professeur, un être à part qui leur amenait une révision complète dans leur façon de jouer et d'interpréter. Léa connaissait l'existence de ces professeurs particuliers qui soudain détruisent complètement un apprentissage pour ouvrir des portes sur l'inconnu à un instrumentiste. Interdisant à leurs élèves de jouer certains compositeurs, n'explorant que

Bach, Mozart pour un autre, avec une rigueur particulière, une méthode corporelle inédite et pendant un laps de temps donné... Quelque chose de nouveau se dessinait alors dans la vie de l'interprète et tout son être, riche de ce nouvel enseignement, se réorientait vers une autre façon de jouer. Luis était une sorte de *professeur chef surdoué* qui semblait tout connaître sur tous les instruments. Il savait orienter le jeu de chacun afin qu'il atteigne le son le plus juste possible dans l'œuvre à interpréter. Ses connaissances techniques et son oreille parfaite stupéfiaient la plupart des musiciens qu'il avait dirigés. Il était toujours d'accord pour répéter individuellement avec ceux qui le désiraient, et ce dans la plus grande discrétion. À ceux qui l'interrogeaient sur l'origine de ses connaissances, il ne répondait pas grand-chose... Évoquait ses nombreuses années dans les différents cours de musique du Conservatoire et d'ailleurs, arguait qu'il était complexé par sa voix, que le fait de ne pas jouer vraiment d'un instrument poussait à jouer par procuration, qu'il compensait... Mais tous se rendaient bien compte que ça ne devait pas suffire. Léa revoyait le regard extasié d'une des violonistes interrogées. « Aucune répétition avec aucun chef d'orchestre de ma connaissance n'était équivalente à ce que nous vivions avec Luis. Avec lui, l'orchestre s'installait dans une grâce surnaturelle, un lieu spacieux, au-delà du temps et presque parallèle à la musique que nous interprétions. C'est ça, avait-elle ajouté d'un air pensif. Il nous apprenait à passer de l'autre côté de ce mur que nous rencontrons tous, nous allions là où la musique retourne quand personne ne sait comment elle fait, ni où elle se trouve. Il nous mmenait là où elle existe encore quand nous cessons de l'interpréter pour la laisser nous pénétrer. Et nous découvrions avec lui que cette terre mélodieuse et cachée pouvait se retrouver. Nous la perdions, mais en le suivant lui, nous pourrions y retourner aussi souvent que nous en aurions envie. La plupart des musiciens d'orchestre n'aiment pas les répétitions longues, mais avec lui ce n'était plus important. C'était si surprenant que personne ne songeait à se plaindre d'avoir passé l'heure. Une situation inédite et impossible aux États-Unis où il aurait fallu demander la permission pour répéter un quart d'heure de plus ! » En fronçant un sourcil, elle s'était reprise. « Je vous parle d'une période de sa vie où il était connu. Il est certain qu'au début, il n'a pas dû oser imposer ce genre de répétition. » Puis elle avait ri. « Quoique, avec Luis, je me méfie ! Mais vous savez, j'ai entendu de sales histoires sur lui, des humiliations que lui auraient fait subir certains orchestres, ou certains musiciens qui ne supportaient pas d'hériter d'un chef handicapé. Ce qui est certain, c'est qu'il en a conquis plus d'un avec la seule étendue de son talent. Au-delà de ses connaissances techniques, qui pouvaient le faire entrer dans un décorticage de doubles croches, de variations, de problèmes d'octave, d'organisation de mesures, d'un staccato ou d'un mezzo, ses indications étaient limpides. Il était compréhensible par quelqu'un n'ayant aucune connaissance musicale car il utilisait souvent des images d'une grande poésie. Après, il fallait bien sûr les adapter à notre partition. Je me souviens d'une interprétation de Mahler où il s'était ingénié à nous faire oublier le trop marquant *Mort à Venise,* en nous rendant l'original désir du compositeur pour sa *Cinquième symphonie.* Il nous lisait des passages des lettres de Mahler à la violoniste Natalie Bauer-Lechner, son amie, quand il la composait : *Chaque note est animée d'une vie suprême et l'ensemble tourne comme un tourbillon ou comme la chevelure d'une comète... C'est l'homme dans la pleine lumière, dans l'éclat du jour, parvenu au point culminant de sa vie... Rien ne doit se répéter, tout doit se développer sans cesse... Aucun élément ni romantique ni mystique, on n'y trouve que l'expression d'une force inouïe...* »

Un contrebassiste lui avait raconté une première répétition avec son orchestre, à l'époque où il n'était pas encore le maestro connu. Luis était déjà là depuis trente minutes et, tandis que les musiciens s'installaient, il observait la salle et chacun d'eux. Ce jour-là, la plupart des instrumentistes ignoraient que le chef était handicapé. Ceux qui l'avaient engagé avaient sans doute sciemment omis de le dire à l'orchestre, et Luis dut se rendre compte assez vite que personne ne savait qu'il était le chef. Le jeune maestro s'était déplacé en claudiquant un moment parmi eux, discutant librement, posant des questions à l'un ou à l'autre, sans tenir compte de son rang dans l'orchestre.

La plupart s'étaient demandé qui était ce drôle de bonhomme ayant l'air de savoir des choses sur la musique, sans qu'on sache vraiment d'où il sortait. Puis il était monté sur l'estrade et s'était présenté.

Tous s'accordaient pour dire qu'en général les musiciens d'orchestre n'aimaient pas trop les longs discours, mais que Luis ponctuait ses remarques et ses demandes d'histoires inoubliables qui accompagnaient les répétitions. Il était précis, mais d'une exigence folle. Jusqu'à ce qu'il obtienne le son qu'il voulait, il pouvait reprendre un passage dix ou quinze fois. Mais il n'était pas rare qu'il complimente l'orchestre et l'arrête même pour le féliciter quand il entendait, yeux fermés, l'extase peinte sur son visage, ce qu'il désirait dans leur jeu. Son exigence n'avait d'égale que sa bienveillance quand il sentait que le travail s'accomplissait. Il balayait très vite les tentatives de certains, bien décidés à lui résister, pour mettre à l'épreuve son autorité dès la première répétition. Ces inconscients s'amusaient à glisser des notes incongrues ou à modifier le tempo. Luis n'interrompait rien, mais en une phrase, à la fin de l'œuvre, citait tous les manquements des coupables, tranquillement et sans s'énerver, mais d'un ton qui ne laissait aucun doute sur ce qu'il avait compris des affronts. Il suffisait d'une fois pour que chacun reprenne sa place et cesse de vouloir le tester. Beaucoup s'étaient rendu compte qu'aucun désir de séduction ne l'animait. Seule la performance musicale comptait. Il n'avait même pas l'air de mesurer son propre niveau. Un trompettiste, ayant eu vent de son documentaire par un musicien déjà interrogé par Léa, la contacta spontanément pour lui livrer son témoignage particulier. Il n'était pas un enfant de musicien. Doté d'un parcours atypique, il venait du jazz et on le lui avait bien fait sentir. Comme il était d'origine iranienne, son accès à l'orchestre symphonique n'était pas des plus évidents. « Vous comprenez, il y a ces pays où les hommes naissent avec un violon dans les doigts, en Hongrie, en Israël, et puis d'autres où cette musique-là lange les bébés, en Allemagne, en Pologne… Moi je suis un peu égyptien par ma mère, un peu palestinien par mon père, et je suis né en Iran où j'ai vécu toute mon enfance. J'ai appris seul et sur le tas, jouant des années en formation jazz dans des bars avant d'apprendre le solfège. J'ai remonté le courant et comme beaucoup de ces poissons qui affrontent la marche des choses en sens inverse, j'ai dû me battre pour ne pas être écrasé, découragé, jeté sur les berges ! Luis m'a accueilli. Il m'a emmené jouer dans un club qu'il connaissait à New York, après le concert que nous avons donné là-bas avec l'orchestre philharmonique auquel j'appartenais à l'époque. Il m'a raconté avoir sauté en marche dans le train du Conservatoire, en avoir parfois souffert. Il supportait difficilement cette ségrégation musicale, cette soumission sonore. Avec lui, j'ai appris à me décomplexer parce qu'il me parlait de ces professionnels qui jouent, mais n'écoutent jamais de musique, et c'est à se demander s'ils aiment vraiment ça. Il avait senti que je n'étais pas blasé, seulement complexé de n'être jamais à la hauteur de ces musiciens d'orchestre qui se prenaient pour mon tribunal, bien plus que pour des collègues de concert. Rien n'était dit bien sûr, mais tout était suggéré, en creux, dans les petits sourires entendus qui étaient bien pires que si l'on m'avait insulté, plaisanté ou raillé ouvertement. »

Selon les musiciens interrogés, ceux qui avaient connu Luis à ses débuts ou plus récemment, Léa pouvait retracer l'émerveillement des années, et la façon subtile dont Luis s'était adapté à ce qu'il croyait être le bagage de chacun. Ses recherches sur le son étaient incessantes, discrètes, passionnées. Il allait jusqu'à changer la disposition des instruments sur la scène, toujours en accord avec ceux qui, de toute façon, l'auraient suivi n'importe où dans ses tentatives musicales. Il était sur son estrade le parfait contraire de ce qu'il croyait être, de ce qu'il décrivait de lui-même. Il s'estimait tyrannique, d'une exigence folle, sévère, pas assez attentif aux autres. Eux le décrivaient pertinent, inoubliable, performant, plein de force et d'humour. Certains mots revenaient dans les témoignages des musiciens qui avaient joué sous sa direction. Le respect, l'amour, l'immense amour et la tendresse, qui était un terme étonnamment éloigné du monde des chefs d'orchestre. Quand Léa essayait d'en savoir plus sur les moments difficiles que lui-même évoquait brièvement, rares étaient ceux qui les connaissaient. Certains bruits avaient couru sur son abattement durant les deux années où sa femme était partie, mais curieusement aucun ne semblait se souvenir d'un despote injuste, d'un chef totalitaire et aveuglé par son désir d'en imposer. Contrairement à lui qui s'était tenu à l'œil toute sa vie et n'avait pas de mots assez durs pour se qualifier, personne ne s'offusquait alors de son changement, de son ascension sociale, de ce dédain dont il se disait honteux. Tout ce dont il se plaignait ne figurait pas dans le discours des musiciens qu'il avait dirigés. Pourtant, ils disaient qu'il pouvait être dur, extrême, exigeant, obstiné. Une des musiciennes interrogées rechercha pour Léa un enregistrement inédit qu'elle gardait précieusement et que personne n'avait jamais entendu. Grâce à son habitude de brancher un petit magnétophone pour les répétitions d'un nouveau chef invité par son orchestre parisien, elle disposait d'un document exceptionnel. Cette fois, c'était Luis qui était aux commandes. Il devait avoir la soixantaine et il était au sommet de sa gloire. Après avoir dirigé le premier mouvement d'une symphonie de Beethoven, il s'était arrêté et leur avait fait ses commentaires. La musicienne accepta que Léa fasse une copie du passage qui l'intéressait particulièrement.

« J'appuierai ma baguette au fond de votre cœur et vos doigts feront alors ce que je vous demande, parce qu'il est cadenassé, votre cœur, dans vos horaires, dans votre routine, dans une certaine décontraction qui ne sied pas à un orchestre digne de ce nom. Vous le savez si bien ce morceau, que vous n'avez plus besoin de l'entendre. Vous le jouez sans l'écouter. Un compositeur entend la musique qu'il compose dans le silence le plus absolu du crayon qui trace les notes sur la partition et vous, vous prétendriez ne pas entendre la musique que vous faites ? Vous voulez savoir ce que j'entends ? J'entends que vous jouez une sorte de nappe sonore qui flotte sans nous rencontrer. Voilà ! Ça passe ! Vous êtes un bon orchestre et vous exécutez ! Mais rappelez-vous ce que disent les mots, surtout quand les mots sont violents. Exécuter, c'est tuer ! C'est obéir, dérouler de l'ordre... C'est quand même bien différent de jouer, de célébrer, de faire entendre, de transcender... Ce que vous venez de me donner là, *das hat doch keinen Sinn* ! Ça n'a aucun sens, comme dirait Carlos Kleiber. Beethoven était sourd et composait, assis par terre, adossé au pied de son piano pour sentir les vibrations. Si je ferme les yeux, si je bouche mes oreilles et que j'écoute vos vibrations, je ne perçois rien. Rien qu'un désert de notes. Ce n'est pas Beethoven, c'est son ombre ! Pourquoi ne voulez-vous pas laisser advenir la musique de Beethoven ? Laissez-vous jouer, que diable ! »

Le maestro ne lui demandait jamais si elle jouait d'un instrument et, dans un premier temps, elle en fut soulagée, puis surprise. Léa supposait qu'elle était définitivement classée dans la catégorie de ceux qui écoutaient de la musique sans en faire. Son premier cycle de piano au Conservatoire lui avait laissé le goût amer d'un enseignement sans joie, jusqu'à ce qu'elle change de genre, prenne un professeur privé et joue avec des musiciens de jazz pour retrouver le plaisir. En écoutant Luis parler des musiciens, elle s'était rendu compte que sa mère, qui était violoniste, l'avait influencée pour qu'elle aille vers une carrière pianistique susceptible de lui ouvrir une voie de soliste. Mais la musique n'était pas pour elle un but professionnel. Le jazz lui rendant sa liberté, sa mère cessa de fantasmer une carrière que sa fille n'aurait jamais envie d'avoir. À cette époque elle commençait à faire ses premiers films, se passionnait pour le reportage, allant d'idée en idée. La légèreté des caméras, la passion de ses découvertes journalistiques achevèrent de l'éloigner de la pratique de la musique qui était devenue la toile de fond de ses documentaires. Elle possédait d'ailleurs cette réputation auprès des mixeurs et des monteurs, soigner la musique et le son de ses films. Elle insistait toujours pour avoir des musiques originales. Jusqu'à ce qu'elle s'y remette très récemment, elle ne jouait plus qu'en de rares occasions, quand ses anciens amis musiciens l'invitaient à dîner. Quant au piano, elle l'avait vendu après ses études pour acheter un ordinateur, une caméra et un logiciel de montage. À deux ou trois reprises, Luis lui parla de certaines pièces d'orchestre, de certains compositeurs, mais il était toujours tombé sur des œuvres qu'elle connaissait. Il lui avait fait écouter certains mouvements, le deuxième mouvement du *Concerto n° 2* de Rachmaninov, joué par Martha Argerich, certaines symphonies de Bruckner par Celibidache. Il lui conseilla de voir le film que le fils de Sergiu avait réalisé à la fin de la vie de son père. Sur certaines images, on distinguait Luis, plus jeune qu'aujourd'hui, mais plus âgé que les autres élèves du groupe. Elle reconnut Karl Uhl, devenu philosophe et attaché encore des années après à transmettre la philosophie de cet immense chef d'orchestre. Ce dernier lui avait volontiers parlé de Luis à ses débuts, clarifiant l'ambiance dans laquelle ils apprenaient avec Sergiu Celibidache à appréhender le phénomène musical, à être libre pour pouvoir transcender les sons, vivre la liberté de la musique. Il lui décrivit aussi la manière dont l'exigence, la rigueur et l'exhortation de Celibidache à se connaître soi-même les poussaient tous à rejoindre, sans se dérober, ce qu'ils étaient appelés à être. Cet enseignement, Luis l'avait ensuite appliqué partout avec l'Orchestre du Monde, et la véritable ampleur de son projet était viscéralement chevillée à cette pratique métaphysique de la musique.

Luis paraissait heureux de voir le visage émerveillé de Léa quand il lui faisait entendre certains morceaux. Il ne lui proposait jamais d'écouter ses propres enregistrements. Il lui parlait de Claudio Abbado, de Carlos Kleiber, de cette expérience acquise en étant invité à diriger les orchestres dont ils étaient les chefs. Elle comprit sans qu'il le formule qu'il n'aborderait pas ou si peu le sujet délicat de ceux qui lui avaient barré la route ; il ne donnerait pas les noms de ceux qui s'étaient battus pour qu'il n'obtienne pas certains postes. En riant, il lui signala un jour que son parcours ressemblait à celui d'une femme chef d'orchestre.

Elle n'avait qu'à les interroger, elle aurait un aperçu du milieu conventionnel dans lequel elles avaient choisi de se faire une place. Sa souffrance d'autrefois à ce propos semblait aujourd'hui s'être diluée dans les années. Sans avoir rien oublié, il en parlait d'un air détaché, sans aigreur ou peine.

16 octobre 2015

Je n'ai pas répondu. Je ne pouvais pas. Est-ce que j'avais honte ? Je ne sais pas. On ne peut pas aller trop loin dans l'exploration de soi devant une tierce personne. J'aurais pu être honnête, lui confier que ça n'avait pas été possible, que je n'avais jamais réussi. Est-ce que je trouve indécent de me plaindre au regard de la vie que j'ai eue, suis-je encore trop orgueilleux pour l'avouer ? Je ne sais plus, mais je ne lui ai pas dit que je n'ai jamais réussi. Même maintenant, alors que je suis vieux et que j'ai moins de mal qu'un autre parce que je connais la lenteur et l'incapacité depuis toujours. Même aujourd'hui, j'aimerais pouvoir maudire la vieillesse qui me prive d'une rapidité que je n'ai jamais eue, d'une jeunesse normale dont j'aurais gardé le souvenir extasié. Je n'ai jamais réussi, même en me réalisant totalement à travers la musique, même en étant célèbre, même en étant riche et même en étant aimé, à renoncer à la normalité. Toute ma vie, j'ai regretté de ne pouvoir être ce type libre qui marche sans boiter, s'exprime avec une belle voix fluide, ne doit pas s'occuper d'aménager quoi que ce soit pour accomplir les tâches les plus faciles du quotidien. Au début, je voulais être quelqu'un qu'on regarde autrement, je voulais me fondre dans la masse des normaux et, pourquoi pas, à mes heures les plus ambitieuses, me distinguer par ma beauté ou mon élégance, quelque chose de remarquable qui tourne le regard de l'autre vers l'admiration et non le dégoût. Puis au fil des années, j'aspirais à cet état de normalité pour le confort qu'il offrirait à ma vie et même au début de ma carrière de chef, ce fut si difficile que je rêvais chaque nuit d'être un chef normal que rien ne pousserait à diriger de grands orchestres reconnus internationalement, mais qui accomplirait dans son coin un modeste travail honorable. Je savais très bien ce qui me poussait à surmonter les difficultés pour aller là où ce n'était pas possible. C'était l'époque où je ne comprenais rien à ce qui m'était offert, aux raisons pour lesquelles je recevais ce cadeau. Il faut dire que les autres avaient le don d'enfoncer le clou. On me disait fréquemment et les journalistes presque toujours : « Quand on voit votre parcours au regard de votre handicap, de la difficulté et du conventionnalisme du monde de la musique classique... » Ou pire encore, on me demandait quels conseils je pouvais donner à de jeunes musiciens, à de jeunes handicapés... Je ne pouvais guère jouer les donneurs de conseils, moi qui ne pouvais encore croiser le regard d'une femme sans être poignardé par le désir de lui plaire d'emblée... Pour rien.

Sans musique. Juste avec un regard. Était-ce ma faute à moi si les femmes qui me disaient que j'étais beau n'avaient aucun goût ? Oui, sans doute ! Comme j'ai toujours pensé que mes parents avaient ancré profondément en moi l'idée que je n'étais rien, que je ne serais jamais rien, j'avais du mal à m'abandonner à la joie de les avoir détrompés. Ça ne me suffisait pas. Et même les jours de grande joie ou de grand succès subsistait au fond de mon âme le sentiment empoisonné d'un manque que je ne pouvais combler. Si je veux être honnête avec moi-même et il me faut l'être, car je suis si souvent malhonnête avec tous les autres, les seuls moments où je n'aurais pas donné ma place étaient ceux où j'étais perché sur cette estrade, bien au-dessus de moi-même. Et c'est resté vrai, même les jours où le travail n'était pas celui que je voulais qu'il soit.

18 octobre 2015

L'œuvre que je dirige, écoute de tout mon corps est une joie pure, inchangeable, une extase inconditionnelle, un état d'amour éternel qui me fait croire, et à chaque fois j'y crois très ponctuellement, que je serai toujours au-delà de mon handicap, simplement heureux. Mais quand je n'y suis plus, sur cette estrade, je ne crois tout simplement plus à la possibilité de cet état éphémère ; je me retrouve empêtré et je porte sur moi-même le même regard que sur les êtres les plus abrupts qu'il m'a été donné de croiser. Et cette souffrance m'a toujours semblé irréversible.

Pourtant, je ne vis plus cet état aujourd'hui. Il a fallu que je perde la totalité de mon orchestre, la femme de ma vie et toute raison d'être pour que disparaisse cette sensation ridicule. C'est aujourd'hui que je la juge ridicule. Alors c'était ça, le secret ? Il fallait qu'une souffrance bien supérieure à la mienne vienne pulvériser cette demande infantile de normalité ? Il fallait grandir dans une souffrance plus grande encore, afin d'oublier ce mal-être récurrent. Quelle ironie ! J'avais pourtant pris le chemin de la patience. Avec la naissance de l'Orchestre du Monde, en rencontrant ceux qui ne possédaient rien et parfois même plus l'espoir, j'avais commencé à abandonner ma révolte. Comme je regrette amèrement aujourd'hui de ne pas avoir été plus gai, plus conscient de mon bonheur, comme si je craignais d'avoir précipité cet événement, de l'avoir convoqué par mon orgueil intime. J'ai toujours considéré que ça allait venir, que la grâce de ne plus être mal « au fond », comme si j'avais été un sac où l'on puise pour extraire la souffrance blottie, serait un jour là par miracle. Tout allait se dissoudre, quand je serais au Conservatoire, puis quand je serais accepté par certains professeurs, puis quand je serais chef d'orchestre, puis quand je dirigerais un orchestre d'une grande renommée à Chicago ou New York... Quand... Quand... « Quand » se terminait de plus en plus par un point d'interrogation et non par une nouvelle conquête qui s'avérait vaine avec le temps. Ça ne venait jamais et je m'approchais de quelque chose d'infiniment plus dangereux : le fait de considérer que ce qui me manquait était ce que tout le monde avait, sauf moi, et ce serait toujours le cas. Et ce n'était pas la seule raison que j'avais d'être frustré. C'est une erreur de croire que l'on peut être fier d'un parcours qui nous mène de la misère de l'enfance aux surfaces étoilées de la richesse et de la reconnaissance. Le luxe, tout comme le reste de ce qui m'arrivait, demeurait une étrangeté. Pourtant une partie de moi se sentait très à l'aise dans cet univers. Je m'en rendais compte avec les parfums. La vie sentait *autrement*. Aucune odeur de mon enfance n'était un bon souvenir. Avec une certaine violence, puis un certain mépris, j'avais encore dans le nez ces effluves, de soupe poireaux-pommes de terre, de désodorisant pour voiture, de naphtaline, de cire espagnole, de javel, toute la vulgarité qui s'échappait de ces maisons sans goût où l'existence âpre et sans subtilité se respire tout autant qu'elle se vit. Les premiers temps de ma relative richesse, j'ouvrais mes narines autant que mes oreilles, je humais le parfum de mon élévation sociale et ma satisfaction était aussi concrète que volatile. Elle formait autour de moi un halo qui me rendait léger. Enfin, les fragrances rejoignaient le toucher délicat des musiciens, la douceur des notes égrenées.

J'ignore encore pourquoi je ne pouvais, malgré tout, faire taire cette petite voix qui me soufflait sans relâche aux oreilles que j'avais peut-être usurpé cette place, que je l'avais volée à quelqu'un d'autre qui avait les bonnes origines, le droit d'être là. Quelque chose d'impalpable, vaguement sale, m'interdisait de me poser sereinement, me rappelant d'où je venais et comment, au regard de mes origines, de mon corps difforme, j'étais doublement insolent de prétendre à une consécration souveraine. Parfois, au restaurant, quand les mets étaient trop savoureux, dans un décor parfaitement élégant, toujours en présence des autres, j'étais pris d'un vertige qui ne se calmait qu'une fois que je rejoignais ma chambre où je n'éprouvais plus les mêmes appréhensions, si luxueuse soit-elle. L'écrin solitaire et bienveillant d'une alcôve de grand hôtel me sauvait de mes complexes de misérable.

Partout, à New York ou dans certaines villes américaines, il m'arrivait de ressortir pour rejoindre les bas-fonds des boîtes de jazz où je passais la moitié de la nuit avec des génies du be-bop, bien plus pauvres que je ne l'avais été. Et là, je me sentais le plus heureux des hommes. Un soir, je me retrouvai à accompagner à la batterie les improvisations pianistiques d'un aveugle. Nous passâmes toute la nuit ensemble. Lui, beaucoup plus saoul que moi, mais marchant beaucoup plus droit, tout aveugle qu'il était. Je ne me souviens pas d'avoir autant ri que cette nuit-là. Son humour et sa dérision sur la vie et sur son handicap restèrent blottis dans un coin de ma tête pour de nombreuses semaines, quand je connus mieux Harold et sa philosophie de l'existence. Et s'il m'arrivait encore de ressasser mes vieux démons, plus jamais après je n'exigeai sans honte plus que la vie ne pouvait m'accorder. Le jour où je lui confiai mes désirs de normalité, il en fit des avions en papier qu'il envoya valdinguer dans le ciel de mes incompétences. Lors de notre première rencontre, il commença déjà à m'apostropher au début de la soirée, quand je pris la batterie. Je ne savais évidemment pas qu'il était aveugle. « Hé, toi, le batteur... S'il y en a un qui doit faire des signes et être suivi ici, c'est moi, parce que je suis le seul qui ne peut voir les signes des autres, donc je conduis ! Tu captes, nabot ? » Je faillis le prendre mal, mais j'aperçus *in extremis* la canne blanche abandonnée sur le côté droit du piano. Son appellation de *nabot* était donc un pur hasard. Quand je lui fis mes excuses, il se tapa sur les cuisses et me tendit une main immense : « Harold, et toi ? » Je déclinai mon identité. « Pas croyable ! s'exclama-t-il. Le chef d'orchestre ? » Il éclata d'un grand rire : « Je commence à comprendre pourquoi tu voulais mener la barque ! » Harold regardait ses interlocuteurs dans les yeux en leur parlant, et rien ne laissait soupçonner que ce regard n'était pas opérationnel. Je fus surpris qu'il me connaisse. Je n'en étais qu'à mon deuxième voyage aux États-Unis et si j'accompagnais des tournées prestigieuses, je n'avais dirigé qu'une seule fois l'Orchestre du Metropolitan Opera. Là encore, il s'esclaffa et me déclara : « Les as du classique ne viennent pas beaucoup nous voir, à part Seiji Ozawa, Leonard Bernstein et deux ou trois autres, mais pas mal de jazzmen traînent dans vos concerts classiques. Certains ont même leurs entrées gratuites pendant les répétitions des orchestres symphoniques, grâce à quelques amis. Mais toi Luis, je t'ai entendu en Europe. Tu es un bon ! Très bon, même ! »

Je me souvenais fort bien du concert dont il me parla et qui se déroulait à Munich. C'était là que j'avais longuement discuté avec un chef d'orchestre juif qui me raconta que rendu muet par le traumatisme de la déportation, pendant très longtemps à son retour, la musique fut son seul langage. Il aborda également le sujet presque tabou de ces portes devant lesquelles on peut rester assez longtemps. Pour lui, c'était Mahler dont il ne réussissait pas à obtenir la clé. Je comprenais très bien ce qu'il voulait dire. Je le vivais avec Stravinski. Mais ce que j'avais pressenti alors, s'était révélé vrai. La porte ne s'ouvrait pas ; un jour, elle se volatilisait purement et simplement et soudain, on pouvait toucher du doigt ce qui avait été si loin de nous et la sensation était vraiment physique. Une musique pouvait ainsi demeurer obscure pendant plusieurs années. Et c'était soudain d'une effrayante simplicité ! C'était comme un tour de magie et il était presque impossible d'entendre le prélude à ce brusque changement.

Je revis Harold aussi souvent que je le pouvais, dès que je venais à New York, je l'appelais, et quand je vécus à Montréal, nous fîmes souvent le trajet l'un vers l'autre. Curieusement, nous avions fréquenté les cabarets de Saint-Germain-des-Prés dans les mêmes années. Il était follement jaloux de Miles Davis, parce que lui aussi éprouvait une fascination amoureuse pour Juliette Gréco. Il disait que Miles ne pouvait pas comprendre qui était cette femme, pas en la voyant, pas en étant seulement troublé par sa beauté. Lui qui n'entendait que sa voix la connaissait de l'intérieur. Il avait adoré mon histoire de rencontre avec Lalo et Astor, mes débuts dans la musique. Contrairement à moi, il se fichait de rester inconnu toute sa vie, un pianiste comme il en existait des milliers à New York, un Thelonious Monk sans renommée internationale, qui n'enregistrait aucun disque et s'en fichait. Il était à part. Nous refaisions le monde chaque nuit, nous parlions une langue où la finitude n'existait pas. La dernière fois que je le vis, je rentrais en France et il me demanda de transmettre sa demande en mariage à Juliette... Sa centième ! », me précisa-t-il. La fois suivante, j'appris qu'il était mort d'un arrêt cardiaque. Comme si le cœur d'un type pareil pouvait s'interrompre. Je ne l'ai pas vraiment cru.

20 octobre 2015

Je me couche éreinté. Le champ de la vie s'est réduit à cette accumulation d'habitudes dans cette maison que j'ai faite mienne avec Émilie et qui fut un lieu de paix, d'accueil, de transmission, et parfois de famille. Elle n'est plus qu'un refuge. Une paix certes, mais beaucoup trop silencieuse l'habite. Sa tranquillité se déploie comme une réparation, un apprentissage de la solitude, un deuil. Ce souvenir m'épuise et je suis pourtant chevillé au travail de Léa. Certains écrivains commencent à la fin de leur vie à écrire leur autobiographie. Comme s'il fallait revenir sur ses pas avant de sauter de l'autre côté. Mais la musique n'a pas besoin de ça ; elle est déjà de l'autre côté. Elle est au plus dense de la vie humaine, toujours. Au début et à la fin, comme une continuité dialoguée entre soi et l'après-mort. Et ce n'est pas l'après-vie. C'est la vie. « D'où êtes-vous ? » m'a demandé Léa hier. Je savais bien ce qu'elle voulait dire par là. Je suis français, mais une partie de moi est espagnole et n'a jamais appartenu à ce pays que par la langue paternelle. J'ai très peu vécu en Espagne, et c'est sans doute la raison pour laquelle j'ai tant aimé découvrir ces pays d'Amérique du Sud. Quelque chose de familier s'insinuait en moi quand je passais du temps dans les paysages du Venezuela ou de l'Argentine. Jusqu'à l'âge de vingt-cinq ans, et plus encore quand je suis parti de chez mes parents, je me sentais profondément parisien, presque d'un seul quartier. J'étais germanopratin... Aller à Montmartre ou à Belleville me paraissait exotique. Je n'avais aucun souvenir de Burgos ou de l'Espagne quittée par mes parents quand j'avais deux ans. Le reste du monde m'était inaccessible. Voyager n'appartenait pas à ma réalité. Ma perception d'un ailleurs s'arrêtait à cette ville qui était déjà trop grande à parcourir pour un homme dont chaque pas était une conquête.

« La première ville que je connus à l'étranger fut Londres. Elle me parut grise, étrange, d'un autre monde. Les premiers jours, je ne sortis presque pas. Mon temps diurne était tout entier dédié aux partitions. J'avais à cœur de parfaitement seconder le chef qui m'avait invité à être son assistant. André Previn, rencontré à Paris, m'avait fait venir, mais ce ne fut finalement pas lui que je secondai car il partit vers un autre orchestre à ce moment-là. J'étais heureux que le hasard m'ait placé entre les mains de Claudio Abbado. Cet homme toujours si discret me racontait des périodes de son enfance, me parlait de son père violoniste, de son grand-père qui le fascinait. Il me confia le choc de son premier concert à sept ans, recevant Debussy en plein cœur à la Scala de Milan. Il n'avait qu'un an de plus que moi et me traitait en ami, en chef qui aurait eu le même rang que lui, alors que je n'étais à l'époque qu'un débutant. Il me racontait les chefs qu'il avait aimés et qui avaient forgé son parcours. Il me parlait du grand humanisme de Carlo Giulini. Bien des années après, je réalisai combien son influence m'avait tout doucement amené à avancer, en n'oubliant pas la noblesse de l'offrande que représentait notre métier. La plupart de mes chefs préférés disaient qu'interpréter est un acte d'amour. Et je pense aujourd'hui que les chefs que j'ai profondément aimés ont en commun d'avoir donné l'exemple d'être des hommes plus grands encore que les musiciens talentueux qu'ils étaient. Finalement, ce qui m'a manqué le plus en vieillissant, c'est d'avoir encore des maîtres plus vieux que moi. Je me disais : mais je suis vieux maintenant, c'est moi qui dois passer le flambeau aux autres, mais passer le flambeau, n'est-ce pas se retrouver dans le noir ?

À Londres, donc, je passais mes soirées avec ce maestro italien qui m'emmenait dans des restaurants chics et chers de la capitale et je l'écoutais religieusement et me laissais couler dans la paix des mets succulents qui envahissaient mes papilles gustatives puis nous rejoignions l'hôtel Savoy. Il venait d'être nommé à la tête du London Symphony Orchestra et il n'était pas encore installé. J'étais un privilégié. Je me doutais bien que j'avais été pistonné, défendu, porté aux nues par les dithyrambiques recommandations de mes mentors et que j'étais très certainement choisi par défaut par le maestro, même si par la suite il fut très heureux de mon travail. Mais qu'importe. J'étais là maintenant, et j'en jouissais avec cette joie folle que rien ne pourrait ternir. De toute façon, bien avant de savoir que ce serait lui, quand j'obtins ce poste, je m'étais juré que même si je tombais sur un despote, égocentrique arbitraire et superstar, je m'en accommoderais. Mais c'était tout l'inverse qui était en train de se produire. Je me retrouvai avec un des plus grands chefs au monde. J'avais entendu dire par certains musiciens que ses répétitions étaient ennuyeuses, mais ses concerts sublimes. Depuis que j'étais à ses côtés, j'étais doublement persuadé que beaucoup de musiciens ne comprenaient rien à ce qu'il voulait obtenir d'eux, à ce qu'il mettait en place à leur insu. Je faisais répéter le London Symphony Orchestra en alternance avec le maestro, mais je ne loupais jamais ses propres répétitions et suivais à la lettre ses demandes. Il n'était pas prévu que je sois au spectacle, mais j'éprouvais déjà une fierté sans nom d'être son assistant. "Alors tu vas jouer l'homme de l'ombre, m'avait dit une amie en plaisantant, avant mon départ. – Mais non, l'homme de Londres", avais-je répondu.

Un soir, deux des musiciens m'invitèrent à suivre leur randonnée nocturne. Et ce fut un autre Londres que je découvris. Par-dessus tout, j'étais séduit par l'extrême diversité des Londoniens. Le gentleman le plus *british*, en costume et chapeau, pouvait côtoyer un punk à crête rouge, épinglé comme un papillon de collection. Cette folie, cette liberté me plaisaient. Elle donnait au réel une forme onirique. Seuls les rêves avaient à l'époque pour moi ce pouvoir de faire côtoyer des personnages incongrus, sans que les uns ou les autres aient l'air de se rendre compte d'une existence formatée où leur excentricité paraîtrait déplacée.

Les années suivantes furent celles de mes voyages incessants, je découvrais toujours de nouvelles capitales. Il m'arrivait de partir me reposer au bord de la mer ou en Suisse, le premier pays que j'avais découvert mais que j'associais totalement à la France. Je n'éprouvais pas le besoin d'être de quelque part. J'étais où la musique à produire élisait domicile. J'habitais des orchestres plutôt que des pays, mon lieu était la musique, ses paysages indéniables, ses climats changeants. La musique était à la fois Pays, Contrée, Continent, mais aussi Maison, Manoir, Château ou Alcôve. Les habitants étaient des musiciens et celui qu'on appelait improprement le Chef n'était pas le dirigeant de ce pays, mais seulement son serviteur, humble et flatté d'avoir été exilé là, par on ne sait quel miracle. La nature qui enivrait mon corps n'avait pas encore de prise sur moi. Seuls comptaient ses plaines de notes, les fleuves des compositeurs qui charriaient des émotions colorées et changeantes. Mes perceptions physiques étaient toutes liées à ce tourbillon de sons dont j'essayais de comprendre les forêts, les montagnes et les océans. Pour le reste, je m'adaptais aux villes où je devais habiter quelques mois ou quelques années. Tout me plaisait. Les petites places latines où se nichaient de petits restaurants aux nappes blanches en Italie, les traces d'un passé tourmenté, d'une royauté disparue, une architecture rocambolesque, l'extrême modernité d'une ville américaine aux buildings conquérants. L'environnement pouvait me souffler quel programme nous devions jouer... Je le sentais. Il me sautait à la gorge dès mon arrivée, car j'étais toujours d'ailleurs. Ma terre était étrangère, mais je ne savais pas encore d'où. Je me contentais d'habiter une époque, d'en capter les remous et les chaos, d'essayer d'en traduire les douceurs et les colères. J'allais chercher à la source des compositeurs ce qu'ils avaient de commun avec nous, dans cette si petite mare humaine où nous barbotions tous en attendant une forme d'extase ou tout simplement le bonheur.

J'avais pris l'habitude de me perdre dans chaque ville, de me laisser conduire par telle ou telle rue qui m'attirait et quand je ne pouvais choisir d'un seul coup d'œil, je fermais les yeux et je donnais la primeur aux sons pour qu'ils m'indiquent la voie à prendre. À New York, ville si musicalement urbaine, c'était le mariage des rythmes et des percussions, entremêlées de voix de livreurs et de sirènes qui m'emportaient dans des courses sans fin. J'étais parfois rattrapé par le bruissement des arbres de Central Park, un concert de folk, le glissement d'une course de rollers. Les bruits d'une ville n'étaient que musiques si l'on y prêtait l'oreille. Ils étaient très différents le matin, le soir ou la nuit. Je me souviens du champ des crapauds à Fort-de-France, du cri des perruches et des hirondelles à Barcelone, du charabia latin des femmes et des enfants de Naples. Après avoir passé vingt ans à écouter Paris, je m'enivrais de ces sons d'ailleurs, qui se confondaient plus tard avec les répétitions de mes musiciens. L'envolée des cordes ne faisait que préparer l'entrée des flûtes, quelque chose se jouait dans les crescendos et parfois je n'entendais plus l'ensemble, mais seulement les cuivres qui se partageaient le monde comme des conquérants. Et puis, il fallait quand même que tout finisse par se taire. Pour entendre à nouveau, il fallait s'allonger à l'ombre du silence, s'extraire du bruit, une façon d'abandonner la musique avec l'élégance qu'elle exige. En entrant sur scène, il m'est arrivé de capter cette nuée surréaliste qui nimbe les soirs des concerts exceptionnels, comme si le genre de l'endroit envoyait des signaux pour que l'orchestre perçoive qu'ici la médiocrité n'a pas cours, et même que tout ce qui s'y déroulera va se noyer dans la perfection ou rien. Ces soirs-là, ma gorge se serrait et j'avais du mal à avaler ma salive. Je le savais depuis longtemps, mais je le vérifiais à chaque fois, il y avait une distorsion entre le monde dont je venais, la grandiloquence de l'univers dans lequel j'évoluais et l'océan d'amour qui déferlait de la musique. Rien ne permettait à ces trois mondes de naviguer ensemble. Ils se croisaient cependant. Le décalage existait aussi dans le vocabulaire qui voletait autour de nos oreilles. J'entendais parfois dire que quelque chose *traversait* l'œuvre de… Mais rien ne traverse une œuvre, me disais-je, tout transperce, transfigure, transcende. »

23 octobre 2015

J'ai appris à mettre des notes sur mes intensités, à laisser le silence puiser son intention. Devenir un artisan du geste qui organise la musique a été ma part de danse, une revanche quasi totale sur les incapacités de mon corps. Et le geste s'est prolongé dans la sensation de se rencontrer. J'ai découvert avec le temps qu'Astor avait raison : comme dans le tango,

352

le handicap aussi est une pensée triste qui se danse. Mais je ne considère pas avoir réussi quelque chose *malgré* le handicap. On ne fait rien de juste *malgré*, on fait tout *grâce à*… Seule la grâce élève et perpétue. La langue a parfois plus d'amour que nous. Je suis né en morceaux, mais la musique répare et nous nous en servons si peu. Sa vibration physique agit comme une nuée de particules extraordinaires qui viennent harmoniser le corps. Tandis que le reste, ce qui s'entend, ce qui navigue dans ce qui ne s'entend pas mais se perçoit, entre dans l'esprit, caresse l'âme, dissout toute tension dramatique et nous élève où nous ne saurions aller seul.

C'est à Londres que commença le phénomène des concerts rêvés. Chaque nuit, le concert me venait. Tel qu'il devait être joué. Ou peut-être tel que la nuit y infusait sa féerie mystique. Ce phénomène s'intensifia avec les années, jusqu'à devenir obsessionnel pour certains compositeurs, quand je commençais à les découvrir et à travailler leurs œuvres. Le rêve se présentait toujours de la même façon : nous étions comme en suspension avec l'orchestre, avec pour horizon des couleurs translucides qui ouvraient une sorte de ciel en forme de coquille. Les couleurs changeaient, accompagnant les mouvements de l'orchestre. Dans ces moments privilégiés, mon bras gauche évoluait sans aucun frein, sa fluidité me semblait aussi irréelle que si j'avais pu voler. – L'espace qui s'ouvre dans l'impossible ne semble jamais vain dans les rêves. – Mais là, le dialogue qui s'établissait avec le compositeur était concret.

J'entendais sa voix, ses lèvres frôlaient mon oreille gauche et le murmure de ses exhortations douces déroulait sa lente mélopée. Les suggestions étaient souvent judicieuses et même au début, quand je discutais avec des maestros dont j'étais l'assistant respectueux, quelques-unes de ces indications délicates trouvèrent auprès d'eux un écho favorable. Aussi curieux que ça paraisse, chaque chef interpellé accueillait avec bienveillance mon idée du moment, me donnant la sensation que ces grâces oniriques avaient des vertus magiques. Aucune dispersion n'était perceptible. Le fil ténu de ces concerts mystiques émanait de cette voix, jamais la même, qui semblait me prodiguer d'affectueux voyages à accomplir. J'éprouvais la sensation qu'une fée, chevelure dénouée m'offrait dans une parfaite nudité les moments les plus justes, accordés à la création du musicien, à l'interprétation de son œuvre, à l'attente toujours renouvelée d'un public qui allait y trouver un sens qu'il n'était pas venu chercher.

25 octobre 2015

Ne pas se souvenir des soirs d'orage où Émilie décidait de jouer les suites de Bach, face à l'océan, comme si elle devait affronter la noirceur des nuages qui nous arrivaient de l'Atlantique. Je me posais tout près d'elle pour ne pas perdre une note que les grondements du ciel essayaient de me dérober.

Ne pas se souvenir qu'avec elle, nos corps ne faisaient qu'un, et qu'elle accomplissait ce miracle de faire de moi, en ce moment fugitif, un homme comme un autre.

Ne pas se souvenir des nuits d'extase sous la voûte céleste du désert africain, quand les musiciens jouaient sans chef, pour le seul plaisir de saluer les étoiles. Je n'étais pas moins la musique qu'avec ma baguette, en ces instants de grâce où Émilie suivait sur mon bras les frissons qu'elle voyait surgir.

Ne pas se souvenir de sa main serrée dans la mienne quand je venais derrière le rideau lui *enlever le trac*, avant ses concerts de soliste, quand nous nous sommes connus.

Ne pas se souvenir du regard soyeux qu'elle portait sur les enfants qui la prenaient pour une fée posée sur le bord de leur lit, dans cette salle de réveil de l'hôpital où elle m'avait emmené une fois, pour que je les voie.

Ne pas se souvenir, ce serait un crime qui n'effacerait pas celui qui a eu lieu.

Ne pas se souvenir est impossible quand on a vécu de si belles choses avec une femme qu'on ne pourra plus jamais cesser d'aimer, parce qu'elle a emporté au tombeau toute raison de lui en vouloir un jour.

« Après avoir occupé deux ou trois appartements différents, Émilie de son côté et moi du mien, nous envisagions d'avoir une maison quelque part. Mais ni elle ni moi n'ayant un lieu à proposer à l'autre, nous gardâmes le silence. Heureusement, car je pensais à la Suisse pour

son calme et elle à Los Angeles ou San Francisco. Peut-être n'aurais-je jamais parlé de cette envie qui nous était parallèle si nous n'avions pas été invités à Biarritz par des musiciennes que j'estimais. L'une fêtait son anniversaire et comme elle ne pouvait nous accueillir chez elle, nous fûmes logés dans la chambre d'hôte d'une merveilleuse maison qui donnait directement sur la falaise de la côte des Basques. Je fus immédiatement saisi par l'ardeur féerique des couchers de soleil, les miroitements de l'Atlantique, ce mariage insolent de l'eau et du ciel en un combat permanent de couleurs incertaines. Au petit-déjeuner, notre hôtesse, qui vivait désormais seule, se plaignit du mal qu'elle avait à entretenir sa maison. Elle désirait vendre mais personne n'était preneur d'une beauté vouée à plonger avec la falaise d'ici peu. Le suicide annoncé de sa maison décourageait les acheteurs potentiels et le prix qu'elle ne se décidait pas à baisser n'arrangeait rien à l'affaire. Elle tentait d'inclure la valeur de toutes les belles années passées, mais maintenant que son mari était mort et que ses enfants étaient à l'étranger, il ne restait plus à cette maison, outre son emplacement délirant, que des frais annuels, des pièces trop sombres et la menace de sa disparition. Elle éclata d'un rire insouciant pour dissiper la lourdeur de son chagrin puis ajouta : "Vous comprenez, ce fut la maison de ma famille. Il faudrait que je trouve un acheteur qui me la laisse de temps en temps pour que je puisse me replonger dans mes souvenirs...
– Des acheteurs comme nous, par exemple ?

suggérai-je à mi-voix. Avec nos absences répétées, vous pourriez facilement venir habiter la maison quand nous ne sommes pas là." Émilie me jeta un regard mi-étonné mi-émerveillé, et c'est ainsi que deux mois plus tard nous achetâmes la maison du bout du monde, toute meublée, pour un prix bien inférieur à ce qu'il aurait dû être si la mer n'avait pas grignoté la falaise sur laquelle elle trônait. Pour ma part, j'aimais beaucoup l'idée que ma maison partirait dans le gouffre à peu près en même temps que moi si je vivais assez longtemps. Ainsi, la seule maison que nous achetâmes, Émilie et moi, me rapprocha de l'Espagne, et bien avant que je ne découvre ses ressemblances avec moi, cette terre basque m'attrapa au lasso pour m'amener entre ses collines d'une rondeur toute féminine. Les premiers temps, j'étais là comme le Petit Prince, guettant les couchers de soleil. Les reflets toujours changeants de l'Atlantique, les sombres nuages, les éclaircies incertaines, les ciels lourds ou limpides et les colères de l'océan me remplissaient d'une admiration sans bornes. J'avais fait transformer toutes les fenêtres donnant sur la mer en grandes baies vitrées. Si bien qu'un côté de la maison ressemblait à un chalet basque et l'autre à une villégiature californienne. Moyennant quoi, j'éprouvais la sensation grisante d'habiter un promontoire surplombant le spectacle d'une beauté divine et sacrée. Avec les années, je découvris qu'il était impossible de s'habituer. Cet endroit ressemblait furieusement à la musique, toujours changeant, toujours renouvelé. J'y trouvais la même inspiration qu'en retravaillant une partition déjà dirigée quelques années auparavant. Les lieux comme les œuvres peuvent ouvrir des portes, jamais les mêmes, sur des mondes qui nous auraient été étrangers ou impraticables quelque temps auparavant. »

Ce soir, nous avons dîné ensemble avec Léa. Je ne me souviens plus quel jour, quel mois, nous avons commencé à déjeuner ensemble. Au début, elle disait d'une voix timide : je vais vous laisser pour l'heure du déjeuner. À quelle heure puis-je revenir ? Et parfois elle hésitait avant de demander si je préférais le début de l'après-midi ou la fin, et nous profiterions à ce moment-là du soleil couchant pour la partie filmée. Mais si c'était le lendemain matin, ce n'était pas si grave. Elle respectait mon repli, enfin je crois. Elle avait toujours l'air de marcher sur des œufs, comme si j'allais soudain me désister, ne plus lui permettre de revenir. Après tout, qu'est-ce qui m'empêchait de tout interrompre brusquement, de déclarer désormais que je ne voulais plus de cette introspection. J'avais accepté, mais je ne m'étais pas rendu compte de ce que ça déclencherait dans ma vie.

Car il est vrai que cette mise à plat de mes souvenirs m'éreinte. Je pourrais fort bien stopper ce cirque qui m'oblige à refaire ce parcours dont la moitié des êtres aimés sont absents. Mais loin de me dédire, un jour, je lui ai proposé de manger avec moi un morceau... Je crois que c'est de cette façon simple que je voulais lui suggérer de rester. Comme ça, nous pouvions planifier pendant notre déjeuner ce qu'elle voulait faire dans l'après-midi. « Et nous finirons plus tôt », ai-je ajouté avec un peu d'espoir. Elle a paru contente de rester. J'ai sorti quelques plats préparés par mon aide de camp. Ah, si je n'avais pas Madeleine qui s'occupe de mes repas ! Il faisait si doux que nous nous sommes installés sur la terrasse, face à la mer. Je me suis surpris à être heureux de sa présence. Après avoir dégusté nos tomates farcies, nous sommes restés silencieux un long moment. Les surfeurs qui évoluaient au loin à la crête des vagues, et ceux qui restaient comme tanqués dans le creux, petites silhouettes noires sur l'eau bleu marine, nous offraient un spectacle permanent. « Avez-vous de l'amertume ? » a lancé soudain Léa. Ça ressemblait à une question balancée de façon anodine entre la salade et le fromage, mais elle devait l'avoir retenue longtemps. Je le voyais à son air attentif, cette façon qu'elle avait de pencher la tête sur le côté, comme un enfant qui désire quelque chose qu'il n'est pas sûr d'obtenir. C'était une question loin d'être innocente sur ma situation. Que dire ? Parler de ces moments après l'accident, mais est-ce le bon mot ? Y en a-t-il un ? La mort d'un orchestre est-elle nommable ? Revoir ces sombres heures où je n'écoutais que du tango, prostré dans ma chambre, face à la mer dont la vue m'apaisait, m'empêchait de prendre une quantité de petites pilules pour en finir. Était-ce

le spectacle lancinant des vagues, l'enchaînement des couchers de soleil, des nuits sans
lune, des heures d'écume qui me sauvait ? Je
ne répondais plus à rien. Seul le chant du bandonéon avait encore pour moi du sens. Mais
je ne sais guère lequel. Quelques amis proches
se succédaient. L'un d'eux, dont je n'aurais pas
soupçonné l'opiniâtreté, venait tous les jours me
faire la lecture. De la poésie, Rimbaud, Victor
Hugo, Baudelaire... Je n'en entendais que des
bribes car la plupart du temps je n'écoutais pas.
Des morceaux de phrases tombaient dans mes
oreilles et opéraient sans doute mon âme sous
une anesthésie dont personne ne connaissait le
nom. Je crois que Steve était à l'autre bout de
la terre, mais il m'appelait parfois pour me faire
entendre le silence du désert où il se trouvait.
Et puis Jean-Louis Depoil, mon ami baryton,
est resté quelques jours. Il me chantait *Les
Berceaux* de Fauré, et des extraits de *La Flûte
enchantée*. Il me lisait des textes de Goethe en
allemand, ou me glissait des papiers avec des
phrases du poète Hölderlin. Il essayait de me
dire que je devais continuer à diriger de temps
en temps. Que ça me rendrait à la vie plus
sûrement que cet isolement qui selon lui était
le début d'un enterrement de première classe.
Pour me galvaniser, il me racontait qu'il avait
vécu sous la direction de Seiji Ozawa et la
mienne des instants suspendus dont on ne
trouve nulle trace dans aucune partition. « Tu
vois ce que je veux dire ? Quand vous attendiez
une seconde, deux secondes, trois secondes, et
que ce temps infini semblait une sorte d'espace

fou où la musique avait déjà commencé sans nous. Tout était là, dans nos lèvres qui se tendaient vers le premier son que nous devions envoyer, dans un suspense insupportable, qui était déjà la ferveur immense de ce qui allait être chanté. J'ai pleinement saisi dans cette expérience que c'est dans ce qui précède et ce qui suit les notes qu'un grand chef imprime l'ampleur de sa grâce. Tu ne peux pas laisser tomber ça, Luis... Tu m'entends ? » Oui, je l'entendais, et je peux dire qu'ils ont tous essayé de me ranimer. Il était loin le temps où je n'avais aucun ami. Fallait-il devenir ce que l'on faisait et faire une croix définitive sur une enfance merdique pour mériter le droit à l'amitié quand on était handicapé ? Je ne me posais même plus la question.

Quand j'étais seul, j'écoutais en boucle les tangos d'Astor, mort depuis déjà douze ans. Des phrases me traversaient, qui avaient parcouru ma vie comme un sacerdoce. « Il n'y a pas d'un côté la musique des bas-fonds et celle des hautes sphères. La musique est amour... Que l'on soit lâche ou héroïque, on ignore presque toujours ce qu'on peut tirer de soi ; jusqu'à ce qu'on soit nu devant la peine immense, le chagrin insondable... C'est quand on peut arriver à suffoquer qu'on ne meurt pas... » Alors l'amertume, *l'aigritude*, comme je l'appelais en regardant parfois de vieux chefs se comporter avec les plus jeunes... tout ça ne revêtait plus d'importance.

Je ne ressasse même plus les échecs de l'Orchestre du Monde, ce voyage au Japon qu'il nous fut impossible de mettre en place avec plus d'une dizaine de musiciens, après la catastrophe de Fukushima, comme si soudain la menace nucléaire faisait perdre à nos membres toute empathie. Je leur avais pourtant expliqué que nous irions dans les zones touchées par le tremblement de terre, et non au plus près de la centrale nucléaire. Maintenant, je sais qu'il y a eu presque trois mille décès, dans la province de Fukushima et les provinces voisines, dus à la radioactivité, davantage que le nombre de morts qui fut recensé à l'époque lors du séisme. Peut-être que ceux qui ont refusé de venir à ce moment-là étaient comme une sorte d'alerte, un rappel à la prudence. Leur refus démontrait déjà les limites de nos voyages, et annonçait, sans que nous le sachions, que le danger pouvait devenir plus grand. Aurais-je pu éviter notre drame ?

Quelle aventure étrange de passer quelques mois avec une inconnue pour lui livrer sa vie. Nous avons partagé avec Léa des moments intenses de mon parcours, mais dès que j'essayais de lui poser des questions sur le sien, elle ne me parlait que de ses films ou de ses rencontres faites ici ou là. Elle racontait les pays découverts, la magie des lieux des espaces naturels, les milieux qu'elle n'aurait pas fréquentés, mais que son métier de journaliste l'amenait à côtoyer, découvrant un environnement très loin du sien. Je ne savais presque rien d'elle. Un jour que je lui demandais comment lui était venue l'idée de faire ce film et cette biographie qui semblaient lui tenir à cœur, elle hésita un instant, puis me parla d'un voyage en Afrique, d'une femme qui lui avait parlé de l'Orchestre du Monde. Peut-être me l'avait-elle déjà dit au tout début du projet, mais je ne m'en souvenais plus. Et puis ça me paraissait remonter au temps obscur où je vivais sans mémoire et sans avenir ; juste avec un passé lourd, toujours le même, celui de cet ultime concert qui se rejouait chaque soir dans mes cauchemars.

31 octobre 2015

Est-ce ainsi que la vie se déroule ? Dans une furieuse montée, alors que le sommet n'est pas encore visible, que nous ignorons si nous pourrons l'atteindre. Puis, dans une sorte de redescente consentie, comme l'apaisement d'une ambition trop grande, la résignation à une certaine vieillesse. La lenteur s'impose et avec elle se déroule un cortège de sagesse et de réflexion. La matière même de la musique change et peut se modeler comme la terre d'un sculpteur.

Quand je commençais à travailler sur une œuvre ou à composer, il y avait toujours un moment où je considérais que toute conversation était inutile. Parler d'autre chose que de ce qui m'absorbait totalement me faisait fuir. Je me taisais et dans ce silence glacé, voire mortifère, résonnait l'idée que seule cette œuvre représentait quelque chose de vivant qui me tenait en haleine. J'étais dans une sorte de conscience modifiée, un chaman en transe que la simple vue ou le doux parfum de son obsession, remplit d'allégresse et lui donne la perspective d'une guérison certaine. J'étais échoué quelque part, à l'origine de l'humanité, là où les perdus de ce monde-ci ne pouvaient aller, sinon nous n'aurions pas eu besoin de leur ramener de quoi subsister sans suffoquer.

Mes sommeils trop légers repassent des morceaux de vie vécus avec l'Orchestre du Monde. Mon cinéma permanent est une nuit noire pleine de dents qui dévore le présent en m'imposant de revivre en boucle des morceaux de mon passé.

Rien n'émerge du jour macabre. Quand le soleil fait miroiter le sable, la mort semble progresser par vagues. Au-delà de l'horizon peut-être y a-t-il de l'eau, mais les rochers, le sable impriment ici le sentiment minéral d'une fin du monde proche. Jamais ailleurs je n'ai ressenti cette impression définitive : il ne pleuvra jamais plus sur ce sol. Le ruissellement du soleil est continu, dense, étouffant et quand il cesse, la cruauté de la nuit jette ses voiles glacés sur des morts encore brûlants. La terre n'a que la peau sur les os, les enfants sont des squelettes aux yeux dévorants. Tous les regards dévastent nos âmes, nous qui sommes bien portants, tandis qu'ils sont engloutis dans le feu de la soif. Chaque instant gagné sur la mort du voisin est une victoire, et pourtant les mains des soignants sont douces, s'activent sans aucune révolte. Il faut s'arrimer à une nécessité plus grande que soi, pour croire que la musique apporte un baume à ceux qui s'en vont. Toute œuvre ne peut que trembler quand elle s'élève au bord d'un enfer. Comme pour adoucir l'espace, les musiciens extraient chaque note d'un linceul d'amour. Les silences sont des crépuscules. Les photographes qui sont accrochés à leurs appareils sont comme nous avec nos instruments. Toujours tentés de les jeter pour devenir des ouvriers de l'urgence. Mais il leur faut continuer de témoigner. Même si quelque chose leur souffle perversement que ça ne sert à rien. Un soir, alors qu'elle fume une cigarette appuyée contre une des tentes, une des infirmières me sourit et me dit : « Je sais ce que vous pensez depuis que vous êtes arrivé. Mais votre musique nous donne de la force. Elle est bonne et généreuse. Moi, votre baguette je la vois comme magique, comme celle d'un sourcier qui amène l'eau nécessaire à la survie de l'âme. Vous les musiciens qui êtes venus jusqu'à nous, vous êtes aussi importants pour nous que pour nos malades. Ne partez pas trop vite et surtout arrêtez de penser. Jouez ! » Le mot même me choque. Comment jouer quand ce qui se joue chavire dans la béance de l'effroi. Mais je sais qu'elle a raison. Nous faisons corps avec le dissonant spectacle de la sécheresse.

2 novembre 2015

Les jours les plus difficiles sont ceux où on n'a pas d'espoir. Les miens prirent fin quand je quittai mes parents. Si je n'avais pas été jeune homme dans ces années-là, je n'aurais pas trouvé si facilement un travail. Parfois, nous en parlions avec de jeunes musiciens de l'orchestre. Ils imaginaient mal ce temps où l'on pouvait claquer la porte d'un boulot, traverser la rue pour en trouver un autre. Cette facilité de la vie quotidienne a disparu. Peut-être même étions-nous plus légers à cause de ça. Ce qui était paradoxal pour moi car ma vie ne contenait rien de léger. J'avais passé tant de temps à entendre mes parents dire que j'étais une bouche à nourrir, un poids pour eux et pour la société, que je n'avais pas hérité de ce sourire d'insouciance que les jeunes gens affichaient à mon époque. Cette indépendance d'esprit qui pouvait se transformer en un côté frondeur ou rebelle n'était pas mon bagage de jeune homme, ou s'il l'était, il possédait une autre forme. J'ai à peine découvert la décontraction en étant engagé quelque part, tant je considérais mon employeur comme un philanthrope et moi comme un miraculé du monde du travail. Et tandis que je récupérais un peu de confiance en moi, le monde s'acheminait doucement vers une crise, qui devait cultiver une peur du lendemain dans des pays où il n'y avait pas la guerre, et la peur tout simplement dans tous les autres. Contempler les ténèbres de ma vie et pouvoir leur opposer la lumière d'une intuition, celle de la musique, a été le fardeau épuisant de ma fuite. Sur le moment, je ne l'ai pas ressenti ainsi. J'étais ivre de la liberté de pouvoir devenir quelqu'un. Rien donc ne pouvait me faire peser la fatigue d'une telle entreprise. Grâce à la musique, je suis redevenu connecté au monde. Tout ce qui ne peut se dire, surtout dans un pays où l'on n'interdit rien, passe par elle. La responsabilité se dissout dans une société où l'on n'oppose pas de refus argumenté et formel aux projets. Hypocritement, on s'excuse devant ce qui dérange, arguant que c'est formidable, mais que n'ayant pas d'argent pour le réaliser, on ne peut rien en faire. On oublie que cet aspect financier n'a jamais été un obstacle pour qui désire faire naître de grandes choses. C'est même le contraire. Voilà ce que je percevais dans les musiques qui m'accompagnaient, le glas qui sonnait la fin du courage. Moi qui ai vécu la majeure partie de ma vie en fin de siècle, en fin de millénaire, passant par miracle dans le siècle suivant, je peux juger du chaos, de la confusion et de ce que la musique peut apporter dans de pareils moments. C'est ce qui a contribué à ma prise de conscience. Bien au-delà de ma sensation personnelle d'inutilité, de cette vaine ascension vers la célébrité, quelque chose était là. La musique aspire à ce qu'on la propage. Elle a sa force personnelle, son art secret pour appeler les êtres élevés en son sein. Paradoxalement, et je tiens au mot que je vais employer, je n'étais qu'un instrument, qui pendant un temps, a refusé de se mettre à la disposition de cette offre majestueuse. Or il fallait que je sois cela : un passeur qui n'oublie pas de mettre en couleur les désespoirs du monde, un homme qui récupère dans les partitions du passé de quoi vivre au présent. Il fallait entrer dans la musique de Beethoven, de Bruckner, de Ravel comme dans un rêve qu'on ne peut pas faire seul. Il me fallait offrir quelque chose de plus grand que ce que j'avais reçu, une âme musicale dans un corps souffrant. Il fallait passer au-delà de ce que les hommes faisaient à la musique pour tenter de la remettre à leur niveau. Il fallait oublier le conformisme, les dogmes, la religion de ceux qui veillaient jalousement sur celle qu'ils appelaient la Grande Musique, la Musique Classique, la bien nommée, afin qu'aucun simple mortel ne s'en approche. C'était une musique réservée aux riches, qui se jouait en queue-de-pie, s'écoutait en habit de soirée, puis petit à petit en tenue plus simple, mais jamais hors des lieux consacrés. La première fois que je mis les pieds en Allemagne, dans ces immenses concerts en plein air et que je vis ces familles avec leurs enfants, leurs pique-niques et l'étendue de ces grands parcs colonisés par des amoureux de la musique, cette vision m'a rempli d'allégresse. Les Allemands, peuple de mélomanes, avaient cassé les codes, débroussaillé les intentions élitistes des gardiens du temple. Tout était en marche désormais pour qu'on ne rejette pas ceux qui voulaient en être, pour combattre ceux qui achetaient des abonnements de saisons entières, mais n'avaient pas d'oreilles. Dans ce parcours où je devais faire moi-même l'effort de m'extraire de ce monde brillant dans lequel j'étais entré sur la pointe des pieds et qui paraissait être devenu mon environnement naturel, je ne pouvais jamais aborder ces salles, ces personnes, les hôtels dans lesquels nous descendions en faisant taire tout à fait ce petit sentiment d'illégitimité qui me tenaillait depuis que j'avais quitté ma première chambre minable, pour emménager dans un charmant studio du huitième arrondissement, payé par mon statut de chef d'orchestre. Je vivais là le début des privilèges de mon tout premier poste. À New York, Chicago, Florence, Dresde, Bruxelles, Madrid ou Montréal, partout où je vécus ensuite, j'ai toujours eu le sentiment que la musique m'offrait des lieux qui ne me revenaient pas. La musique classique me faisait vivre dans un milieu qui n'était pas le mien, et cependant quelque chose de très ténu au fond de mon âme s'accrochait à cette évidence. Elle n'était pas destinée à une classe et même elle avait tout intérêt à s'en éloigner.

Luis Nilta-Bergo / Interview filmée le 2 novembre

« Certains jours, je me sens si vieux… Imaginez tout ce que j'ai traversé. La révolution technique des enregistrements pour en arriver aujourd'hui à la mort totale des disques.

Je me souviens du choc de l'arrivée du disque compact. En 1984, j'ai été invité à écouter une démonstration dans un auditorium au salon du Son à Paris. Il s'agissait de la *Symphonie alpestre* de Richard Strauss, enregistrée par Karajan. La plupart des disques qui étaient sur le marché au début étaient enregistrés en analogique, puis convertis en numérique… Il n'y avait à ce moment-là que très peu d'enregistrements en numérique. Quand je vous raconte ça, j'ai l'impression d'être né en 1802… Naturellement, la démonstration était incroyable. Quand on avait eu l'habitude d'entendre les disques vinyle qui, très vite, intégraient les craquements d'une baraque hantée, il était surprenant d'entendre la respiration du musicien, le frottement de la corde de l'archet, le pincement de la corde d'une guitare... On sentait le son de la salle en fermant les yeux. Tout paraissait extraordinaire et je dois dire qu'étant pourtant assidu des cours de mon maître Celibidache, violemment opposé à toute forme d'enregistrement, je fus dans les premiers à avoir mon lecteur de CD à la fin de l'année 1983, puis mon baladeur l'année d'après, que j'emmenais partout avec mon stock de CD. Tout ça paraît ridicule aujourd'hui où des milliers de musiques tiennent dans de si petits appareils. Je me souviens même d'avoir profité d'un voyage à Londres en 1985 pour acheter *Brothers in Arms*, l'album de Dire Straits, premier à être gravé en numérique, avant qu'il ne sorte en France. Je dirigeais à l'époque une symphonie de Mahler, et le matin au réveil, j'écoutais *Walk of Life* et *Why Worry* pour me détendre. Une vraie trahison, aurait pensé la moitié de mon orchestre...

Parfois, il m'arrivait de m'allonger dans mon lit, après une rude journée, mon casque sur les oreilles, écoutant les enregistrements des symphonies dirigées par mes maîtres, et je repensais, en serrant ce tout petit objet compact entre mes mains, à toutes ces années d'enfance où je dépendais de la radio de mes parents ; puis à ce premier tourne-disque qui avait fait ma joie, quand je consacrais la majeure partie de mes pauvres finances à l'achat de quelques dizaines de vinyles que j'usais bien trop vite... Je me sentais si riche avec ma petite cinquantaine de disques !

Naturellement, il se trouvait toujours des mélomanes pour me demander mon avis de chef d'orchestre afin de me donner le leur, à savoir que le son analogique était bien meilleur dans sa dynamique, que sa musicalité était supérieure tandis que les mauvais filtrages, les interférences et autres défauts du numérique le rendaient insupportable... Blablabla. Je répondais toujours que ce qui était d'un ordre supérieur était d'aller écouter la musique dans la salle où elle était jouée, mais qu'ayant déjà la possibilité d'écouter un feu de bois dans ma cheminée, je me contentais du numérique pour ne pas faire doublon !

À l'époque, je ne connaissais pas mon ami Didier Kwak et son système Askja de reproduction des enregistrements, qui ne peut pas être vraiment appelé une sonorisation, mais plutôt le débarquement, dans un salon, d'une salle philharmonique et de son ampleur. Je crois que ce système-là aurait intéressé Sergiu. J'aimerais vous emmener chez lui pour écouter ça. Rappelez-moi à l'ordre si j'oublie, car ce n'est pas une proposition en l'air. Je ne sais pas ce que vous savez du son, chère Léa, mais il y a une chose très importante à comprendre et que le grand public ignore la plupart du temps. Pour qu'un son arrive jusqu'au cerveau, notre oreille interne doit coder une onde sonore sous forme de décharges électriques. Dans les années quatre-vingt, les théoriciens de l'acoustique ont commencé à tout compresser pour stocker les musiques sur de petits volumes. Aujourd'hui, on est arrivé à de meilleurs codages, à une meilleure restitution, mais malgré tout, quand le cerveau entend un son qui n'est pas véridique, il le rectifie. Par exemple si votre cerveau perçoit un piano, mais que le son n'est pas conforme à ce qu'il sait d'un piano, il le retranscrit, il le transforme, il bosse comme un fou, et cette fatigue le coupe de toute perception émotionnelle. Si bien que toutes ces compressions, ces restitutions qui ne satisfont pas le couple oreille-cerveau, empêchent les êtres qui ne sont pas dans un concert en direct, de profiter pleinement de l'émotion qu'ils pourraient percevoir. Les psycho-acousticiens de demain seront ceux qui pourront limiter le boulot du cerveau, pour faire goûter la musique, lui rendre le voyage, l'émotion, la possibilité de nous incarner à travers elle en nous glissant dans son côté soyeux et mystique. Ces études me passionnent comme elles ont, à ma connaissance, capté tous les chefs d'orchestre avant moi. Mais certains y ont surtout réfléchi pour propager leur renommée à travers des enregistrements, bien plus qu'en termes émotionnels de transmission authentique de la musique. Vous voyez, c'est toujours ainsi la cruauté des époques, de nouvelles techniques naissent mais il n'en sort pas toujours le meilleur. Et c'est encore aujourd'hui une grande bataille entre la technique et le cœur. On aimerait tellement savoir ce que Mozart penserait des pianos d'aujourd'hui… Et bien sûr, recueillir l'avis des compositeurs sur ce que nous faisons de leur musique avec des instruments si différents. Mais peut-être ne supporterions-nous pas s'ils s'apercevaient que nous sommes encore si insuffisants avec tant de moyens.

Les conditions modernes de la vie d'un chef, diriger trois orchestres différents, en avoir un attitré mais n'avoir aucun temps à lui consacrer, sauter d'un avion à un autre, exigent une telle énergie physique que j'ai dû faire des choix. Mon handicap a fini par me protéger de cette vie où plus aucun espace de respiration n'est possible. Pour pouvoir diriger au plus fort de ce que l'on peut donner, il faut se ressourcer. Seuls des espaces de nature et de vide permettent à la musique d'atteindre son niveau spirituel. On ne peut donner à personne quand on ne puise nulle part l'énergie de ce don. Un jour, j'ai décidé d'offrir ponctuellement cette échappée aux orchestres que je dirigeais. Rajouter un budget à nos répétitions a été un coup de force. Il fallait louer un bus et partir à la campagne. Je me chargeais donc de l'hébergement, du déplacement, et cette osmose me permettait de créer cet égrégore qui était le début d'un orchestre spirituel, une entité magique qui se créait autour d'un projet particulier, différent de ce qui pouvait les animer habituellement. Comme j'offrais le voyage, je pouvais exiger plus de répétitions sans qu'on me déteste. La difficulté d'un jeune chef, c'est d'avoir les exigences d'un très grand maestro que personne n'a encore reconnu, mais que l'on est déjà. Je suis passé d'une époque relativement calme à la folie des festivals d'été, au tumulte des recrutements anarchiques, au changement fondamental qui s'est opéré dans le fonctionnement des grands orchestres du monde. Une fois pour toutes, j'ai décidé que dans tous mes orchestres, on pourrait être heureux, mais jamais décontracté. Le bonheur irait de pair avec une exigence sévère de travail et de concentration.

Voulez-vous que nous parlions encore de ce qui n'est pas racontable ? Les hôtels, les voyages, les décalages horaires, la vie démultipliée ! Savez-vous que certains musiciens finissent par garder les horaires de leur pays d'origine afin d'être moins déphasés. Il y a des années où on prend l'avion comme on prend un taxi, persuadé qu'au bout de la course, on ne sera jamais arrivé. J'avais l'impression d'aller à deux cents à l'heure ! Seuls les moments des concerts étaient suspendus hors du temps, infinis, presque hypnotiques. Un jour, j'ai voulu interroger quelques musiciens sur leurs souvenirs de concerts ; aucun ne m'a parlé d'œuvres particulièrement bien jouées. Je m'attendais à quelque chose d'harmonieux, à des souvenirs magiques de concerts éblouissants et je n'ai recueilli que des récits potaches de tournées ! Les tournées, vous vous rendez compte ? Des souvenirs amusants, des anecdotes de voyages… J'en aurais presque pleuré. Moi, je n'avais que ça : des instants magiques, des constellations prodigieuses, des éclaboussures de rêve, des sensations d'altitude. De tous mes concerts à l'étranger, il ne me restait que les vestiges d'une bourrasque musicale inracontable.

Je pourrais aussi vous parler de cette démesure quand vous basculez du côté de la surenchère pour réussir à engager le maestro adulé. Trois cent cinquante mille euros pour un concert ! Ça, ce fut l'offre la plus délirante d'un entrepreneur chinois qui avait décidé de se payer un orchestre philharmonique. Il est devenu un de nos mécènes, plus tard, quand j'ai fondé l'Orchestre du Monde. J'ai traversé le siècle, enfin le dernier, si j'ose dire parce que ça sonne un peu comme une fin du monde, tout comme j'ai traversé des tas de miroirs, celui de l'ego celui de la transcendance, celui de la transfiguration. J'ai vécu des choses d'un autre âge. Si je vous racontais le statut des femmes dans les orchestres sur mes soixante ans de vie professionnelle, vous tomberiez de votre chaise. La musique en orchestre est une terre si misogyne ! Quand je suis arrivé, et pourtant mes plus grands professeurs avaient été des femmes, les grands orchestres étaient, dans leur grande majorité, composés d'hommes. Même si la plupart des chefs étaient de grands machos, tout en étant de très grands séducteurs, ce qui marche souvent ensemble, ils étaient opposés à l'entrée des femmes dans les orchestres. Et même ceux que j'admire le plus n'échappaient pas à cette règle. Dans les années quatre-vingt, il y eut l'exemple célèbre d'Abbie Conant, une tromboniste américaine, à laquelle Celibidache déclara : "Vous connaissez le problème. Il faut un homme à ce poste de trombone solo." Elle exigea que, selon le droit établi, ce refus soit motivé, et on lui donna alors comme raison incroyable qu'elle n'avait pas les capacités physiques pour occuper ce poste. Après avoir passé des tests dans une clinique de Munich, et prouvé qu'elle disposait de la capacité thoracique d'un sportif de haut niveau, elle fut rétablie dans ses droits, mais à une catégorie salariale inférieure. Abbie Conant passa treize ans au Philharmonique de Munich, dont onze en procédure ! Et son cas n'est pas unique. Encore aujourd'hui, la plupart des grands orchestres n'ont pas plus de trente pour cent de femmes, avec ce que vous imaginez comme discriminations non officielles ! Chaque fois que j'ai pu, j'ai combattu cette tendance. Comme vous le savez, par principe, je n'ai jamais aimé qu'on opprime les êtres pour ce qu'ils sont. J'ai le souvenir d'une jeune fille harcelée par son chef de pupitre. Elle n'avait pas obtenu les voix de certains de ses collègues, malheureusement les plus proches. Elle ne voulut pas en tenir compte en pensant que ça s'arrangerait. Je me souviens qu'elle s'appelait Lola. L'ayant trouvée en larmes dans les coulisses du théâtre, je l'avais emmenée boire un café. Elle me décrivit à quel point elle était déçue. Croyant à sa vocation de musicienne, elle pensait qu'elle aurait des collègues fins et cultivés, et que sa carrière se déroulerait dans une ambiance qui n'était pas vouée à la haine, à la jalousie, à la rivalité. Elle ne comprenait pas cette hiérarchie qui lui faisait sentir qu'elle n'était qu'une tuttiste et qu'elle ne pourrait jamais accéder à un autre rang. Je la regardais pleurer et me dire : "Vous qui êtes chef d'orchestre, dites-le-moi, sans tuttistes, il n'y a pas d'orchestre, non ? On ne peut pas faire un orchestre symphonique avec seulement un premier violon et des chefs de pupitre ! Je suis désolée de vous dire tout ça. J'aime jouer avec vous, mais vous êtes le patron d'une usine à notes !" Je savais qu'elle n'avait pas tort. J'en souffrais moi aussi, mais je ne pouvais pas le lui dire. Au cours de la conversation, je l'ai ramenée vers ses émotions harmoniques. Tout doucement, je lui ai démontré qu'elle n'était pas si différente de ses collègues. Ils étaient tous soumis à une grande pression, tous conscients que leur métier était merveilleux, mais que les conditions dans lesquelles ils l'exerçaient étaient très difficiles. Cela générait de la frustration, une déception d'autant plus grande alors qu'ils avaient presque tous choisi une voie artistique. Ainsi nous avons dérivé tout naturellement vers la musique en oubliant les musiciens. Un inconnu passant près de nous dans ce café quelques minutes plus tard aurait entendu une tout autre conversation. "De quoi peut-on rapprocher la musique ? De rien. D'un sculpteur au moment où il sculpte, d'un peintre au moment où il peint, mais certainement pas de ce moment où nous sommes en face d'un tableau. Écouter de la musique, ce n'est pas être en admiration devant une œuvre. Peut-être que la poésie est plus proche de la musique que n'importe quel autre art…"

— Et cette Lola, demande Léa, était-elle… est-elle devenue… quelqu'un pour vous… ?

Luis la regarde, étonné. Il est rare que Léa l'interrompe pour aller dans une tout autre direction. Il rit. « Vous savez, nous étions dans les années soixante-dix… Je vous l'ai dit, j'évitais de sortir avec des musiciennes de mes orchestres, mais il est vrai que celle-ci m'a suivi plusieurs soirs dans des boîtes de jazz. À Montréal... Je crois même que nous avons couché ensemble deux ou trois fois. Où en étions-nous ? Vous m'avez fait perdre le fil... »

Il ne voit pas que Léa est blanche. Ce jour-là, elle abrège l'interview et prétexte un rendez-vous pour le quitter plus vite.

Aujourd'hui, elle le sent fiévreux, presque empressé quand il vient l'accueillir à la porte d'entrée. Il l'entraîne vers le fond du jardin, là où se trouve le pavillon de musique, elle l'ignorait, il le nomme ainsi en lui ouvrant la porte. Elle avait bien remarqué cette petite maison, au fond du parc, et elle comptait lui demander de la lui faire visiter pour l'y filmer, mais, c'est encore mieux. Elle s'aperçoit avec surprise qu'il a déjà amené son matériel de tournage, le sac de la caméra, celui du pied et la petite caisse de lumière qu'elle avait laissés chez lui la veille. Il a même mis ses batteries en charge et ce détail la fait sourire. La pièce est une alcôve musicale remplie d'instruments étranges dont elle ne connaît pas les noms. Elle reconnaît juste un ukulélé, un berimbau. Suivant son regard émerveillé, Luis lui en nomme quelques-uns : *naqqara*, *zukra*, *mbira*, et ce drôle de bateau est un *saung-gauk*. C'est un très vieil instrument à cordes de Birmanie, leur harpe traditionnelle. Seul instrument européen, un quart de queue traîne dans un angle ; un lit envahi de coussins et un bureau sont les seuls meubles de la pièce. Au plafond, un nombre impressionnant de petits miroirs semble renvoyer la pièce à une forme de puzzle, son film en quelque sorte, avec toutes les facettes de son personnage. Et ce bureau en teck, offrant un nombre de tiroirs incalculable, autre métaphore de ce qu'elle est en train de vivre aux côtés de Luis ! Une plongée dans un meuble mémoire dont chaque tiroir représenterait une parcelle de vie. Certains sont munis d'une clé et d'autres de serrures sans clé. Luis a ouvert la grande porte-fenêtre qui donne sur la mer et Léa se demande déjà où placer sa caméra afin d'avoir dans le cadre à la fois l'intérieur du pavillon, et le point de vue sur la nature. Pour commencer, elle s'assure d'une série de gros plans de la pièce qu'elle insérera dans ses interviews, comme si cette pièce dédiée à la musique était le point d'ancrage de ce dialogue avec Luis et l'Orchestre du Monde. Car elle doit l'interroger ce jour-là sur ses années passées à parcourir l'univers, à rencontrer la souffrance humaine avec ses musiciens. Tout comme il a choisi le lieu, il démarre sans qu'elle lui pose aucune question, en lui racontant comment ils ont eu l'idée de faire construire ce pavillon, un soir d'orage.

« Nous étions sortis admirer la noirceur du ciel et les éclairs qui frappaient l'océan au loin, et soudain Émilie me fit remarquer que la parcelle de terrain sur laquelle nous nous trouvions possédait une énergie particulière. Peut-être était-il judicieux d'y élever un pavillon de musique, qui pourrait devenir son bureau et l'espace symbolique de notre Orchestre du Monde. Depuis l'achat de la maison, six mois auparavant, nous étions en pleine recherche des sponsors qui allaient permettre à l'orchestre d'exister, et de vivre tout au long de l'année. Émilie venait tout juste de refuser les fonds d'un mécène, fondateur d'une des principales entreprises mondiales d'emballage d'armes à feu. Pourtant l'homme était sympathique. Mélomane à la retraite, il adorait la musique classique et principalement mes concerts, auxquels il venait assister, parfois en prenant l'avion. Qu'importe. Nous avions tout de même une éthique à défendre, et même si ce généreux donateur disposait d'un montage financier qui nous mettait à l'abri de toute fuite médiatique, le principe était déplaisant et pas de très bon augure pour un début de partenariat. Le mécène s'était moqué du refus d'Émilie et lui avait signifié son innocence pour tenter une dernière fois d'emporter son adhésion. "Ceux qui détruisent le monde sont aussi ceux qui le reconstruisent, lui avait-il dit. Notre vie est vaine, tout ce qui se passe ici-bas est un terrain de jeu dont aucun vrai décideur n'ignore ni les contradictions, ni les aberrations. Votre projet a une ampleur romanesque certaine, mais vous ne le mènerez à bien que si vous jetez vos pudeurs de jeune fille effarouchée. Vous devrez de toute façon pactiser pour voyager dans le monde en guerre, et ceux qui vous ouvriront des portes sont aussi ceux qui fermeront tout à clé si vous

n'entrez pas dans leur jeu de dupes. Vous navi-
guerez entre le cynisme et l'arrogance, je vous
le concède, mais gardez donc l'empathie et la
compassion pour les terrains où vous déploie-
rez votre merveilleuse musique. Ne faites pas
semblant d'échapper à toutes ces compromis-
sions et de grâce, acceptez cette somme qui
alimentera votre bel orchestre." Émilie n'avait
pas cédé. Elle était sûre que nous trouverions
des fonds sans nous compromettre ; elle avait
envoyé des lettres à toutes les plus grosses for-
tunes du monde, avec la certitude que l'ego
des riches, uni à la beauté du projet de cette
mission musicale, remporterait l'adhésion des
futurs mécènes. Sur toute communication
citant les bienfaiteurs, l'ordre correspondrait
aux sommes versées. Je lui fis quand même
remarquer qu'avec ce détail, elle mettait déjà
un pied dans la perversité dont notre bienfai-
teur recalé l'avait entretenue. Mais elle ne voulut pas tenir compte de cette remarque acerbe.
Et elle ne s'était pas trompée. Cent quarante
donateurs, dont dix assuraient plus de la moitié du fonctionnement de l'orchestre, se partagèrent le budget de l'Orchestre du Monde. »

Luis Nilta-Bergo / Interview filmée
le 6 novembre

« J'étais à Paris dans un magasin de sport. J'achetais des chaussettes. Au milieu d'une allée se trouvait un homme à genoux, comme s'il s'était soudain affaissé sous le poids de la nouvelle reçue par le poste de radio qu'il tenait contre son oreille. Et de loin, il donnait l'impression d'être en prière. En me rapprochant, j'entendis une voix étranglée ayant peu de ressemblance avec celle d'un animateur de radio. La voix disait qu'un avion avait heurté une des tours jumelles de New York. On ne savait pas grand-chose. Le haut de la tour brûlait. J'ai pris un taxi et je suis rentré chez moi aussi vite que j'ai pu. Entre-temps, Émilie m'avait appelé sur mon portable et me racontait ce qu'elle voyait sur notre écran de télévision. J'arrivais dans la pièce quand le deuxième avion a traversé la deuxième tour. La stupeur nous a collé des tremblements. Nous étions accrochés l'un à l'autre et je crois qu'à ce moment-là nous ne pensions qu'aux victimes, à leurs familles, à l'impossible spectacle qui se déroulait sous nos yeux. Puis Émilie m'a serré la main, et elle a murmuré si bas que j'ai plus deviné qu'entendu : "On doit y aller !" Nous n'en étions qu'au début de la constitution du groupe de notre entreprise financière et nous n'avions encore aucune structure pour organiser le voyage. Nous avions cependant déjà sélectionné une centaine de musiciens et nous avions déjà fait quelques concerts dans des hôpitaux ou des banlieues mais jamais à l'étranger. Je prenais de plein fouet ce qui me tourmentait depuis le début de ce projet : aurions-nous l'air de sauter sur un événement ? Mais je découvris très vite que les musiciens qui m'avaient déjà dit oui m'appelaient les uns après les autres et me détrompaient. Pour eux, ce problème était déjà résolu depuis leur engagement parce qu'il en serait toujours ainsi. La musique n'aurait jamais l'air prioritaire et l'indécence de jouer dans un lieu dévasté par la mort avait de quoi interroger nos semblables. Bien plus tard, un journaliste me fit remarquer que les reporters viennent filmer, enregistrer, photographier la souffrance et ne procurent aucun apaisement à quiconque, sinon la promesse de ne pas laisser les victimes sans propager ce qui leur arrive. Nous serions donc toujours susceptibles de négocier avec nos scrupules, notre sensation d'être des prédateurs, éventuellement des voyeurs déguisés en créateurs de sons apaisants. Pour l'heure, il ne fut pas question d'abandonner *l'offre de musique en temps de crise* que nous avions décidée ensemble. Comme nous n'étions pas encore très organisés, Émilie demanda à chacun de s'occuper de son billet qui lui serait ensuite remboursé. Dans l'orchestre, sept musiciens d'origines palestinienne et égyptienne me supplièrent de ne pas renoncer. Au nom de leur dégoût et de leur honte, et leurs larmes me touchèrent infiniment. Dans le chaos qui régnait là-bas, nous nous passerions de démarches et d'autorisations. Il fut néanmoins difficile à nos amis arabes de passer les frontières. Ils eurent à subir des interrogatoires de plusieurs heures à l'aéroport. L'un d'eux finit par perdre patience arguant qu'il ne pouvait cacher une kalachnikov dans sa trompette et qu'il y avait aussi des musulmans qui n'étaient pas des terroristes. Mais les services de sécurité aux frontières étaient devenus paranoïaques, ce qui pouvait aisément se comprendre. Certains, qui ne faisaient pas partie de notre première vague de voyageurs, passèrent sur mes conseils par le Mexique ou le Canada. En trois jours, nous fûmes soixante-dix musiciens sur place. Il ne fut pas difficile de choisir les premières œuvres, ce furent les trois préludes de chorale de Bach. Les chœurs de l'Orchestre du Monde qui n'avaient pas encore participé à nos précédents concerts, timides essais en France, vinrent nous rejoindre à New York. Nous avions décidé de sélectionner les chœurs des plus grands orchestres et de changer à chaque mission. Les sopranos de Boston, les ténors de Los Angeles et d'autres musiciens d'orchestres classiques américains nous rejoignirent spontanément, à commencer par ceux de New York. Dès que les chœurs furent présents, nous jouâmes le *Requiem* de Mozart, puis celui de Fauré. Nous fûmes jusqu'à trois cents musiciens et chanteurs, posés dans la poussière, comme des anges de lumière, m'avait dit une femme à la fin d'une symphonie de Brahms. Il n'y eut jamais de questions de la part de la police, de demandes pour savoir ce que nous faisions là. Nous restâmes parfois plus de sept heures sur place. Certains nous amenaient des boissons, des plats chauds, nous suppliaient de continuer à jouer. Les secours et les officiers s'arrêtaient parfois, nous écoutaient en fumant une cigarette rapide, regardant les décombres comme pour se convaincre que c'était bien arrivé, puis ils retournaient à leur travail pour tenter de retrouver des survivants. Ils nous étaient tous reconnaissants de soutenir le moral des familles qui cherchaient inlassablement leurs proches. Pris par la musique, je fermais les yeux et ne regardais plus le cadavre de la dernière tour, cette sculpture de métal dressée vers le ciel comme un décor surréaliste. Quand je les ouvrais à nouveau, il m'arrivait de voir que les musiciens continuaient à jouer tandis que des larmes coulaient le long de leurs joues. Ground Zero fut notre première mission de Musiciens du Monde. Nous restâmes à New York durant un mois et, le dernier jour, nous décidâmes de revenir chaque année, le 11 septembre. Après cette expérience, quelques musiciens quittèrent l'orchestre, pressentant qu'il leur faudrait des nerfs d'acier et qu'ils ne résisteraient pas à la puissance émotionnelle de ce que nous allions rencontrer. La presse et la télévision parlèrent beaucoup de nous et ce fut une bonne chose pour finir de boucler ce qui n'était plus un projet, mais déjà une réalité. Cela nous permit de constituer un dossier qui nous aida à obtenir dès notre deuxième mission toutes les autorisations de voyage. Ceux qui décidèrent de rester me firent cette curieuse remarque. Dans un orchestre *normal* – le terme me fit sourire et je ne pus m'empêcher de penser que tout demeurait pour moi comme avant –, on était pris en charge sans arrêt. On ne choisissait rien, ni le lieu où on jouait, ni le programme, ni sa place. Bref, dès qu'on était musicien d'orchestre, on n'avait plus aucune autonomie. Au moins, avec l'Orchestre du Monde, on planifiait ensemble les missions, les urgences et, avant tout, on était très conscient de ses désirs. Les musiciens semblaient responsabilisés dans un voyage qui n'avait rien d'une tournée classique. Ils se sentaient eux-mêmes choisis, utiles et maîtres de cette destinée musicale si particulière. Les doutes que nous avions pu avoir avant septembre 2001 tombèrent très vite et il devint plus facile de convaincre des musiciens de l'importance de notre orchestre. Il suffisait de les mettre en contact avec ceux qui étaient venus jouer avec nous. Un seul voyage permettait de comprendre et c'était souvent un choc. Nous arrivions toujours après ce qui allait rester dans l'histoire, en même temps que ceux qui allaient la raconter au présent, mais l'événement en soi n'avait pas d'importance pour nous. Ce qui comptait vraiment émanait de ces âmes brisées, du battement incertain de leur cœur, de tout ce qui pourrait vibrer à l'unisson de leur peine. Les problèmes d'organisation étaient bien sûr énormes et le restèrent sur toutes les missions, mais nous étions partis du principe que si une armée peut déplacer des chars, des armes et autres moyens techniques et humains, nous, soldats de la musique, pouvions en faire autant. Il n'était pas question qu'il soit impossible ou plus difficile de mouvoir des instruments de vie pour combattre ce qui restait après la mort qu'infligeaient la guerre ou les catastrophes naturelles. Tant qu'il y avait de la vie, il fallait que nous apportions de l'espoir. »

Luis Nilta-Bergo / Interview filmée le 7 novembre

« S'il existait une image du monde qui puisse montrer la détresse humaine ou la sensation de bonheur, avec des couleurs qui émanent des pays, comme les échappements de CO_2 que l'on peut voir aujourd'hui sur les cartes satellites de la NASA, nous serions probablement surpris. Je suis sûr que ce ne sont pas les pays les plus en guerre, les plus pauvres, les plus touchés qui dégageraient les couleurs humaines les plus catastrophiques. Dans certains pays qui vivent des situations très difficiles il y aurait cet espoir, cette joie de vivre, cette façon de ne jamais rechercher le risque zéro ou le bonheur absolu, en se réjouissant de ces euphories minuscules et quotidiennes. Peut-être serions-nous les moins bien lotis dans cette détresse intime qui a l'air d'envahir les pays qui ont le plus de chance et le moins de raisons de désespérer. Peut-être qu'il aurait fallu ne pas bouger de nos pays en paix, sans tremblements de terre et sans tsunamis, et se souvenir que personne ne s'arrête dans le métro quand un des plus grands violonistes au monde joue la musique de Bach dans la nuée indifférente des travailleurs pressés. Peut-être aurait-il fallu commencer par soigner nos âmes malades, jouer dans nos hôpitaux pleins de déprimés, de morts- vivants atteints par les maladies de notre siècle qui gagnent du terrain d'année en année... De jour en jour mieux soignés et plus mortels, nous enclenchons la réparation technique sans iden- tifier les symptômes, ce que la musique ne fait jamais. Elle s'attaque à l'être tout entier dans sa misère, son dénuement, ses détresses cachées et leurs conséquences irrévocables. Certains jours, je me disais que c'était prétentieux de penser qu'ailleurs on souffre plus qu'ici et que la musique de l'Orchestre du Monde ne véhicu- lait peut-être que l'orgueil condescendant d'une aumône mal placée. »

8 novembre 2015

Je me suis rendu compte que Léa doit croire que ma vie a été bien triste, et même plom- bée depuis que l'Orchestre du Monde existe, et pourtant ce fut tout le contraire. Il faudrait que je lui raconte quelques moments insolites où le fou rire effaçait la guerre et balayait les difficul- tés. Notamment cette folle nuit passée dans une cave avec des combattants en Syrie. Comme nous n'avions rien à faire de particulier, si ce n'était attendre que les bombardements se cal- ment, et comme ils essayaient de comprendre ce que nous faisions là, je me suis lancé dans une explication scabreuse, comparant nos instruments à leurs armes. « Votre combat doit frapper le cœur de vos ennemis, leur ai-je dit, alors que nous, nous essayons d'envoyer dans le cœur de chacun de la musique, de la douceur et de l'apaisement. » Et quelques musiciens jouèrent ensemble pour illustrer mon propos ; dans une pantomime insolite, nos combattants commencèrent à se jeter à terre, laissant tomber leurs armes, comme s'ils étaient touchés violemment par la musique. Et sur leurs visages, ils simulaient une sorte d'extase, comme pour marquer la différence avec les expressions de souffrance qui se peignent sur le visage d'un humain atteint par une balle. Ils le faisaient bien sûr pour se moquer un peu de mon explication, mais nous finîmes tous gagnés par le rire et la dimension cocasse de cette scène surréaliste.

Peut-être que ce qui a été le plus fatigant depuis quinze ans dans cette mission, c'est de vivre des moments qui n'étaient jamais dans la banalité. Nul repos n'était possible. La vie enchaînait ces minutes en terres étrangères comme des espaces d'une intensité humaine rare et ça ne s'arrêtait jamais. Dans la joie, dans la peine, dans la folie, tout était excessif... rien n'était quotidien, tranquille ou calme. Un musicien me l'a dit une fois dans l'avion. « Je n'avais jamais vécu cette sensation de voir tout instant présent qui te saute à la gorge et te fait cracher ce que tu as de plus intense dans les tripes, comme si tu allais mourir la seconde d'après. Il est épuisant, ton Orchestre du Monde, Luis. »

Je fus souvent étonné de m'apercevoir qu'aucun journaliste, aucune rédaction ne s'intéressait vraiment à ce que nous avions pu voir et entendre, peut-être même photographier lors de nos voyages sur des terrains de guerre, de famine, de désespoirs humains. Comme si la presse ne s'intéressait à nous que lors de notre exercice, dans ce que nous faisions de particulier, mais pas comme témoins de ce que nous traversions. Et pourtant notre position neutre et infiltrée nous mettait bien des fois en présence d'événements étonnants que jamais les journalistes ne rapportaient ou ne photographiaient, à quelques exceptions près.

Pendant très longtemps, quand nous expliquions la vocation de l'Orchestre du Monde, les journalistes ou tout simplement les mélomanes croyaient que nous faisions une bonne action ; ils nous classaient dans le clan des organisations humanitaires. Ils ne comprenaient pas, et sans doute était-ce normal, que nous n'allions pas vers la souffrance ou le mal-être, mais vers le souvenir du bien-être. Nous allions rappeler à ceux qui étaient dans la peine que la musique était là, qu'ils avaient eu cet accès libre à sa splendeur avant d'être touchés par le deuil. Nous étions des veilleuses, nous rallumions l'histoire de leurs souvenirs heureux, nous venions accompagner et envelopper leurs émotions dans le cocon d'un songe qui les guérissait de l'angoisse, de la perte, de la peur ou du manque d'espoir.

Nos voyages, notre musique qui s'envolaient dans les lieux où les humains en avaient tant besoin nous rangeaient désormais dans un camp dont nous ne pourrions plus jamais sortir, celui de la mémoire d'une humanité souffrante, qui n'était pas si loin de nous mais que beaucoup ignoraient.

J'ai parfois revu certaines personnes avec lesquelles nous avions partagé des moments de guerre dans leurs pays. Tous me disaient combien ils goûtaient la paix revenue, mais ils n'oubliaient pas ces périodes où tout était partagé, où la communauté vivait dans cette précarité, où l'humanité de chacun avait du sens, était mère de toute relation à l'autre, au milieu du chaos, de la violence. Ils déploraient l'égoïsme, le consumérisme et l'indifférence, qui reprennent leurs droits dans les moments plus calmes. J'en venais à me demander quel vrai sens a le bonheur, quelle conscience nous décidons de préserver selon les situations de nos vies.

Même moi, quand il m'arrivait de rejouer dans ces orchestres que je qualifiais de normaux, aussi improprement que mon handicap me range dans les humains anormaux, je n'arrivais jamais tout à fait à oublier que l'Orchestre du Monde existait, était là en filigrane dans ma façon de diriger. Je devinais qu'ils savaient d'où je venais, où j'allais repartir, certains musiciens en face de moi avaient déjà joué sur un terrain de guerre ou de famine, car beaucoup tentaient cette aventure pour comprendre le regard étrange que leurs collègues en ramenaient, comme s'ils avaient connu autre chose, une autre musique jouée de façon inracontable, à un public dont ils n'avaient aucune idée. Et pour cause, ce public n'était jamais le même et pouvait être aussi dissemblable que l'adversité qui le touchait lorsque nous débarquions. Il n'y avait rien de commun entre les Américains de La Nouvelle-Orléans quelques semaines après Katrina et les réfugiés du Soudan, jetés sur les routes par la persécution et la famine. Ou plutôt si, ce qui les rassemblait était immense et universel, c'était la perte de leur vie d'avant, ce chagrin dans lequel notre musique venait s'immiscer comme une tentative de consolation. Notre musique les prenait tous dans ses bras, comme s'ils étaient ses enfants. Je ne cessais d'être émerveillé par la puissance de cette découverte : nous avions cloîtré la musique dans de jolies caisses de résonance, des lieux capitonnés dévoués à l'acoustique, à la beauté de nos interprétations, mais cela ne correspondait ni à sa vocation ni à son extraordinaire pouvoir salvateur. Nous avions fait d'une sauvage indomptable une bonne sœur qui faisait semblant d'avoir la foi.

« Ce qui chemine dans l'habitacle de notre perception échappe à tout contrôle. J'ai pu le constater dans la gestion douloureuse du travail de mon timbalier sur les terrains de guerre. Certains sons, certaines intensités déclenchaient chez les enfants une vraie tension, puis de la joie dans la résolution. Toute légèreté devenait sarabande, si bien que j'ai fini par considérer que jouer des valses de Strauss ou d'autres œuvres que nous n'aurions pas osé proposer en priorité donnait des résultats surprenants. Parfois les adultes se mettaient à danser et cette danse encadrait l'orchestre qui palpait dans cette énergie insolite des raisons de se laisser porter vers une liberté, peu commune dans les salles de concert. Il n'était pas rare qu'à l'issue d'une de ces étonnantes performances, les musiciens me remercient chaleureusement pour les avoir embarqués dans cette aventure. Mais je n'avais rien fait ; ils m'avaient simplement suivi et c'était plutôt à moi de les remercier. Vous pouvez imaginer l'émotion que je ressens quand j'y repense aujourd'hui.

Et à propos de nos choix de musique, je ne sais plus si je vous l'avais dit, mais par fidélité, goût ou superstition, j'ai toujours joué un ou deux tangos avec l'Orchestre du Monde. Nous jouions souvent *Libertango*, comme une signature de notre présence, parce que cette musique incarne la mélancolie de la perte tout autant que l'extraordinaire pouvoir de renaissance des hommes. Je n'ai jamais pu inviter Astor à m'accompagner dans nos concerts si particuliers, il était déjà mort quand nous avons fondé l'orchestre, mais je suis parti plusieurs fois avec le bandonéoniste Juanjo Mosalini, qui compose aujourd'hui avec cette force de renouvellement du tango qu'Astor avait initiée. Vous savez, ce n'est pas un hasard si les musiciens invités qui ont suivi l'Orchestre du Monde sont tous des puristes, des créateurs, des êtres profondément humains et ouverts. Il existe depuis le début un budget pour ces musiciens invités, tout comme pour les autres instrumentistes de l'orchestre, puisque nous bénéficions d'un financement, mais jamais nos *guest stars* n'en ont voulu. Tous ont toujours remis cet argent aux ONG qui étaient sur place, prétextant que l'aventure n'était pas financière. Ils avaient tant reçu à travers ces voyages qui avaient aussi nourri leur musique qu'ils n'avaient pas besoin de toucher un salaire, me disaient-ils à leur retour, sans savoir que d'autres avant eux m'avaient fait la même remarque. »

Ce jour-là, ce ne fut pas Luis qui ouvrit la porte, mais un homme que Léa n'avait jamais vu. Elle ne put s'empêcher d'avoir un petit pincement d'inquiétude, mais très vite il se présenta comme un ami de Luis et la rassura. Ce dernier était parti à un rendez-vous médical sans gravité, elle pouvait s'installer et il ne tarderait pas. Steve lui proposa un thé, mais elle préféra un café et comme elle était plus habituée que lui à la machine un peu caractérielle de Luis, ils en rirent ensemble. Dans le coin du salon où elle avait prévu de placer sa caméra pour l'entretien filmé de Luis, des instruments que Léa ne connaissait pas étaient éparpillés autour du canapé et du fauteuil. Steve proposa de les enlever, mais elle trouva au contraire que c'était tout à fait bien de les laisser là. Voyant son regard curieux devant l'une des formes rondes parsemées de creux, il lui expliqua que c'était un *hang*, un instrument conçu en Suisse, comme ses voisins de métal, et que tous étaient dérivés d'instruments de différentes cultures, des gongs aux cloches en passant par les *steel drums* des Caraïbes. Il fit une petite démonstration étonnante dans laquelle Léa entendit comme une mélodie à l'intérieur d'une percussion. Dès qu'elle sut qu'il était musicien, Léa eut envie de savoir comment il avait connu Luis. Avec sa dégaine de baroudeur et son foulard blanc noué autour du cou, Steve avait tout l'air de débarquer d'un désert africain, et Léa se doutait que leur rencontre ne contenait rien de banal. Il lui signifia qu'elle avait vu juste, et même au-delà de ce qu'elle pouvait imaginer.

« Vous croyez que Luis m'en voudra si je fais une petite interview de vous pour que vous me racontiez ça ? »

Steve se mit à rire.

« Connaissant Luis, je le soupçonne plutôt d'avoir mis en place toutes les conditions pour me laisser vous raconter notre histoire d'amitié. »

En d'autres circonstances, Léa n'aurait pas filmé aussi vite, dans l'élan de cette rencontre imprévue, mais elle sentait que l'absence de Luis permettrait un témoignage différent. La spontanéité généreuse de Steve lui plaisait et Luis ne lui en voudrait pas, il se sentait certainement mieux puisqu'il recevait un ami. Depuis des mois, elle s'était habituée à le voir solitaire, parfois sombre, mais ses récits depuis quelque temps devenaient plus solaires, et elle s'en réjouissait.

« J'ai rencontré Luis en Algérie, quelques jours après le tremblement de terre fin mai 2003. Je me trouvais là par hasard. J'aurais dû prendre un avion qui a été annulé à Alger, mais surtout je venais de Djanet, où j'avais l'habitude d'aller, et là-bas des amis ne réussissaient pas à obtenir des nouvelles de leur famille depuis le séisme. Je me suis rendu à Boumerdès, une wilaya côtière à l'est d'Alger, très touchée par la catastrophe. J'y ai retrouvé la famille de mes amis ; leur maison était entièrement détruite et quelques-uns d'entre eux étaient blessés, mais ils étaient vivants. C'était terrible. Avec ses milliers de disparus, la ville était dévastée. Les murs encore debout cachaient des monceaux de béton qui étaient devenus les tombes des habitants piégés par l'écroulement de leurs maisons. N'ayant plus de portables ou de moyens d'être joints, la famille de mes amis, comme bien d'autres, n'avait pas pu donner de nouvelles. Et puis, ils étaient surtout très occupés à organiser la survie de ceux qui ne disposaient d'aucun endroit où se réfugier. Comme toujours dans ces cas-là, la solidarité, la force des hommes pour réparer et s'en sortir est impressionnante. Nous venions juste d'appeler mes amis de Djanet pour les rassurer, quand un de leurs enfants est venu nous dire que les musiciens de la veille étaient encore là. Et c'est ainsi que j'ai appris qu'un orchestre, dans lequel ils étaient au moins cent, disait l'enfant fasciné, tous habillés de blanc comme des prophètes, jouait au milieu des ruines. Un homme qui les avait entendus la veille m'expliqua qu'ils jouaient une *musique pansement*. Intrigué, car je n'avais jamais entendu parler d'un truc pareil, je me suis dirigé vers l'endroit où ils étaient installés et, déjà à distance, j'ai cru que je rêvais, car j'ai reconnu cette œuvre symphonique de toute beauté : les *Kindertotenlieder* de Mahler. Je connaissais bien ces chants sur la mort des enfants, composés à partir de textes extraits des poèmes de Friedrich Rückert. C'était totalement surréaliste, ces instruments symphoniques accompagnant la voix de cette chanteuse, envoûtante et triste, dans ce contexte où tant d'enfants avaient disparu. Je ne me souviens plus exactement de la violence du *earthquake*, mais je crois qu'on n'était pas loin de 7 sur l'échelle de Richter. Dans cet endroit proche de l'épicentre, tout était détruit. »

Steve étant moitié américain, moitié français, il lui arrivait, même s'il parlait un français sans accent, de glisser un mot d'anglais dans ses phrases françaises, sans doute dans les moments où le mot devait mieux symboliser ce qu'il voulait dire dans cette langue. Léa l'avait déjà remarqué, les bilingues, et principalement les musiciens, mettaient toujours le mot le plus juste, même s'ils devaient le chercher dans l'autre langue que celle de leur conversation du moment.

« Je ne sais pas si vous pouvez imaginer : ces chants des enfants disparus devenaient une sorte de magie rituelle accompagnant les recherches qui, tout autour de l'orchestre, perduraient en cette fin de journée, alors que le soleil commençait à décliner. Par réflexe, je me

suis placé à l'arrière de l'orchestre à côté du percussionniste, qui s'est soudainement évanoui.
Je ne sais si c'était la chaleur, l'émotion ou un
problème de santé, mais il s'est retrouvé dans
l'impossibilité de jouer. Quelques personnes
de l'organisation se sont occupées de lui. Et
quand je me suis approché d'eux pour essayer
d'apporter mon aide, il a ouvert les yeux, m'a
souri et m'a demandé de le remplacer. Je n'ai
jamais su comment il avait deviné ou perçu
que je pourrais éventuellement faire ça. Je
n'étais d'ailleurs pas sûr de pouvoir le faire
vraiment ! L'orchestre continuait à jouer car
les percussions dans le premier chant ne sont
pas très présentes. Je n'ai pas hésité, j'ai sauté
sur la petite estrade et, passé le moment de
surprise de ma propre impudence d'avoir obéi
à la demande de ce percussionniste et d'avoir
imposé ma présence, je ne me suis plus posé de
questions. J'ai évalué ce que j'avais devant moi.
Timbales, tam-tam, et un glockenspiel... Vous
voyez ce que je veux dire. Cet instrument avec
des lames de métal et quelques clochettes au-
dessus. Et... une partition que de toute façon
je n'allais pas suivre ! Et puis j'ai levé la tête
et là, j'ai rencontré le regard de Luis. Et dans
cet échange tout a été dit. OK, je n'étais pas un
percussionniste classique. Mais j'étais là, et à
la première caresse que je fis sur les timbales,
pour accompagner la fin du premier chant, j'ai
su que Luis me ferait confiance et pourvoirait
au reste. Il s'est alors tissé un fil ténu entre lui
et moi. Une tension magique dans laquelle Luis
m'adressait une légère impulsion de sa main

droite et un regard quand je devais intervenir, mais laissait un espace suffisamment large pour que je choisisse ce que je voulais faire, avec la connaissance que je pouvais avoir de ces merveilleux chants. Dans le cinquième chant, j'ai senti sa poigne de chef me retenir, là où j'aurais pu être emporté, et son œil brillant et son sourire m'encourager dans ce que je pouvais faire. Le ciel d'un bleu doux démentait la cruauté de ce qui avait eu lieu, l'environnement disloqué de notre rue cernée de ruines semblait s'évanouir dans la beauté nostalgique de l'orchestre. Tout était profond, inspirant, et nous jouions comme si nous avions déjà répété mille fois ensemble, et au-dessus de nos têtes, des milliers d'hirondelles trissaient un autre chant, également sans partition, une sorte d'apothéose à cette rencontre irréelle. À la fin des chants, Luis n'a pas serré la main du premier violon, il s'est avancé et je suis descendu de mon estrade pour aller à sa rencontre. Nous nous sommes étreints. C'était une rencontre pétillante, évidente. Ensuite, j'ai découvert son humour, sa générosité, et, plus tard, son immense connaissance de la musique, des musiques, ses recherches sur les vertus cachées de ce qu'on n'entend pas avec les oreilles. C'est lui qui a mis des mots sur cette évidence : une grande partie de la musique ne s'écoute pas avec les oreilles. Nous avons maintes fois partagé sur cette dimension mystique, initiatique, magique, presque surnaturelle de la musique. »

Plus tard, quand Léa reparla avec Luis de cette rencontre avec Steve, il lui expliqua les choses bien différemment. Pour lui, son ami était un des plus grands percussionnistes, sinon il n'aurait pas pu ainsi se glisser dans cette musique et en faire une version inédite, mais qui aurait très certainement beaucoup intéressé Mahler. Il en tenait pour preuve qu'ils avaient ensuite partagé un autre concert encore plus incroyable, *Le Sacre du printemps* de Stravinski, où chaque instrument est en lien direct avec la percussion, le rythme, où le rôle du percussionniste est donc fondamental.

« Le thème rythmique est constitué de croches régulières, jouées staccato par les cordes, avec des accents irréguliers sur les temps forts, comme dans certaines cadences de la musique indienne et avec les changements de mesure, tout dans cette partition est fou. Tout raconte cette fête païenne, charnelle, toute en pulsions de transes chamaniques… C'est une pièce symphonique extrêmement complexe et aucun des percussionnistes classiques avec lesquels j'ai joué après ce concert intense que nous avons fait avec Steve n'a pu comme lui me rendre cette sauvage interprétation de percussions. »

En les écoutant, lors de la soirée partagée après le tournage, Léa comprit qu'au-delà de tout, le lien qui unissait Steve et Luis tenait certainement à cette simple chose : l'un comme l'autre avaient abandonné l'ego et l'amour de l'argent. Ils étaient avant tout des amoureux de la magie musicale, de la rencontre des êtres, du mélange culturel et de la beauté des âmes.

Après les tournages de la journée, Léa découvrit aux détours d'une conversation anodine entre les deux musiciens que Steve Shehan avait joué au Carnegie Hall avec Bernstein... Et accessoirement, avec pas mal de musiciens de grande renommée. Mais tout ça était dit entre deux rires, en parlant de l'aura des chefs d'orchestre, puis de la façon dont un type connu peut se prendre au sérieux, tandis que Luis, qu'elle vit pour la première fois un peu éméché, plaisantait et accentuait sa démarche boiteuse pour signaler combien il était parti de loin pour le charisme qu'on attend à ce poste-là. Puis soudain, ils repartaient dans une discussion très sérieuse sur le tempo hors du temps, la maîtrise de cet espace *sans temps* que représentait le fait de jouer, alors que la musique même ne faisait que rythmer. Et Luis expliqua à Léa ce qui lui était venu tout de suite après ce premier concert avec Steve. C'était le fait d'être touché par la musique qui créait la force d'une vérité dans une interprétation. Et de ce fait, il n'y avait rien d'écrit dans une partition à ce propos. Rien ne pouvait expliquer physiquement ces intervalles de sons. Ce qui liait le monde de l'émotion et l'intervalle était de nature directe, abrupte, intuitive. C'est pourquoi l'interprétation de Steve sur les *Kindertotenlieder* était juste, coulait de source avec ce qu'il venait de voir et de vivre autour de lui, depuis qu'il était arrivé à Boumerdès. La musique appelait son propre tempo dans l'émotion de l'instant.

Luis et Steve avaient prolongé cette première rencontre en allant assister ensemble, un mois plus tard, à la Nuit Gershwin, concert magique donné en plein air dans le Waldbühne par le Philharmonique de Berlin dirigé par Seiji Ozawa avec le Marcus Roberts Trio. Ils avaient partagé ces moments totalement oniriques de Marcus au piano, sous le regard malicieux et complice de Seiji Ozawa. Tout autour, une foule de milliers de personnes couvrait les pelouses de cet immense parc aménagé en forme d'arène. En regardant ces enfants, ces femmes et ces hommes assis par terre sur des couvertures, ces musiciens classiques soudain plein de swing et suspendus aux phrasés d'improvisations flamboyantes de Marcus, Luis fut pris d'une immense émotion. Il repensait aux conversations avec Lalo, à son envie initiale de voir se rencontrer toutes les formes de musique, à son désir tellement ancien de faire sortir des salles la musique classique. Après les ruines de l'Algérie, la musique qui répare, ils assistaient là au côté solaire de ce qu'ils venaient de faire ensemble dans un lieu éprouvé par la souffrance. Son regard humide n'échappa pas à Steve, qui saisit sa main gauche et la serra, comme pour lui signifier qu'il comprenait, qu'il l'accompagnerait encore sur un autre lieu, quand il le souhaiterait, car ce n'était pas le chemin le plus facile de la musique qu'il avait choisi.

Les souvenirs de ce concert dont ils partagèrent les anecdotes, décrivant les mimiques de Seiji Ozawa dirigeant les envolées des cuivres dans *Rhapsody in Blue* ou les regards extasiés des violonistes devant les digressions de

Marcus Roberts, donnèrent envie à Léa de les accompagner quelque part où ils joueraient ensemble, encore. Elle l'espérait. À leur simple contact, la musique était là sans être jouée, comme un virus qu'ils inoculaient à toute personne qui se trouvait à leur portée. Avec leurs vingt ans d'écart et leurs parcours si différents, ils étaient à eux deux la symbiose de la nostalgie, du voyage, du pardon…

Léa n'était pas près d'oublier ces moments où elle était partagée entre l'envie de reprendre sa caméra pour filmer ces conversations naturelles et le désir profond de les écouter, sans rien enregistrer de toute cette vie qui passait, et qu'elle pourrait de toute façon raconter ou, pourquoi pas, garder pour elle, comme le cadeau que pouvait faire le hors-champ d'un film dans une vie de documentariste.

Il existait encore tant de vagabondages, de conversations, pas nécessairement musicales ou personnelles, des moments de vie pas encore visionnés, mais dont Léa se souvenait, comme si elle les avait filmés la veille. Ce jour par exemple où sa caméra était déjà enclenchée, quand Luis, ouvrant violemment la porte, l'avait apostrophée sans tenir compte du fait qu'il était filmé : « Mais vous avez vu ce que racontent les scientifiques depuis quelque temps ? C'est une affaire de deux ou trois ans avant qu'on puisse vivre jusqu'à cent trente ans, voire plus ! Mais pour quoi faire ? Et dans quel état ? Si je devais me donner des raisons de continuer aujourd'hui, tout ce temps et même en bonne santé, qu'en ferais-je ? Qu'apprendrais-je de plus ? La plupart des hommes vivent sans conscience d'eux-mêmes, sans conscience des autres, et ne savent même pas quand ils ont désiré être dans une vie et ce qu'ils ont désiré y faire. La cruauté, la barbarie, le dévouement et la compassion n'ont pas de limites et se regardent en chiens de faïence. On parle des deux premières, on tait les deux derniers, mais pouvez-vous imaginer une pièce qui n'ait qu'une face ? Entre ces extrêmes, il reste une sorte d'abandon commun, une absence de soi, une vie où rien ne perce de remarquable, et en admettant que ce lot commun soit enviable, ce serait dans cette banalisation quotidienne, ce parcours inutile. Ce que chaque homme n'arrive pas à réaliser en quatre-vingt-dix ans, croyez-vous qu'il le fera en vivant cinquante années de plus ? À cinquante ans, la plupart du temps, on a tout compris et on va tout changer ou rien du tout... Les miracles qui pourraient sourdre d'un quelconque remords ou regret tardif n'existent que dans les fictions et encore, dans les épopées des contes... »

En fait, il s'était tellement habitué à son outil de travail qu'elle pouvait sortir sa caméra dès qu'elle le voulait, sans même lui demander. Il se comportait exactement comme si elle avait pris un stylo pour noter quelque chose.

14 novembre 2015

Aujourd'hui nous sommes restés sobrement assis sur la terrasse. Léa n'avait pas envie de filmer, et même, dès le début de notre entretien, elle a arrêté son petit enregistreur. Nous n'arrivions plus à tenir une conversation normale sans revenir aux événements de la veille. Je revoyais la chanteuse lyrique que nous avions rencontrée en Syrie et qui s'était jointe à nous pour chanter *Ay Al Xir Inu*, la chanson d'Idir, dans les ruines de Homs avec l'Orchestre de Syrie. Je revoyais les enfants blessés, les voitures piégées, les bombes, ces hommes en armes qui ressemblaient à des jeux vidéo, mais ne gagnaient jamais de vies et ne faisaient qu'en dilapider, pour rien, pour un bout de rue, une ville, un terrain de cailloux ou parce que quelqu'un osait leur résister... Ils étaient les mêmes qu'en Algérie, en Irak, au Nigeria, en Libye, les mêmes qu'hier aux terrasses des cafés du onzième arrondissement ou au Bataclan : des caricatures, des repris de justice, des tueurs, des moins que rien qui devenaient importants en brandissant une kalachnikov, ce fusil d'assaut russe qu'on retrouvait aussi bien sur le continent africain qu'au fin fond de la Tchétchénie. Il s'en est fabriqué plus de cent millions depuis sa création. Et bêtement, je pensais au petit millier de violons fabriqués par Antonio Giacomo Stradivari, dit Stradivarius... Chacun de ces violons vaut maintenant plus d'un million d'euros, tandis que chaque Kalachnikov s'attache à prouver que la vie humaine n'a aucune valeur. Bref, avec Léa aujourd'hui, nous pensions à n'importe quoi, mais surtout aux victimes. Devant nos yeux défilaient des images que nous n'avions pas vues réellement, mais que l'horreur nous suggérait et qui, pour moi, résonnaient sur celles déjà vécues dans ces pays du Moyen-Orient déchirés par les guerres. Dans les moments de silence, nous étions parcourus de frissons, de dégoûts, de questions… Léa me racontait avoir compris, au début de l'année, quand avaient eu lieu les attentats contre le journal *Charlie Hebdo*, que ce n'était pas seulement la sanction d'une quelconque insolence, d'une liberté de ton, c'était le début de la barbarie brutale, d'une sauvagerie organisée qui viendrait dévaster le cœur de la démocratie et des peuples qui vivaient sous son toit. Comme la plupart des journalistes un peu avertis, elle voyait bien que le ver était dans la pomme, que c'était au sein des pays libres que se ferait le recrutement des barbares ; c'était dans le giron de la liberté que le danger couvait.

Et dans ce lendemain de sidération où nous ne savons pas encore combien sont morts dans les attentats d'hier, dans cette ambiance fragile où partout s'étalent les portraits des disparus côtoyant les annonces de la sortie du nouveau film mythique de la série *Star Wars*, je me suis étonné auprès de Léa que personne ne parle de responsabilité. Que personne n'évoque le côté obscur, ce choix dont tout être humain dispose, avec ce qu'il a vécu, et ce qu'il sait, ou ce qu'il ne veut pas savoir. Non, personne, dans une époque qui a vu mourir le courage politique depuis une vingtaine d'années, absolument personne ne parle plus de choix, conscient ou inconscient. On suppute l'envoûtement, semblable à une secte, le peu d'horizon de ces jeunes qui partent trouver une fausse aventure en Syrie, on suggère la subtilité des films de propagande qui ressemblent à leurs jeux vidéo, on incrimine la force de persuasion, la faiblesse des cibles, l'attirance pour une illusoire envie de changer le monde. On cherche des points communs entre les jeunes musulmans sans avenir de familles modérées, les convertis pas forcément isolés dans une banlieue, la gentillesse apparente des recrutés... On argumente vaguement autour de cette envie d'être autre, de vivre pour une cause, on avance le désarroi, éventuellement la pauvreté intellectuelle, mais jamais on n'évoque le for intérieur, ce tribunal de la conscience, ce choix entre la vie et la mort, entre le bien et le mal, parce que ça fait référence à ce qu'on veut oublier : qu'un enfant dans une cour de récréation qui casse la gueule à un copain de son âge, et continue à le frapper alors qu'il est à terre, sait très bien ce qu'il est en train de faire, ce qu'il choisit de faire... Et moi qui les ai vus à l'œuvre, ces monstres que la liberté engendre, ceux qui trouvent des excuses dans la lâcheté de notre jugement, de notre culpabilité ou que sais-je encore, je ne comprends plus que seule la fiction raconte ce que les hommes vivent... Mais en général, on oublie de dire, et ce serait justice de le rappeler, que d'autres jeunes apparemment abandonnés, misérables, sans avenir, sans culture, sans modèle, ne finissent pas forcément dans les bras de la barbarie, et même arrivent à se construire malgré l'adversité qui les frappe. Il a donc bien fallu qu'à un moment donné, le choix se fasse et que toute excuse vaseuse s'évanouisse, pour laisser parler ce qui fonde l'humanité depuis toujours, ainsi que les fictions qu'elle engendre : être du côté de la vie ou de la mort et défendre le côté qu'on a choisi.

Et maintenant ? Cette simple interpellation le terrifie. Et maintenant quoi ? Toute sa vie, il a voulu être un maestro, un maestro périlleux et formidable, puis un maestro connu et adulé, pour devenir enfin un *conductor* altruiste et compassionnel... Et maintenant il ne veut plus être, et il se fout pas mal d'avoir été ! Il touche du doigt une vérité qui n'a rien de sonore. Que reste-t-il, sinon les relents du prodige qui a vaincu le handicap, les vestiges de quelques flambées médiatiques ? La mort a éparpillé son orchestre, propulsé son rêve dans une bourrasque guerrière. À quelle altitude une âme apaisée peut-elle retrouver une certaine insouciance ? « Et maintenant ? » répète-t-il sans pouvoir donner une suite à cette question. Et maintenant il sait que ce n'est plus à lui de répondre.

Il y a quelques jours, Luis a demandé à Léa si elle jouait d'un instrument. Elle a balbutié que quelques années de Conservatoire l'ont un peu dégoûtée du piano. De temps en temps, elle improvise trois accords pour accompagner une chanson, mais rien de plus. Puis en insistant pour en savoir un peu plus sur sa vie, il a appris que sa mère avait été violoniste dans des orchestres symphoniques. Étonné qu'elle ne lui ait parlé de rien, il a cherché à savoir dans quel orchestre elle avait joué, mais Léa l'a coupé brutalement en disant que sa mère était morte. Luis n'a pas insisté. Après tout, ce n'est pas Léa qui est censée raconter sa vie, c'est lui.

Et maintenant, Luis regarde Léa. Il ne l'a jamais observée si intensément. Quelque chose de très doux émane de son visage. C'est une accoucheuse. Au terme de ces quelques mois, après des dizaines d'entretiens, d'heures de film, elle lui a permis de mettre des mots sur ses souvenirs, même les plus terribles. Elle n'a jamais été intrusive. Il s'est habitué à la voir tous les jours, ou presque. Ces conversations régulières qu'elle a instaurées ont rythmé une mélancolie qui s'est doucement glissée en lieu et place de sa détresse. Quand elle ne vient pas le dimanche, elle lui manque. Il réalise à quel point pendant de longs mois, il ne la voyait pas comme une personne mais plutôt comme une fonction. En pensant à elle ou en parlant d'elle, il ne disait pas « Léa », il disait « la documentariste », comme on parle du jardinier ou de la cuisinière. Elle doit avoir environ quarante ans, douze ans de moins que sa fille Eva. Il a toujours dit *ma fille* en parlant d'Eva, et pourtant elle avait déjà vingt ans quand il l'a rencontrée. Son père était mort dans un accident d'autobus, il était contrebassiste. Émilie lui a peu parlé de son premier mari, sauf pour lui dire qu'ils étaient trop jeunes quand ils s'étaient mariés. Un jour cependant, elle lui a confié que perdre son mari cinq ans après son mariage était un drame trop lourd dans la vie d'une jeune femme. Elle avait longtemps fantasmé ce qu'aurait pu être sa vie s'il n'était pas mort, et puis elle s'était entièrement consacrée à sa fille âgée d'un an quand il avait disparu. Elle s'était finalement inscrite dans cette agence matrimoniale pour combattre activement cette tendance de ne jamais vouloir rencontrer quelqu'un. C'était un acte désespéré, comme un dernier recours, comme on se lance une bouée à soi-même parce qu'on n'a pas la force d'aller nager dans la vraie vie. Comme Luis était le seul candidat auquel elle avait écrit, il la taquinait en l'accusant d'avoir gardé le maestro pour l'épouser et quelques autres pour être ses amants. Elle riait et lui rappelait ses mensonges. Puis elle lui reprochait d'avoir des idées tordues… « Mais tout est tordu chez moi, tu ne t'en souviens plus ? » lui répondait-il en protestant. C'était peine perdue. Elle ne marchait jamais dans son discours de victime. Oui, il pouvait le comprendre avec le recul ; Émilie lui avait fait beaucoup de bien. Et grâce à ce travail documentaire qu'il faisait avec Léa, tout lui revenait. Tout ce qu'il croyait enfui, perdu avec la mort d'Émilie était là, intact avec la même joie que lorsqu'il l'avait vécu. Le bonheur passé ne meurt pas sous les bombes, se disait-il. Ce qui a été joyeux, rien ne peut l'atteindre, tant que ceux qui l'ont vécu le gardent dans leur cœur comme un trésor.

« Avez-vous remarqué à quel point la fin de vie de la plupart d'entre nous est pathétique. Un mélange d'hôpital et de désillusions, de souffrance physique et d'amertume, quand ce n'est

pas de la colère aboutissant à une fin abrégée !
Que vous arrive-t-il, Léa, ça ne va pas ?

— J'ai du mal à entendre ce que vous dites.
Ma mère est à l'hôpital et je ne cesse de faire
des allées et venues entre ici et Paris. Elle a un
cancer très grave, en phase terminale.

— Pardon, Léa, je ne voulais pas vous bles-
ser. Je comprends que mes paroles vous
paraissent insupportables. Ne m'aviez-vous pas
dit que votre mère était décédée ? Enfin, ça
ne change pas grand-chose à ce que je vous
disais. Ce n'est pas une situation normale. On
fait croire aux humains qu'être malade quand
on vieillit est obligatoire. On se dit que c'est
dans l'ordre des choses, mais ça ne l'est pas !
Quel âge a votre mère ?

— Elle a quinze ans de moins que vous, je
crois. »

Léa rajoute précipitamment :

« Pardon pour l'autre jour. J'ai été un peu
abrupte. Je n'aime pas trop parler de la disparition prochaine de ma mère. Il est trop tard
pour la soigner. On gère essentiellement sa
souffrance. Sans doute qu'à tout âge, on croit
que ses parents sont éternels. Et moi, je n'ai
qu'elle. »

Luis a murmuré doucement :

« Et votre père ?

— Je ne l'ai pas connu, c'était une rencontre. »

Léa le regarde et ne cille pas. Quelque
chose d'infiniment palpable passe entre eux.
Luis demande dans quel orchestre jouait sa

mère avant sa naissance. Elle faisait partie de l'Orchestre symphonique de Montréal.

Luis se souvient parfaitement de sa rencontre avec Rafael Frühbeck de Burgos, ce chef originaire de la même ville que lui et qui avait été obligé de rajouter le nom de sa ville à ce patronyme trop allemand avant de devenir directeur musical de l'Orchestre national d'Espagne. Sous sa direction, l'Orchestre de Montréal était allé au Carnegie Hall, puis s'était engagé dans une tournée européenne dans laquelle Luis fut l'assistant de ce chef pendant un an. Luis comprend instantanément cette douceur familière qui l'a touché dès leur première rencontre. Léa ressemble beaucoup à sa mère. Elle s'appelait Lola. D'origine espagnole, elle connaissait bien le chef Rafael pour avoir déjà joué dans son orchestre, en Espagne. Puis, après les problèmes rencontrés avec ses collègues musiciens, elle l'avait suivi à Montréal.

Luis essaye de revoir précisément cette courte histoire qui n'a probablement pas duré plus de cinq ou six nuits. Il y a eu quelques marches dans la neige, quelques échappées dans la campagne avant que cette jolie violoniste ne s'amourache d'un joueur de banjo qu'elle avait rencontré dans la rue et qui habitait encore avec elle quand il avait quitté le Québec.

Luis s'approche de Léa. Il pose sa main sur son bras. Il n'ose pas demander.

« C'est à cause de Lola que vous avez voulu faire ce travail sur moi ?

— Oui et non. J'écoute vos enregistrements depuis toujours. Ma mère me parlait de vous.

Du chef, pas de l'homme qu'elle avait connu, ajoute-t-elle avec précipitation. Je vous l'aurais dit de toute façon.

— Quand ?

— Ce n'était pas facile. Voilà huit mois que nous nous voyons sans arrêt et je me suis attachée à vous. J'ai appris à vous connaître. Mes intentions de départ ont disparu dans ce que j'ai vécu à travers ces enregistrements.

— Mais vous m'avez menti ! Pourquoi ?

— Je ne vous ai pas menti. Je viens de vous le dire. Je ne fais pas votre portrait d'homme, d'artiste parce que ma mère m'a parlé de vous. Elle n'était même pas malade quand j'ai fait ma première demande auprès de votre assistante. Elle n'était pas au courant de ce que je faisais. Elle le sait depuis très peu de temps. Et ça ne lui a pas plu du tout ! Elle ne m'a jamais parlé d'une aventure avec vous. Et puis je crois que vous étiez un parmi tant d'autres, alors... ça ne compte plus, maintenant. »

Pétrifié, Luis se tient face à Léa qui s'est retranchée derrière sa caméra. Elle en a oublié de couper et ils s'aperçoivent en même temps que le ronron du moteur est encore là, dressé entre eux, comme s'il fallait que cette scène soit tournée, qu'elle existe, gravée en dehors de leur souvenir. Il y a bien quelque chose qui vient à l'esprit de Luis, mais il n'ose pas y croire. Il laisse passer en silence les quelques minutes où Léa s'occupe un peu trop nerveusement, rangeant un câble, modifiant l'emplacement de la caméra. Puis il lui demande si elle a vu le chef russe Valery Gergiev hier soir, à la télévision.

Et comme si cette discussion n'avait jamais eu lieu, il continue à lui parler...

« ... Je l'ai rencontré en 2003, quand il a donné un concert symphonique au théâtre du Châtelet. Vous savez ce qu'il dit ? Qu'il y a dix mille chefs dans le monde, mais qu'il n'y en a pas dix qui soient capables de modifier profondément le son d'un orchestre. C'est une chose qui ne s'explique pas, et sans doute ne s'apprend pas non plus. Avec l'Orchestre du Monde, j'ai appris que ce sont également ceux qui l'écoutent qui déterminent qu'un chef puisse devenir l'un de ceux-là. Car leur soif d'être guéri est un puissant appel. »

Tout au long de ces mois passés avec lui, Léa mesurait sa chance d'avoir fait sa demande à Luis avant l'accident en Syrie. Elle n'aurait jamais pu assumer la coïncidence de son désir et le drame qui s'était produit. Deux mois avant qu'il ne parte, elle avait parlé au téléphone avec Émilie, longuement. Après l'accident, elle avait attendu quatre mois avant de recontacter l'assistante de l'orchestre pour voir si Luis serait toujours d'accord pour le projet. Ensuite, l'attente avait été longue. Bien plus tard, on le lui avait confirmé, il ne regardait plus aucune demande de film ou d'entretien. Pourtant, l'antériorité de la demande de Léa ne lui aurait servi à rien si Eva n'avait pas conseillé à Luis d'accepter, à la suite de la lettre qu'il lui avait écrite. Eva avait trouvé l'idée intéressante et avait rencontré elle aussi la journaliste, qui lui avait paru d'une grande profondeur. Tout avait été un concours de circonstances étranges. À cette époque la mère de Léa n'était pas malade. Elle n'avait commencé ses premières chimiothérapies qu'après le début du tournage. Si bien que Léa puisait un réconfort salvateur en se consacrant à ce travail. Quand elle sortait de chez Luis à la fin de la semaine, elle reprenait le train pour rentrer à Paris et courait à la clinique ou à l'appartement de sa mère pour être là. Elle ne pouvait pas faire grand-chose. Juste l'écouter. Elle ne lui parlait jamais de ce nouveau film, ni du chef d'orchestre qui en était le héros. Et sa mère, toute consacrée à cette maladie qu'elle combattait, ne posait pas de questions. Très récemment, elle avait demandé à sa fille ce qu'elle faisait. Et Léa n'avait pas eu le cran de lui mentir. Elle s'était alors mise en colère. Puis elles n'en avaient plus parlé. Léa espérait sans trop y croire que sa mère avait oublié mais il était plus probable que cette affaire de documentaire était moins importante que son combat face à la maladie.

Toute la nuit, Luis y a pensé. Léa vient filmer ce matin leur dernier entretien. C'est elle qui a estimé qu'ils doivent arrêter et qu'elle a enregistré suffisamment pour maintenant s'atteler à la rédaction, au montage de toute cette matière. Leur entretien de la veille n'a cessé de tourner dans sa tête. Il ne sait pas exactement si elle a décidé d'arrêter à cause de son aveu ou si elle en a réellement fini avec sa biographie. Il ne veut pas s'avouer qu'elle va lui manquer, qu'il aurait encore beaucoup à lui dire. Il voudrait lui raconter toutes ses omissions, lui lire ce journal qu'il a commencé à son arrivée et tenu pendant presque un an. Il ne sait pas ce qu'il voudrait. Réparer l'absence d'un père qu'il n'est peut-être pas. Il n'y a qu'un moyen de le savoir et il ne sait pas s'il aura le cran de le lui proposer. Et puis il y a Lola, cette mère qui va mourir… Et ce malaise entre eux maintenant, qui était déjà palpable hier soir. Il fait doux, anormalement beau et chaud pour la saison. Il a vu des gens se baigner dans l'Atlantique sur la grande plage de Biarritz. Bientôt Noël. Comme tous les écorchés de la vie, Luis redoute les fêtes désormais. Puis il se souvient qu'Eva lui a proposé de l'accompagner à Montréal. Il en frissonne d'avance, mais sa fille a raison. Il faut exiler sa peine pour la confondre avec les lumières d'une autre ville, d'un temps différent. Il se demande s'il ne pourrait pas emmener Léa, mais sans doute ne voudra-t-elle pas quitter sa mère. Quand elle l'appelle pour lui confirmer cette dernière interview, il a déjà pris sa décision.

Hier, Kurt Masur est mort. Bientôt, ce sera lui. Même s'il a presque dix ans de moins, même si ce grand chef était très malade, a eu plusieurs vies, échappant à la paralysie, à un accident, résistant au communisme… Même après avoir redoré le blason de l'Orchestre symphonique de New York, ville où Luis l'avait croisé en 2001, quand il était venu jouer avec l'Orchestre du Monde. Il revoit encore Kurt Masur, cet homme au visage de statue grecque, lui déclarant que « la guerre moins que la musique unit les hommes, et que les politiques qui croient unir leurs citoyens contre un ennemi commun se trompent ». Quinze ans plus tard, on en est au même point, peut-être est-ce même pire. En 2015, un enfant sur huit nés dans l'année a vu le jour dans une zone de conflit. Alors ça signifie que toute l'Histoire se trompe. Car cette méprise, l'Histoire la répète inlassablement, depuis des siècles, au nez et à la barbe de tous les artistes qui voient en la paix, l'amour et l'art ce qui doit unir et perpétuer les Hommes. Oui, Luis se dit qu'il ne doit pas traîner, qu'il doit partir, mais avant il doit accomplir encore deux ou trois choses.

Luis lève un bras comme s'il allait donner le départ d'un concerto. Il pose le doigt de son autre main sur sa bouche, comme pour suggérer à un musicien de baisser l'intensité de son jeu.

« Est-ce que vous voudriez que je fasse un test de paternité ? »

Léa est médusée. Elle ne s'attendait pas à cette proposition directe. Elle ne sait que répondre. Avec sa question, elle découvre qu'elle ne savait pas ce qu'elle espérait, surtout depuis qu'elle le connaît mieux. Puis tout de suite, vient cette autre question : que se passera-t-il si le test est positif ? Et s'il est négatif ? Elle hésite.

« Je crois qu'il faut d'abord que nous terminions ce que nous avons commencé… » finit-elle par dire, incertaine. Mais elle lui sourit avec presque de la reconnaissance.

Elle sait pourtant qu'il est trop tard, que les mots sont des poisons et que maintenant ce quelque chose possible d'une paternité manquée est là, entre eux, alors qu'il n'a jamais eu d'enfants, si ce n'est la fille de sa compagne. Luis aussi le sait. Ils ont rompu le pacte dans lequel chacun ignorait les motivations de l'autre dans ce dévoilement de toute une vie. « Vous devriez replier votre matériel pour aujourd'hui », suggère-t-il.

Léa voudrait savoir s'il lui en veut, s'il a encore besoin de réfléchir, mais elle n'ose pas lui demander. Elle se dirige vers le piano, règle le siège, ouvre le couvercle, s'installe devant les touches et dit simplement : « Je vous ai encore menti. Je joue souvent. Je rejoue pour elle depuis qu'elle est malade. » Et ce sont ensuite ses doigts qui parlent. Luis reconnaît tout de suite le morceau : *La Maja y el Ruiseñor* d'Enrique Granados. Il s'assoit sur le bord d'un fauteuil, puis se laisse glisser confortablement et l'écoute en fermant les yeux. Quand les dernières notes ne sont plus qu'un souvenir de ce qui vient de s'écouler, il entrouvre doucement les paupières. Léa s'est tournée vers lui et murmure doucement : « On la fait, cette interview ?

— Si vous vouliez me faire tout avouer en une seule fois, vous ne vous y seriez pas prise autrement ! »

Elle rit et fait un peu la coquette.

« Je me suis trompée, vers le milieu il me semble, j'ai repris deux fois un passage pour me souvenir de la suite…

« — Vous l'avez merveilleusement joué. Connaissez-vous la vie de son compositeur ?

— Je crois que le navire qui le ramenait en Espagne a été torpillé par un sous-marin allemand au début du siècle dernier, mais à part ça, je ne sais pas grand-chose de sa vie.

— Il avait réussi à se hisser sur un canot de sauvetage, mais il s'est aperçu que sa femme se noyait, alors il a sauté à l'eau pour tenter de la récupérer, mais il n'y est pas parvenu et ils sont morts tous les deux.

— C'est triste ; et beau aussi.

— Lui au moins, il a pu essayer ! Il n'a pas vécu avec son remords…

— Vous savez, Luis, je crois que c'est très rare de pouvoir sauver les êtres qu'on aime. Et même quand c'est le cas, ça ne prouve rien à ceux qui se sont perdus.

— Vous m'étonnez, Léa. Je vous croyais moins cynique que moi. En tout cas merci infiniment pour ce morceau qui me ramène à mes racines espagnoles. »

Dans le souvenir de Léa, la dernière interview qui a suivi cette discussion n'a aucun intérêt. Sans doute qu'elle, en lui posant ses questions, et lui, en y répondant, n'avaient qu'une idée en tête : ce test de paternité qu'il lui avait proposé, et ce qu'ils allaient bien pouvoir se dire s'il était positif. Ils pensaient aussi tous les deux à Lola. Allait-il aller la voir à l'hôpital ? En aurait-il le courage après tout ce qu'il avait vécu ? Parleraient-ils de leur fille, si toutefois c'était vraiment leur fille à tous les deux ? Bref, tout devenait palpable dans ce qui ne se disait pas, tout était ailleurs que dans ces questions sur la musique qu'elle devait lui poser en ce dernier jour, à partir d'un document où s'alignaient quelques notes éparses.

Léa sait pour l'avoir déjà vécu qu'il faut se méfier de soi quand on est embarqué dans le souvenir de ce qu'on a tourné. Les émotions d'un film doivent laisser place à ce qui reste vraiment dans la « boîte », et l'on est bien plus pertinent dans ce qu'on va monter quand on abandonne ce que l'on a vécu le jour du tournage. Aussi réécoute-t-elle consciencieusement l'entretien filmé ce jour-là.

« Que voulez-vous que je vous dise de la musique de consommation ? Du prêt-à-jeter, quelque chose de douloureux pour les oreilles non averties... Un jour, à quatre heures du matin, je me suis réveillé peu après le démarrage d'une rave party au bout de mon jardin. J'avais soudain la sensation d'avoir envie de tuer quelqu'un. Et voulez-vous que je vous raconte le rêve, ou plutôt le cauchemar, qui m'a réveillé ? Je voyais ma fille en plusieurs exemplaires, l'une était la vraie, les quatre autres voulaient me tuer ; il fallait donc que je les étrangle avant qu'elles ne me détruisent. Mais naturellement, je courais le risque de tuer la bonne petite fille. Vous trouvez ça normal, une musique qui fait ça au cerveau pendant que vous dormez ? Je me suis réveillé avec deux poids de vingt kilos sur chaque poumon et le souffle court... Alors j'ai pris ma voiture et je suis parti m'installer à quelques kilomètres sur la plage. On produit aujourd'hui une musique capable d'achever l'air qui la transporte, une musique qui porte sa propre mort collée à son devenir. Je prends le risque de dire ce que je devrais taire. J'entends encore ce que suscitaient, à ma jeune époque, les musiques nouvelles. Les commentaires qu'on pouvait entendre sur le jazz, le be-bop ou même les chansons de Brassens étaient plus violents encore que ce que je vous dis là. Pourtant, ce n'était pas de la musique qui imitait le bruit des bottes d'une armée, sonorisée pour envahir un pays. Décidément non, je ne les aime pas !... Vous m'obligez à avoir un discours de vieux con ! Je déteste cette situation. »

Léa ne répondit rien et le laissa continuer, juste pour voir ce qui pouvait suivre...

« Vous savez Léa, j'ai donné des interviews dans lesquelles je ne pensais pas ce que je disais, mais le plus grave c'est que ça m'évitait de dire ce que je pensais.

— Luis, je ne vous ai jamais demandé, vous croyez en Dieu ?

— Je crois surtout que l'homme sous l'influence d'une quelconque croyance se retrouve incapable de gagner sa propre liberté, de retrouver sa disponibilité profonde, ce qu'il est réellement. La religion, c'est la politique de l'âme. On épouse un parti et on se retrouve coincé dans des dogmes, des interprétations diverses, des déformations aléatoires, des désirs opportunistes... On n'aime plus quand on croit. On justifie les incompétences de pensées scabreuses malmenées par l'ego.

— Qu'est-ce que vous avez appris de plus important dans votre vie ? Et je ne parle pas seulement de votre vie de musicien dans cette question.

— On ne voit jamais que les limites de son petit être, de son inconfort et on se met rarement à la place des autres. La plupart d'entre nous fonctionnent avec leurs préjugés, leurs manques d'ouverture, d'acceptation, de discernement. Mais ça n'a souvent rien de méchant. C'est plutôt de la pure bêtise, et l'on pourrait faire l'économie d'en prendre ombrage ou d'en accumuler les expériences jusqu'à l'aigreur. Concernant mon handicap, la remarque la plus pertinente m'a été faite un jour par la grand-mère d'une amie. "Pardonnez-moi, Luis, m'a-t-elle dit, j'ai toujours envie de vous mettre votre veste, de vous infantiliser, ou de vous prendre pour un débile à cause de votre diction imparfaite qui me donne l'impression que vous ne comprenez pas bien ce qu'on vous dit. Et pourtant, je vous crois dix mille fois plus intelligent que moi, car je sais que les chefs d'orchestre sont des surdoués, mais c'est plus fort que tout. Mon réflexe envers vous est celui de la supériorité et d'une aide pleine de pitié. Si vous saviez comme je me déteste d'avoir ce comportement anormal !" Je l'avais rassurée. Le plus anormal des deux, c'était bien moi ! Mais j'ai compris grâce à la grande sincérité de cette femme ce que les autres ont l'habitude de faire, de dire, ou les erreurs que leurs cerveaux leur dictent en se fiant aux apparences de la personne qu'ils ont sous les yeux. Ces comportements ne touchent d'ailleurs pas seulement les handicapés. J'avais le souvenir d'un ami d'origine africaine qui avait été pris en stop, aux abords de la faculté, par une brave habitante de sa ville qui lui avait demandé gentiment si ça allait, si ça n'était pas un peu dur les études, et si son pays ne lui manquait pas trop. Mon ami lui avait répondu gentiment que les copies de ses étudiants lui prenaient parfois un peu trop de temps, mais que globalement ça allait. Il pouvait encore continuer ses travaux de docteur en physique nucléaire au laboratoire international. De plus, il ne faisait que des allers-retours très courts entre Paris et New York, il ne voyageait donc pas assez longtemps pour que la France, où il était né, lui manque ! Et d'ailleurs, par chance, son prochain voyage venait de s'annuler et il serait là dimanche pour pouvoir voter. "On se reverra peut-être aux urnes, madame. Merci de m'avoir emmené jusqu'ici avec votre voiture. La mienne vient de tomber en panne…" Ce que j'ai appris, c'est qu'on ne peut pas faire croire aux autres qu'à l'intérieur nous sommes différents de ce qu'ils voient. C'est à nous d'accepter cette donnée humaine. Vous savez, il m'est arrivé de croiser un handicapé qui, en me voyant marcher moins bien que lui, murmurait : "Oh, le pauvre !" Notre vision de la normalité est la même que la vôtre ! Mais une chose est très importante, c'est la façon dont un être humain vous traite d'égal à égal. Il vous a identifié comme différent, mais pour autant, il ne vous exclut pas, il ne se moque pas de vous, et il vous crédite de quelque chose qu'il n'a pas. Quand j'ai commencé à avoir du succès, je ne pensais qu'à la musique. Je ne pouvais pas imaginer que certains venaient voir un chef handicapé comme on va au cirque. Ça ne m'était pas venu à l'esprit qu'ils voulaient comprendre comment je faisais, comment je m'en sortais, ou au contraire que d'autres ne venaient pas me voir, pour écouter ma musique sans être troublés par mon handicap qu'ils jugeaient visuellement dissonant. Je n'ai découvert ça que plus tard, à travers les questions perverses, malsaines de certains journalistes. Il a fallu que je décide que certaines choses ne devaient plus me faire du mal ; que c'était à moi de résoudre ce problème de colère, d'incompréhension, de révolte, et parfois je n'ai pas réussi. Mais l'Orchestre du Monde a provoqué un tel tsunami émotionnel dans ma vie que tout ce que je croyais primordial, immuable, intangible est devenu secondaire, accessoire, inutile. On peut tout changer en soi, mais on ne peut pas changer grand monde autour de soi. Cette magie est personnelle. Il appartient à chacun de s'y attaquer avec ardeur et courage. »

Étrange, comme nos mémoires sont fragiles, et dépendantes du souvenir de nos souvenirs... Cette interview se révélait finalement bien plus importante qu'elle ne l'aurait cru. Léa décida de la reprendre plus lentement. Elle entreprit, comme pour tout le reste, de faire une sélection de ce qu'elle voulait garder. Dans son ordinateur, elle ouvrit un nouveau *chutier* qu'elle nomma *Dernière ITW*. Elle le plaça dans son dossier de sélection, avant de refaire une écoute attentive de ce qu'elle venait de redécouvrir. Il s'était écoulé presque huit semaines depuis qu'elle travaillait sur le film et les entretiens de Luis. Elle avait d'abord reporté par écrit les entretiens enregistrés, réécrivant patiemment pour que le récit se déroule avec les bons temps et un passé de circonstance. Puis elle avait organisé dans un ordre chronologique les moments filmés. Elle venait d'intégrer son *Journal de jeune homme*, ainsi que celui qu'il avait tenu pendant les mois de cette année 2015 où elle était venue l'interroger. L'ensemble donnait une idée de la vie de Luis. Elle décida de relire la lettre qui avait accompagné ces journaux intimes et qu'il lui avait fait parvenir, par sa fille, un mois auparavant.

Elle ne savait pas encore si elle intégrerait dans sa biographie leur éventuelle proximité filiale, l'aventure de Luis et de sa mère, le test de paternité négatif… Ça ne se faisait pas dans un documentaire, comme si le documentariste n'était là que dans un lointain montage, entre les images, dans la sensibilité du film, mais sans lien direct avec celui dont il faisait le portrait. Comme si le documentariste n'avait pas le droit de dévoiler ses sentiments au-delà de l'agencement artistique du montage. Mais Léa se souvenait de ce film allemand dans lequel le cinéaste, en amitié profonde avec le pianiste de jazz Michel Petrucciani, posait sa tête sur son épaule, dans une tendresse inouïe. Une image inédite, inhabituelle dans un documentaire, mais d'une grande poésie et qui, pour une fois, ne cachait pas ce qui se tramait dans la relation intime d'un portrait filmé. Pouvait-elle faire l'économie de cette confidence ? Était-ce le handicap qui offrait dans la relation à l'autre cette amitié intime, ce lien d'amour à nul autre pareil ? Elle décida de relire la lettre de Luis. Elle avait dans l'idée d'en lire elle-même la moitié à la fin du film, et de lui faire enregistrer l'autre, en allant sur place. En le retrouvant dans sa montagne aux confins du Tibet pour, comme il le disait si bien, découvrir sa dernière demeure.

Chère Léa,

Depuis que je suis parti, je pense à t'écrire, mais le bon moment ne voulait pas se présenter. Je ne te remercierai jamais assez pour ce travail biographique sans lequel mes souvenirs se seraient racornis dans l'ombre d'une mémoire endolorie par la perte et le deuil. Je t'en avais parlé au cours d'un de nos entretiens, j'avais tenu un journal de jeune homme, sans date. Il court des débuts de ma vie indépendante, quand j'ai quitté mes parents deux jours après mes vingt et un ans, à mon premier concert à la tête d'un orchestre symphonique, juste après Mai 68. Quand tu as débarqué chez moi, j'ai assez vite éprouvé le besoin de retrouver ce journal. Il se trouve que le jour même de notre premier rendez-vous, j'en avais commencé un nouveau, sans même en avoir conscience. D'abord, ce ne furent que quelques notes éparses, dont les premières furent écrites le jour où nous nous sommes rencontrés, ce fameux jour où tu es venue chez moi à Paris pour obtenir mon accord. Puis j'ai continué au fil des jours où tu m'interrogeais. Quand tu partais, j'avais envie de noter tout ce que je ne voulais pas te dire, ou tout simplement, après m'être épanché durant toute une journée, j'avais ouvert des vannes qui ne voulaient pas se refermer le soir après ton départ. Alors je prolongeais notre conversation dans mon cahier, et il présidait souvent à ce que je te confiais le lendemain. Tu pourras ajouter ces journaux à ton ouvrage. Sans doute te seront-ils utiles pour combattre les effets de ma mémoire chimérique, ou alors ils l'alimenteront de plus belle !

Je repense souvent à ces révélations que tu as gardées pour la toute fin de notre aventure, qui était, je crois, devenue une amitié. Tu as dû le sentir quand nous avons reçu les résultats, j'étais déçu que tu ne sois pas ma fille. Mais qu'importent les liens du sang ; ils n'auraient servi qu'à regretter les années de ton enfance que j'aurais passées loin de toi. Eva m'a fait parvenir ta lettre et j'ai compris ton désir de sortir le film et le livre de ma vie pour mes quatre-vingt-dix ans, si je suis encore vivant, et avant si je disparais. Je te remercie pour cette élégance. Je sais bien que tu n'as pas besoin de cet accord que je t'ai déjà donné par écrit. Je suis désolé pour la façon brutale dont je t'ai finalement demandé de repousser la diffusion de ce portrait pour lequel tu avais mobilisé du temps. Publie et diffuse quand tu voudras, maintenant, plus tard ou pour les vingt ans de l'Orchestre du Monde. Ce film et ces conversations t'appartiennent désormais. Ne te sens pas obligée de me tenir au courant.

Je crois que j'étais troublé par ces mois de confessions quotidiennes qui contrariaient mes *envies de partir, de m'isoler et parfois d'en finir. Enfin, c'était ce que je croyais, mais il n'en était rien. En réalité, tu as transformé mon dégoût de la vie en contemplation du passé, et mon incapacité à envisager ce que j'allais faire du reste de mon existence est devenue caduque. Soudain, je découvrais que le temps qui reste est toujours précieux et doit s'envisager comme un cadeau.*

Je ne sais si Lola te l'a dit avant de mourir, mais je suis passé la voir. Je crois que ça lui a fait plaisir. Elle ne voulait pas que je reste, que je l'accompagne jusqu'au bout. Je l'aurais fait si elle me l'avait demandé. Je me sentais plus fort depuis que j'avais décidé ce départ. Un jour peut-être, tu viendras me visiter dans ma dernière demeure pour terminer ton film. La montagne te plaira. Les gens qui vivent ici te sembleront d'une autre planète, comme à moi quand je suis arrivé. Leur vie est inscrite sur leur visage, ils sont comme la terre, la peau ne ment pas sous ces latitudes. Et c'est heureux, car un homme en fin de vie aspire à la vérité.

Les mauvais jours, je suis encore traversé par des cauchemars tout droits sortis de l'ultime tragédie que j'ai vécue en Syrie. L'horreur est plus immense que nos larmes. On ne peut pas pleurer ce qui est inconcevable. On essaye juste de penser que ce n'est pas vrai, que ce n'est pas en train d'arriver sous nos yeux, qu'il doit y avoir une erreur de perception quelque part. Alors la confusion mentale s'installe. Et je m'y retrouve plongé.

Les habitants fuyaient en hurlant, avec dans leurs bras des cadavres d'enfants auxquels ils ne portaient plus attention. Seul un instinct de vie semblait les mouvoir. Mais où pouvait-il bien se nicher dans ces êtres qui n'avaient plus rien d'humain, si ce n'était les mots que murmurait encore leur bouche, dans un dernier cri tentant de nommer l'innommable ?

« Dieu te voit, Bachar… » Certaines femmes racontaient en quelques phrases dérisoires ce qu'elles laissaient derrière elle. Parfois des pick-up conduits par des squelettes embarquaient les survivants, et les enfants accrochés aux barreaux ouvraient des yeux immenses où se reflétait ce qu'ils venaient de vivre en une sorte d'absence, comme si leur résignation avait anéanti toute forme d'espoir. Dans les maisons dévastées, il arrivait que les fuyards trouvent une étoile. Après la mort de mon orchestre, j'ai erré dans les rues, sans but, et la femme que j'ai rencontrée ce soir-là était blottie au rez-de-chaussée d'un immeuble, avec un matelas, un petit réchaud et une caméra. Elle filmait. Je crois que ça la maintenait en vie de mettre des images dans cette boîte, en espérant qu'elle ne soit pas détruite. Elle voulait que le reste de l'humanité puisse voir ce qui s'était passé dans sa ville et dans sa vie. Durant le court moment que nous avons passé ensemble, elle n'a jamais évoqué sa mort, seulement la survie des images qu'elle avait saisies tout en fuyant. Elle avait trouvé la caméra dans une maison. C'était son étoile de ce jour-là. Elle avait appris à s'en servir grâce à l'aide d'un journaliste croisé par hasard. Il lui avait laissé

sa carte avec son numéro de téléphone, mais elle l'avait jetée. Elle ne voulait pas travailler pour le présent, ajouter des images inutiles pour nourrir le flot des reportages qui étaient diffusés dans l'indifférence générale ; elle traçait simplement une mémoire avec un outil de son temps. Elle pensait que filmer rendait sa présence utile. Elle y mettait tout son cœur, son savoir-faire et parfois sa voix en direct. Elle racontait sa peur, le quotidien devenu extraordinaire tant qu'on se maintenait en vie. Elle m'a dit que depuis qu'elle filmait, quelque chose qui ressemblait à l'espoir se mêlait à la mort, à l'absurdité. Elle n'avait pas de haine, seulement de l'incompréhension. Nous étions pareils. Ce soir-là, c'était elle mon étoile. Je joins à cette lettre la carte mémoire de sa caméra. Tu sauras quoi en faire. Je crois qu'elle a filmé notre orchestre et notre « salle de concert » à ciel ouvert. Je n'ai jamais vu ses images.

Je ne regrette plus d'être encore vivant. Je ne crois pas avoir le choix. J'ai arrêté de vouloir donner un sens à ma vie sans elle, sans eux. Je suis rentré de Syrie parce que je ne pouvais plus vivre à l'abri de la désespérance du monde. Je ne pouvais plus recevoir sans rien offrir. Je n'étais sans doute pas venu pour ça. Quand j'ai enfin compris qu'il n'y avait pas d'explications, que je porterais toujours mon désespoir d'être en vie, que je ne pourrais serrer personne dans mes bras pour nous réjouir ensemble de pouvoir encore admirer les étoiles, je suis revenu en France. Ça ne m'aurait servi à rien de mourir. Pour ça, il faut avoir la certitude de retrouver quelqu'un. Je n'avais sans doute pas assez d'importance pour imaginer que cette coïncidence, être le seul res-capé de mon orchestre, était mon destin.

Quant à ce monde qui a été le mien, que tu as fait ressurgir et que tu as voulu fixer, je ne sais pas si tu as eu raison. Mon maître, Sergiu Celibidache, était sans doute dans le vrai, et la vie, tout comme la musique, se doit d'être vécue dans l'instant. Si bien que ton film, qui, je n'en doute pas, sera très juste, ne pourra donner l'entière vérité de ce qui fut. Il donnera à voir et cachera tout à la fois, mais n'est-ce pas le charme de nos œuvres ?

Je ne peux me résoudre à quitter ce monde où les sons que je dois écrire encore me mettent en état d'ébriété, quand chaque tintement inté-rieur rejoint cette même nostalgie qui nous relie tous. En exil, posé sur cette montagne isolée de tout, je vois bien que je n'ai été toute ma vie qu'un urbain en mouvement. D'une ville à l'autre, d'un morceau de campagne à quelques jardins, je ne savais rien de la nature profonde, du silence du monde, quand on l'expérimente de loin, quand nul point de lumière ne scintille au cœur de la nuit, quand les étoiles sont la voûte unique de l'horizon d'un lieu. Je croyais être dans la forêt en me promenant à Central Park, et la sauvagerie extrême était pour moi cette maison basque posée sur la falaise, face à la mer. Mais j'étais un ignorant. Ici, les hivers abîment la peau, les animaux ignorent que les hommes existent, les nuages sont semblables à des nuées déchaînées que nulle musique ne dompterait. La moindre fleur tient tête au souffle du temps, les odeurs ont la cruauté de leur durée, de leur espace. Tout voyage et tout est immobile, comme si la terre n'avait pas de fin, comme si nos ultimatums étaient une plaisanterie.

Je comprends maintenant ce que me racontait Joaquín Rodrigo. Arriver à destination ne peut se faire en courant. Il faut contempler le monde avant de le quitter. Chaque matin, chaque soir, je suis le parcours du soleil entamant ou finissant sa course, et j'entends à l'autre bout de ma vie, le chant d'un bandonéon ; alors une souple danseuse de tango virevolte un instant devant mes yeux, puis s'estompe sans nostalgie. La musique est fugitive. Elle m'a constitué, mais depuis que je suis installé ici, je n'aspire qu'au concert de la nature, plus vivant que celui d'une partition, plus renouvelé et moins éphémère que celui d'un orchestre. Moins excessif que la musique des hommes, le chant des cascades me ravit et m'apaise. Je jardine, je lis et je relie. Je médite et j'échange avec ces merveilleuses personnes qui n'ont jamais un autre regard que celui de la joie, de la bienveillance et de la compassion. Je suis loin des autres et je ne pense qu'à eux. Le temps est minuscule et chaque seconde abrite l'immensité d'un amour sans faille. Libéré de l'humanité souffrante, je peux lui consacrer mes pensées, mes prières. Je suis guéri de tout avant de n'être plus rien, qu'un souvenir qui s'estompera, et j'en éprouve une paix intime à nulle autre pareille.

Seule la musique peut dessiner la silhouette d'une âme.

Luis Nilta-Bergo,
26 mars 2016,
sur les bords du fleuve Tsangpo.

Remerciements

Jim Bonnel, pour avoir ouvert ce chemin d'amour sur lequel je l'accompagne chaque jour.

La tribu de ma vie, qui, dans sa bienveillance et son rire, m'offre joie et bonheur.

Éva Chanet, mon éditrice, dont l'âme pleine de mots sait faire vide et silence pour accueillir chaque nouveau roman, et m'accompagne durant les mois qui le précèdent.

Françoise Nyssen, Alzira Martins, Bertrand Py, Jean-Paul Capitani, les arbres littéraires de mes livres.

Le comédien Hervé Guinouard, pour sa lecture à haute voix, son sens aigu des mots emmêlés au tango.

Les équipes de la maison Actes Sud, qui travaillent dans l'ombre pour mettre en lumière nos romans.

Les lecteurs, les libraires et les bibliothécaires, sans lesquels nos livres resteraient oubliés sur une étagère.

Jules Bonnel, cinéaste talentueux, pour sa bande-annonce élégante de *Libertango*.

Un merci particulier aux musiciens qui m'ont offert leur savoir et parfois prêté un peu de leur vie pour ce roman :

Metin Arditi

Jean-Louis Depoil

Didier Kwak

Patrick Lang

Frédéric Lodéon

Juanjo Mosalini

Guy Perier

Lalo Schifrin

Steve Shehan

Hugues Reiner

Jorge Rodríguez

Antonin Tardy

Les musiques et documentaires qui ont accompagné les mois d'écriture

Il est impossible de donner toute la liste des morceaux et des chefs d'orchestre écoutés pendant l'écriture de ce roman. En voici cependant quelques-uns.

Astor Piazzolla, *Libertango*, Label Red Cab Records.

Arturo Márquez, *Danzón n° 2*, Gustavo Dudamel et le Simón Bolívar Youth Orchestra of Venezuela, Universal Music Division, Decca Records France.

Mosalini Teruggi Cuarteto, *Tango Hoy*, juin 2014, Label Mis.

Duo Intermezzo, *Bach & Piazzolla. Tête-à-tête*, Label Indesens.

Lalo Schifrin, Astor Piazzolla, *Deux Argentins à Paris*, février 2005, Label Vogue.

Yo-Yo Ma, *Soul of the Tango. Music of Astor Piazzolla*, octobre 1997, Label Mis.

Marcus Roberts Trio, Berliner Philharmoniker, *Seiji Ozawa Conducts a Gershwin Night*, DVD Studio Euroarts.

Le Jardin de Celibidache, un film de Serge Ioan Celibidachi.

Toute la discographie de Claudio Abbado.
Toute la discographie de Sergiu Celibidache.
Toute la discographie de Carlos Kleiber.
Toute la discographie de Steve Shehan.

Les citations de Mahler sont extraites de :
Natalie Bauer-Lechner, *Souvenirs de Gustav Mahler. Mahleriana,* éditions de l'Harmattan, 1998.

11856

Composition
NORD COMPO

Achevé d'imprimer en Espagne
par CPI
le 23 juillet 2017.

Dépôt légal juillet 2017.
EAN 9782290147573
OTP L21EPLN002209N001

ÉDITIONS J'AI LU
87, quai Panhard-et-Levassor, 75013 Paris

Diffusion France et étranger : Flammarion